Damitz,

Geschichte des Feldzugs von 1815

Zweiter Teil

Damitz, Karl von

Geschichte des Feldzugs von 1815

Zweiter Teil

Inktank publishing, 2018

www.inktank-publishing.com

ISBN/EAN: 9783747742457

Geschichte

des

Feldzugs von 1815

in

den Niederlanden und Frankreich

als Beitrag

zur

Kriegsgeschichte der neuern Kriege.

Mit drei illuminirten Plänen.

Damitz, Karl von, +d

Zweiter Theil.

Militair-Gesellschaft
der Stadt Basel.

Berlin, Posen und Bromberg.
Druck und Verlag von Ernst Siegfried Mittler.
1838.

Inhalt.

Erste Abtheilung.

Fünfter Abschnitt.

Sechster Abſchnitt.

Zweite Abtheilung.

Siebenter Abschnitt.

Sechster Abfchnitt.

Zweite Abtheilung.

Siebenter Abschnitt.

Achter Abſchnitt.

Beilagen.

Erste Abtheilung.

Fünfter Abschnitt.

Der Feldmarschall Fürst Blücher faßt den Entschluß, in das Innere von Frankreich einzudringen.

An demselben Tage, an welchem der Feldmarschall Fürst Blücher die Ueberzeugung gewann, daß die französische

II.

1.

16

Armee die Vertheidigung des vortheilhaften und theilweise durch Verhaue und Erdaufwürfe zum Widerstande eingerichteten Terrains, längs der Grenze ihres Gebiets aufgab und keinen Versuch machte, sich hinter den Festungen an der Sambre oder seitwärts derselben zu sammeln; an eben dem Tage (den 20sten Juni) beschloß auch der preußische Feldherr, das weitere Vordringen in das Innere von Frankreich auszuführen.

Ungeachtet der errungenen großen Vortheile und der augenblicklichen Auflösung der französischen Armee, würde ein minder kühner und kräftiger Feldherr sich mit den erkämpften entscheidenden Erfolgen begnügt, und den ihm gemachten Vorstellungen, den Truppen nach den großen Anstrengungen einige Ruhe zu gewähren, nachgegeben haben. Der Feldmarschall Fürst Blücher erkannte dagegen, daß er gerade in dem Augenblick, wo er die Kraft seines Feindes gebrochen, auch eine verdoppelte Thätigkeit nöthig habe, um das Uebergewicht sich ferner zu erhalten, welches der Sieg ihm gewährt, und das nur zu leicht durch die Neigung, sich der Ruhe zu überlassen und des Sieges sich zu freuen, wieder verloren geht.

Außer diesem neuen Impulse, der nach der nächsten Verfolgung dem Heere nur von dem Feldherrn gegeben werden konnte, schien es auch gewagt, den dreifachen Gürtel der französischen Festungslinie zu durchbrechen, und ohne Basis in das Innere von Frankreich einzubringen. Auch hierüber gab es nicht ganz vorurtheilsfreie Meinungen, deren nur Erwähnung geschieht, um die Schwierigkeit anzudeuten, die immer stattfinden wird, augenblicklich die wahren Kriegsverhältnisse richtig zu beurtheilen und dem gemäß zu handeln.

Ueber die Lage Frankreichs und Bezeichnung der vorhandenen Mittel, die feindliche Invasion zu bekämpfen.

Der Widerstand, den das französische Heer und die Nation dem Vordringen der alliirten Armeen entgegen zu setzen im Stande war, dürfte, bei einer besseren Benutzung der vorhandenen Mittel von Seiten der Franzosen, keinesweges als zu gering anzunehmen sein. Außer den beiden Corps, die der Feldmarschall Grouchy über Mezières und Rethel zurückführte, und welche noch gegen 30,000 Mann betrugen, sammelte auch noch der Marschall Soult bei Laon die bei Belle-Alliance geschlagene feindliche Armee. Binnen wenigen Tagen konnte eine Armee von 60- bis 70,000 Mann dem weiteren Vordringen der alliirten Heere entgegen wirken.

Es ist auch unbezweifelt, daß die Lage Frankreichs überhaupt in diesem Augenblicke viel weniger kritisch war, als beim Beginn der Revolutions-Kriege.

Außer der disponiblen Armee gegen Blücher und Wellington, befanden sich noch die 3ten, 4ten und 5ten Bataillons in den Depots, welche mit den 4ten und 5ten Escadrons, der noch vorhandenen Artillerie, dem Genie, und Train, nach französischen Berichten eine Masse von 145,000 Combattanten für die in den Operationen begriffene Armee gaben, und welche in den ersten Tagen des Juli der preußischen und englischen Armee entgegengestellt werden konnten. Die Depots der kaiserlichen Garde hatten allein 6000 disponible Mann. Die Nationalgarden, so wie die gegen die übrige Armee detaschirten Corps sind in dieser Zahl nicht mit einbegriffen, und wenn man gegen Ende Juli die sämmtlichen Streitkräfte in Frankreich zusammenfaßt, so würde man, bei der keinesweges erschöpfenden Benutzung aller Hülfsquellen, doch eine Maſſe von 328,000 Combattanten erhalten haben.

Zu Vincennes und Paris hatte man noch 500 Stück Feldgeſchütz, außerdem konnte man noch 200 Geſchütze ſogleich organiſiren, und gebot über beträchtliche Parks an der Loire. Mit dieſen Streitmitteln wäre bei geringerer Energie der alliirten Heere und bei größerer Kraft von Seiten der Franzoſen ſehr leicht ein weniger günſtiger Feldzug herbeizuführen geweſen.

Es iſt ferner zu bemerken, daß zu dieſer Zeit (24ſten Juni) die Ruſſen und Oeſterreicher noch nicht den Rhein paſſirt hatten, und vor dem 20ſten Juli nicht die untere Marne erreichen konnten, ſo wie daß der Marſchall Suchet im ſüdlichen Frankreich gegen die alliirten Armeen eine Art von Gleichgewicht zu behaupten wußte.

Von franzöſiſcher Seite werden dieſe Hülfsmittel nicht nur ſämmtlich eingeſtanden, ſondern noch bei weitem vergrößert. Man glaubt indeß, das Verdienſt der alliirten Feldherren zu verringern, indem man behauptet, daß der Entſchluß, auf Paris zu marſchiren, erſt dann gefaßt worden ſei, als man von der Abdankung Napoleons ſichere Kunde erhielt. Die Entſagung des Kaiſers auf den franzöſiſchen Thron geſchah indeß den 22ſten Juni zu Paris, und konnte daher den verbündeten Feldherren erſt einige Tage ſpäter bekannt werden, während der Entſchluß des Feldmarſchalls Blücher, gegen Paris vorzurücken, ſchon den 20ſten Juni gefaßt worden war. Ueberdem würden jedem andern Feldherrn, der für Napoleon eingetreten, dieſelben Mittel zur Vertheidigung Frankreichs zu Gebote geſtanden haben, und daher konnte die Abdankung Napoleons weder für die franzöſiſche Armee noch für die alliirten Heere das Motiv zum Handeln werden.

Ueber die Verhältnisse, unter denen das preußische Heer in Frankreich einbringt.

Bei Darstellung der speziellen Verhältnisse, unter denen der Feldmarschall Fürst Blücher das Vorrücken seiner Armee in das Innere von Frankreich ausführen ließ, ist zuvörderst zu erwähnen, daß er den Herzog von Wellington zur Unterstützung dieser Operation aufforderte. Die Ansicht, welche preußischer Seits aufgestellt wurde, gründete sich darauf, daß man die errungenen Vortheile durch die Gewalt der Waffen soweit verfolgen müsse, als es die eigenen Kräfte und die Maaßregeln des Feindes nur immer gestatteten. Man glaubte, durch die Energie und Schnelligkeit, welche man den Operationen gab, den Feind über seine eigentliche Lage zu täuschen, und ihn über die ihm zu Gebote stehenden Hülfsmittel nicht zur Besinnung kommen zu lassen. Auf diesem der Entscheidung zuführenden Wege durfte man die baldige Beendigung des Feldzugs, oder die Vernichtung des Feindes hoffen.

Um jedoch auch die Schwierigkeiten bei dem Vorrücken der Armee zu berühren, darf man nicht vorenthalten, daß die Kriegs-Depots des Heeres erst am Rhein sich befanden, daß der Feldmarschall ferner in dem Augenblick, als er die französische Grenze überschritt, bis zum Rhein keinen festen Punkt hinter sich hatte, der als Stütze seiner Bewegungen, oder nur als sicherer Aufbewahrungsort seines Kriegs-Materials angesehen werden konnte*). Die Munition, welche die Armee zur Fortsetzung der Operation bedurfte, beschränkte sich nur auf diejenige, welche sie mit sich führte oder erobert hatte. Der fernere Bedarf, so wie alle andern Kriegsbedürfnisse mußten erst

---

*) Ausgenommen die kleine Festung Jülich.

erkämpft werden. Diese Schwierigkeiten, welche für
einen gewöhnlichen Feldherrn hinreichend gewesen wären,
sich mit seinem Siege zu begnügen, erzeugten in der
Seele des Feldmarschalls nur den Gedanken, diese Hindernisse zu bekämpfen und durch das moralische Uebergewicht nicht allein das Fehlende zu ersetzen, sondern
auch die Wagschaale des Sieges für sich zu bestimmen.

Von französischer Seite hatte man sich bemüht,
das Vorrücken der alliirten Heere gegen Paris als ge-
fahrvoll und unbesonnen zu schildern. Man gefällt sich
darin, Annahmen zu machen, die gerade nur dann eingetroffen wären, wenn die alliirten Feldherren anders gehandelt hätten. Das unangenehme Gefühl, auch nicht einmal in den angeblichen Fehlern des Gegners eine Ent-
schuldigung zu finden, verleitet oft zu ungerechten Urthei-
len. Sucht man dagegen in den Thatsachen des Feldzugs nähere Aufklärungen, so zeigt es sich, wie der Feldmarschall Fürst Blücher nur die nach und nach sich ent-
hüllenden Verhältnisse der Muthlosigkeit im feindlichen
Heere und der Zerfallenheit im Innern des Reiches benutzte, um hierauf die Fortsetzung seiner Operationen zu
basiren.

Wir haben schon gesehen, daß der Entschluß zum
Vorrücken gegen Paris erst dann gefaßt wurde, als man
sich überzeugte, daß die feindliche Armee hinter ihrer
Festungslinie nicht gesammelt wurde. Später, als der
Feind seine linke Flanke vernachlässigte und dadurch die
Umgehung über Compiègne möglich machte, zeigte die
geringe Contenance der feindlichen Corps, daß man nicht
zuviel wage, sie unter den Mauern von Paris anzugreifen. Es ist daher wohl kaum nöthig, hinzuzufügen: daß
die großen und glänzenden Erfolge der richtigen Erkennung der Verhältnisse und ihrer schnellen und kräftigen

Benutzung zugeschrieben werden müssen. Die Fehler des Gegners, so wie die vortheilhaften Umstände wahrzunehmen, gehört gewiß zu den wesentlichen Elementen, die den Entschluß eines Feldherrn bestimmen. Die Geschichte aller Zeiten liefert die Beläge dafür. Auch wird man die großen und entscheidenden Resultate im Kriege stets aus dem richtigen Auffassen der jedesmaligen Kriegeslagen und aus ihrer kräftigen und glücklichen Benutzung sich entwickeln sehen.

Es ist überhaupt anzunehmen, daß beim Beginn eines jeden Feldzugs selten mehr, als ganz allgemeine Voraussetzungen stattfinden können, und daß man sich nur auf gewisse Fälle vorbereiten kann. Erst im Moment der Ausführbarkeit wird man sich für Operationen entscheiden können.

Der gefaßte Entschluß ist aber nicht allein von dem Uebergewicht der Kräfte abhängig. Es wirken auch noch viele andere Elemente ein, durch welche sich erst der Gebrauch der Kräfte bedingt. Ueberhaupt wird der physische Druck der größern Masse weniger als die Anwendung, die man davon macht, entscheiden. Diese aber in eine auf alle Fälle passende Theorie zu ordnen, wird wohl stets vergeblich bleiben, weil sie in jedem Feldzuge durch den Charakter und die Vollmachten jedes Feldherrn sich anders gestalten müssen.

Nur in dem Forschen nach den eigentlichen Motiven der Handlungen im Kriege ist eine Aufklärung zu gewinnen, und für die Belehrung zu benutzen.

Bemerkungen über das Vertheidigungs-System der nordöstlichen Grenze von Frankreich.

Geht man nach diesen allgemeinen Bemerkungen zu der Betrachtung der örtlichen Vertheidigungsanlagen

über, welche den alliirten Armeen auf der nordöstlichen
Grenze von Frankreich entgegen standen, so findet man
hier das alte Vertheidigungs-System der französischen
Grenze wieder aufgenommen, und nur durch die erneuerte
Befestigung einiger Orte mehr in dem Innern Frankreichs
vervollständigt.

Der dreifache Gürtel von Festungen, welche in einer
Entfernung von 2 bis 3 Meilen von einander angelegt
sind, sollte nach der Meinung ihrer Erbauer ein undurch-
dringliches Hinderniß gegen jede feindliche Invasion bilden. Die frühere Kriegführung und besonders das Cor-
don-System bestätigten diesen Glauben. Man bedarf indeß zur Dotirung dieser Festungen nicht allein eine bedeutende Truppenmasse, sondern es gehörte auch dazu
eine große Menge von Kriegs-Material. Durch Verwendung dieser Kriegsmittel beraubte man sich aber ihres
freien Gebrauchs gerade in dem Augenblick, wo durch
sie eine Entscheidung herbeigeführt werden konnte.

Die Campagne von 1814 hatte, zwar den früheru
Glauben an die Undurchdringlichkeit des französischen
Festungssystems erschüttert, aber noch war diese Idee
nicht ganz aufgegeben worden.

Napoleon benutzte diesen Festungs-Cordon, indem
er die Besatzungen durch Gensdarmen, Nationalgarden
und Douaniers bilden ließ.

Außer diesen Grenzfestungen ließ Napoleon mehrere
weiter rückwärts gelegene Orte, welche nicht mehr als
Festungen bestanden, aufs Neue befestigen, oder die noch
vorhandenen alten Werke herstellen. Auf diese Weise
wurden Laon, Soissons, St. Quentin, Cambrai und
mehrere andere Orte in Vertheidigungsstand gesetzt.

Die von Napoleon in dieser Beziehung getroffenen
Anordnungen sind aber nicht mit der gehörigen Energie

ausgeführt worden, wobei vielleicht politische Verhältnisse im Innern von Frankreich einwirkten.

Bringt man die Anordnung der so eben bemerkten Befestigungsanlagen mit den Vertheidigungs-Maßregeln in Verbindung, welche für Paris und Lyon als Conzentrationspunkte der allgemeinen Landes-Vertheidigung getroffen wurden, so würde man allerdings eine Abweichung von dem früheren Vertheidigungs-System, welches nur die Grenze allein deckte, annehmen müssen.

Es ist auch nicht zu läugnen, daß solche Vertheidigungsanlagen nach dem Innern des Landes hinein nur einen Nationalkrieg begünstigen und unterstützen konnten. Die spätern Ereignisse werden jedoch darthun, daß Napoleon, um eine solche Landes-Vertheidigung hervorzurufen, sich anderer moralischer und politischer Mittel gleich bei seiner Rückkehr von Elba bedienen mußte, welche allein den Anstrengungen der Nation den eigentlichen Hebel gaben. Die bloßen Vertheidigungsanlagen würden selbst in dem Falle, daß alle seine Anordnungen ausgeführt worden wären, ohne den belebenden Geist der Nation nichts gefruchtet haben.

Für die in das Innere von Frankreich vorrückenden alliirten Armeen, und namentlich für das Vorrücken der Engländer, war der Gewinn der Defensionslinie, welche die Somme bildet, von großer Wichtigkeit. Mittelst des Hafens von St. Vallerie am Ausfluß der Somme kam man mit England in directe Verbindung und konnte seine Kriegsbedürfnisse unmittelbar nach dem Kriegsschauplatz beziehen. Der Gewinn von Peronne, Amiens und Abbeville sicherten diese Basis und konnten als eine Barriere angesehen werden, welche das französische Flandern und Hennegau von dem übrigen Frankreich trennte. Hatte man diese Defensionslinie hinter sich, so erreichte man ein freies offenes Terrain, welches erst gegen die Oise hin wieder coupirt wird. Auf diesem Terrain durfte man annehmen, daß, im Fall der Krieg nicht sobald seine Entscheidung gefunden hätte, die Operationen mit gleichem Vortheile auszuführen waren. Einen mehr durchschnittenen Charakter des Terrains findet man indeß zwischen der Oise, Aisne und Marne. Außer einer Menge von kleinen Flüssen giebt auch der Waldabschnitt von Villers Cotterets, Compiègne ⁊c. dem Vertheidiger einige Vortheile.

Durch die Campagne von 1814 hatte man denjenigen Theil des Terrains, welcher zwischen dem Ourcq-Flusse, der Ardre, Vale gegen die Aisne und Lette gelegen ist, kennen gelernt, und wußte auch aus spätern Recognoscirungen, daß es in diesem Terrain-Abschnitt nicht an festen und vortheilhaften Aufstellungen mangele. Auch mußte man die öfteren Fluß-Uebergänge, besonders da man keine Pontons mit sich führte, als den Operationen hinderlich ansehen. Alles dies waren hinlängliche Gründe um dies coupirte Terrain zu vermeiden. Mehr unterhalb der Oise gegen Paris wird das Terrain wieder offener und überhaupt weniger ungünstig für die Bewegungen einer Armee.

Nachdem man auf diese Weise im Allgemeinen die physischen und künstlichen Hindernisse, welche dem Vorrücken der preußischen und englischen Armee gegen Paris entgegen standen, überblickt hat, wird es um so leichter werden, den Bewegungen der Heere zu folgen, und die Wahl ihrer Operation zu würdigen.

Vorrücken der preußischen Armee vom 21sten bis 28sten Juni.

Durch die Märsche, welche der Feldmarschall Fürst Blücher von dem 1sten und 4ten preußischen Armee-Corps

am 20ſten ausführen ließ, hatte er alſo mit der Hälfte
ſeiner Armee bereits die franzöſiſche Grenze überſchritten,
als noch die andern beiden preußiſchen Corps (das 2te
und 3te) mit der Verfolgung des Marſchalls Grouchy
beſchäftigt waren. Obgleich daher der Fürſt ſeine Armee
nicht beiſammen hatte, und auch erſt den 21ſten Juni
das Reſultat, welches die detaſchirten Corps gewannen,
erfuhr, ſo überzeugte er ſich doch, daß kein Augenblick
damit zu verlieren ſei, daß man das weitere Vordringen von
dem Nachkommen dieſer Corps abhängig mache. Sie
erhielten daher nur die Weiſung, ſogleich den vorrückenden Corps zu folgen. In der Nacht vom 20ſten zum
21ſten Juni erhielt daher der Generallieutenant von Zieten
den Befehl, mit dem 1ſten Armee-Corps auf Avesnes
zu marſchiren. Die am geſtrigen Tage unter dem General v. Jagow formirte Avantgarde, aus der 3ten Brigade, dem 1ſten ſchleſiſchen Huſaren-Regiment und einer
reitenden Batterie beſtehend, wurde der Befehl, die
Feſtung Avesnes auf beiden Ufern der Helpe einzuſchlie-
ßen. Das Gros des erſten Corps brach dagegen in
zwei Kolonnen auf. Die rechte Flügel-Kolonne unter
dem Befehl des Generals v. Pirch des IIten, aus der
1ſten und 2ten Brigade zuſammengeſetzt, marſchirte bis
gegen Semouſies und machte auf dem Punkte Halt, wo
die große Straße von Maubeuge in die von Avesnes
fällt. Die zweite Kolonne, von dem Generallieutenant
v. Röder geführt und aus der 4ten Brigade der Reſerve-Kavallerie und Reſerve-Artillerie beſtehend, marſchirte
über Solre le Chateau gegen Avesnes, und bezog unfern
der 1ſten und 2ten Brigade einen Bivouacq.

Dem General Grafen Bülow v. Dennewitz befahl
der Feldmarſchall, bis Maroilles auf der Straße von
Maubeuge nach Landrecies vorzurücken. Die Avantgarde

unter dem General v. Sydow erhielt die Weisung, noch
weiter vorzugehen, und die Festung Landrecies einzuschließen. Dem Generallieutenant von Hake wurde aufgetragen, mit den Truppen, die bei Montigny gelagert hatten, über Colleret gegen les Fontaines zu marschiren und
Maubeuge auf dem rechten Ufer der Sambre einzuschließen.
Die Kavallerie des zweiten Armee-Corps unter dem
Obersten v. Schulenburg sollte die Truppen des 4ten
Corps ablösen, welche sofort ihrem Armee-Corps nachzu-
folgen den Befehl hatten.

Durch diese Bewegungen war also das vierte Armee-
Corps am heutigen Tage (21sten Juni) in der Gegend
von Landrecies, und das erste Armee-Corps in der Gegend von Avesnes eingetroffen. Das anhaltende Regenwetter und die vom Feinde unbrauchbar gemachten Wege
vergrößerten die Beschwernisse des gestrigen und des
heutigen Marsches. Der Feldmarschall Fürst Blücher
nahm sein Hauptquartier in Noyelle sur Sambre.

**Bemerkungen über die Sicherheits-Maaßregeln bei
den verschiedenen Corps, während der täglichen
Märsche, und über entferntere Detaschirungen
zu besondern Zwecken.**

Bei diesen Märschen überließ der en Chef Commandirende die Anordnungen der nothwendigen Sicherheits-Maaßregeln, so wie die Verpflegung der Truppen
vom Lande den Corpsbefehlshabern, indem er der Meinung war, daß bei der Selbstständigkeit eines Armee-
Corps durch zu viel spezielle Befehle, welche doch immer
durch Localität und besondere Umstände modifizirt werden
müssen, nur der freie Wirkungskreis des Commandirenden
beschränkt wird.

Es war überhaupt Grundsatz des Feldmarschalls,

nur das Nothwendige zu beſtimmen, und der Wirkſam-
keit ſeiner Corps-Commandeurs möglichſt freien Spielraum zu laſſen, indem er nur dadurch ein lebendiges Eingreifen in die Kriegsverhältniſſe, die wohl nie durch einen
Einzelnen allein gelenkt werden können, zu fördern glaubte.

In dieſer Beziehung wurde auch dem erſten Armee-
Corps nur im Allgemeinen die Richtung zur unmittelbaren Sicherung der linken Flanke angegeben. Die
ſpeziellen Entſendungen geſchahen von den Corpsbefehlshabern, und wurden nach Maaßgabe des Vorrückens der
Armee fortgeſetzt; ſo wie die Einziehung von Nachrichten — inſofern der Feldmarſchall nicht beſondere Aufträge damit verband — ihnen überlaſſen blieb.

Nur die entfernteren Detaſchirungen und die Ertheilung beſonderer Aufträge behielt ſich der Feldmarſchall
allein vor. Der Zweck und die Inſtruction wurden unmittelbar aus dem Hauptquartier an die zu dieſen Entſendungen beſtimmten Offiziere gegeben.

Die erſte entferntere Detaſchirung beim Vorrücken
der Armee trug der Feldmarſchall dem Major v. Falkenhauſen mit dem 3ten ſchleſiſchen Landwehr-Kavallerie-Regiment auf. Dieſer Offizier ſollte in der Nacht vom
20ſten zum 21ſten Juni einen Streifzug gegen die
Straße über Rethel nach Laon antreten, und hier Nachrichten über das Sammeln und den Marſch der franzöſiſchen Truppen einziehen. Die Aufgabe, als Partiſan
zwiſchen den feindlichen Corps zu agiren, war allerdings
mit Gefahren verknüpft und erforderte Umſicht, ſo wie
die Entwickelung derjenigen Eigenſchaft, welche allein
dem Führer einer Streifparthei Sicherung gewähren
kann, nämlich ſich nur auf ſich ſelbſt zu verlaſſen und
nur in ſich die Mittel zur Ausführung ſeines Unter-
nehmens aufzufinden. Der Major v. Falkenhauſen hatte

schon frühere Aufträge der Art mit Erfolg ausgeführt, und zeigte auch bei diesem Vorsicht und Entschlossenheit, indem er nicht allein Nachrichten von dem Rückzuge der Franzosen gegen Laon einsandte, sondern auch später bis zur Marne vordrang und die erste Verbindung mit der unter dem Feldmarschall Fürsten Wrede vorrückenden baierschen Armee eröffnete.

Die näheren Detaschirungen zur unmittelbaren Deckung der linken Flanke der Armee wurden von der Reserve-Kavallerie des ersten Corps in den Richtungen gegen Philippeville, Rocroi und Marienburg entsendet. Das Detaschement in Walcour hatte den besondern Auftrag, die Verbindung links mit dem Vortrab des zweiten preußischen Armee-Corps unter dem Oberstlieutenant v. Sohr aufzusuchen. Eine Kavallerie-Abtheilung von 1 Stabsoffizier, 2 Offizieren und 100 Pferden wurde von Beaumont auf der großen Straße gegen Chimay bis Cour Retournant, über Sivry und Solre le Chateau vorgeschickt, um in der Gegend von Avesnes sich wieder dem ersten Corps anzuschließen.

In Beaumont blieben zwei Compagnien der 4ten Brigade und 20 Mann Kavallerie als Besatzung zurück, welche jedoch nach der Einnahme von Avesnes den Befehl erhielten, dahin zu folgen.

Im Laufe des heutigen Tages (21sten Juni) trafen auch die Meldungen der Generale v. Pirch und v. Thielemann, welche das Entkommen des Marschalls Grouchy über Dinant anzeigten, in dem Hauptquartier ein. Der Feldmarschall befahl sogleich, daß das zweite Armee-Corps zur Belagerung der im Rücken des Heeres liegen gebliebenen Festungen verwendet werden solle. Der Prinz August v. Preußen wurde beauftragt, das Commando sämmtlicher zu den Belagerungen bestimmten Truppen zu

übernehmen. Die Grenzen dieser Anordnung wurden
zwar erst in der spätern Zusammenkunft mit dem Her=
zog v. Wellington näher festgestellt, jedoch diese Bestim=
mung sofort ausgeführt.

Das dritte Armee=Corps, welches sich am heutigen
Tage (21sten Juni) mit seiner gestern vorgeeilten Ka=
vallerie bei Sombref vereinigte, erhielt den Befehl, über
Charleroi den beiden Corps, die schon einen Vorsprung
gewonnen hatten, als Reserve nachzurücken.

Während das zweite Corps seiner Bestimmung zu=
folge von Namur nach Thuin marschirte und nach diesem
Orte das Hauptquartier verlegt wurde, erhielt der Oberst=
lieutenant v. Sohr den Befehl, mit den Füsilier=Batail=
lons vom 14ten und vom 23sten Infanterie=Regiment,
den brandenburgschen und pommerschen Husaren und 5
Kanonen von der reitenden Artillerie bei Anbruch des
heutigen Tages (21sten Juni) aufzubrechen und dem
Feinde auf Dinant zu folgen. Das vorgeschickte De=
taschement des Rittmeisters v. Thielemann, welcher dem
General Vandamme noch gestern bei einbrechender Nacht
auf dem Fuße nachgeschickt war, bildete die Spitze. Der
Feind hatte indeß bei seinem Rückzuge die Straße längs
der Maas, welche an mehreren Stellen durch Felsdefileen
führt, an vortheilhaften Punkten gesperrt. Die Weg=
räumung dieser Hindernisse erforderte Zeit, und so gewann
der Feind theils hierdurch, theils durch den ausgeführten
Nachtmarsch einen so bedeutenden Vorsprung, daß man
in dieser Verfolgung nur eine Beobachtung des Marsches
der französischen Corps und die Aufsuchung der Verbin=
dung mit dem bereits vorgerückten Armee=Corps in der
Richtung rechts der Straße nach Dinant über Florennes
und Valcour annehmen muß. Der Oberstlieutenant v.
Sohr brachte daher auch nur wenige Gefangene ein,

bog in der Nähe von Dinant rechts von der Straße ab, und marschirte bis Florennes, wo er die Nacht vom 21sten zum 22sten blieb, und also in Beziehung zum Gros der Armee die linke Flanke des Heeres deckte.

Der Feldmarschall Fürst Blücher befahl auch noch am heutigen Tage (21sten Juni), daß 4 Regimenter der Reserve-Kavallerie des zweiten Armee-Corps, nämlich die Regimenter: Königinn Dragoner, schlesische Ulanen, brandenburgsche und pommersche Husaren, unter Führung des Oberstlieutenants v. Sohr sich an die vorrückende Armee anschließen sollten. Diese Kavallerie wurde bestimmt, in der Nähe des Hauptquartiers stets zur speziellen Disposition des Fürsten zu bleiben. Wegen des später noch zu berührenden Zurückbleibens der beiden Husaren-Regimenter, welche erst vor Paris zur Armee stießen, konnte man indeß während des Marsches nur über 2 Regimenter disponiren, deren Verwendung zu seiner Zeit nachgewiesen werden wird.

Dem ersten preußischen Armee-Corps, welches, wie schon erwähnt, mit seiner 3ten Brigade die Festung Avesnes einschloß, war noch der Befehl ertheilt worden, einen Angriff auf Avesnes ausführen zu lassen. Man wollte die Contenance dieser Festung prüfen, um über die vorhandenen Vertheidigungsmittel, so wie über die Stimmung der Besatzung einigen Aufschluß zu erhalten. Avesnes ist nach Vaubans System befestigt, hat 40 Fuß hohe Revêtements, und wurde von Napoleon als Hauptdepot für die Bedürfnisse seiner Armee benutzt.

Einnahme von Avesnes am 20sten Juni.

Nachdem die Avantgarde der 3ten Brigade, aus dem 1 schlesischen Husaren-Regiment, 2 Schützen-Compagnien und 1 Füsilier-Bataillon bestehend, zwischen 3
und

und 4 Uhr Nachmittags vor der Festung angekommen war, befahl der General v. Zieten, nach erhaltener ab=schläglicher Antwort des Commandanten, das Bombarde=ment der Festung sofort zu beginnen. Es wurden sechs 10pfündige und vier 7pfündige Haubitzen in die Flan=queur=Linie der Reiterei auf 600 Schritt von der Festung, aufgefahren und die Stadt beschossen. Da der Ort je=doch aus lauter massiven Häusern besteht, so zündeten die Granaten nicht, und eben so blieb eine in die Feuer=linie gezogene 12pfündige Batterie gegen das starke Mauer=werk ohne große Wirkung.

Beim Einbruch der Nacht stellte man das Bom=bardement ein, und nahm sich vor, erst nach Mitternacht das Feuer von Neuem beginnen zu lassen. Als die Ar=tillerie zu schießen aufhörte, machten feindliche Tiralleurs einen Ausfall aus der Festung. Die schlesischen Schützen gingen dem Feinde sogleich entgegen und warfen ihn muthig zurück, wobei sie 20 Mann an Todten verloren.

Gleich nach 12 Uhr Mitternachts eröffneten die preußischen Batterien ihr Feuer. Beim 14ten Wurf traf eine 10pfündige Granate das schlecht gesicherte Haupt=Pulvermagazin, und sprengte dasselbe in die Luft. Diese starke Explosion zertrümmerte 40 Häuser, ohne je=doch den Festungswerken den mindesten Schaden zuzu=fügen. Es bemächtigte sich indessen der Garnison ein solcher panischer Schrecken, daß sie zu capituliren verlangte. Außer dieser schlechten Stimmung der Besatzung und der geringen Energie des Commandanten, kann nichts die Uebergabe der Festung (Morgens 2 Uhr am 22sten Juni) motiviren. Es fehlte der Garnison nicht an Pulver, da in diesem Orte die französische Reserve=Munition aufbe=wahrt wurde und die Preußen noch nach der Explosion 15,000 Schuß für Geschütze und 1 Million Flinten=

II.   2

Patronen, so wie sehr beträchtliche Magazine vorhanden. Es waren in der Festung 47 Geschütze größtentheils von schwerem Caliber vorhanden, welche man zur Belagerung der übrigen Festungen bestimmte. Die Besatzung, aus 2000 Mann bestehend, unter denen 200 Veteranen und 3 Bataillons Nationalgarden sich befanden, wurden kriegsgefangen; die Nationalgarden wurden entwaffnet nach der Heimath geschickt; die Veteranen aber nach Cöln abgeführt.

Für die preußische Armee war die Einnahme von Avesnes sehr wichtig. Man gewann den ersten Depotplatz auf der neuen Operationslinie. Auch kam man in die Lage, sich mittelst der gewonnenen Vorräthe sowohl mit Munition als Lebensmitteln zu versehen, welches die Bewegungen der Armee erleichterte und sicherte.

Es war der zweite Tag, nachdem der Entschluß auf Paris zu marschiren im preußischen Hauptquartiere gefaßt worden, als man in demselben die Einnahme von Avesnes, welche man als ein glückliches Ereigniß ansehen konnte, erfuhr. Der Feldmarschall beschloß sogleich durch die Einsetzung einer Administration den erlangten Vortheil im ganzen Umfange zu benutzen. Der Oberst v. Löbel wurde zum Commandanten von Avesnes ernannt, und dem Obersten Grafen Loucey die Polizei und dem Kriegs-Commissair Prescher die Herbeischaffung der Armee-Bedürfnisse in den eroberten Landstrichen übertragen.

Alles was zur Schifffahrt der Sambre gehörte, sollte sogleich wieder in guten Stand gesetzt, und das Zerstörte wieder hergestellt werden, um sich dieses Flusses, sobald es die Verhältnisse erforderten, zur Nachschaffung des nöthigen Kriegs-Materials zu bedienen.

Man verband mit der Besetzung Avesnes auch noch

die Abſicht, alle Kranke, überhaupt alles für den weitern Marſch Unbrauchbare, hier zurückzulaſſen, um daſſelbe nach erfolgter Wiederherſtellung und Retablirung von dieſem Orte aus der Armee mit Ordnung und Sicherheit wieder nachführen zu können. Das Zurücklaſſen der lahmen Pferde und des überflüſſigen Materials konnte dadurch auch ſtattfinden.

Den 22ſten Juni beſchloß der Feldmarſchall, von dem erſten und vierten Armee-Corps nur einen halben Marſch ausführen zu laſſen. Das dritte Corps dagegen, welches noch zurück war, ſollte durch einen ganzen Marſch bis Beaumont herangezogen, und von dem zweiten Corps in der Richtung der Sambre dieſelbe Aufgabe gelöſt werden, damit dieſe letzteren Truppen zeitig genug bei der Hand wären, um die Berennung der, von dem vierten Corps eingeſchloſſenen Sambre-Feſtungen zu übernehmen.

Die ſpeziellen Befehle des Fürſten Blücher wurden in der Art den einzelnen Corps zugewieſen, daß der Generallieutenant v. Zieten mit dem Gros ſeiner Truppen von Avesnes bis Etroeung vorrücken, ſeine Avantgarde bis la Capelle und Patrouillen bis zur Oiſe vorpouſſiren ſolle.

Um 1 Uhr Nachmittags (22ſten Juni), nachdem der 3ten Brigade nach den Fatiguen des Nachtgefechts einige Ruhe gewähret worden war, ließ der Generallieutenant v. Zieten die Avantgarde des erſten Corps, aus der ſo eben genanten Brigade und den früher ſchon bezeichneten Truppen zuſammengeſetzt, aufbrechen. Die Avantgarde marſchirte auf Etroeung und la Capelle, wo ſich die Straßen nach Laon und Guiſe, alſo die Communicationen auf dem rechten und linken Ufer der Oiſe ſcheiden. Der General v. Zieten glaubte, daß die 3te Brigade nach den Anſtrengungen bei der Einnahme von Avesnes

diefen Marfch nicht mehr ganz auszuführen im Stande
wäre, und überließ es daher dem Generalmajor v. Jagow,
nur durch Vorpoften=Detafchements la Capelle befeßen zu
laffen, und Patrouillen vorwärts bis Vervins zu fchicken.

Die Avantgarde unter dem General v. Jagow er=
reichte, ungeachtet der Befchwerniffe des 20ften und 21ften
Juni, zwifchen 8 und 9 Uhr Abends la Capelle und be=
zog hier einen Bivouak. Das erfte fchlefifche Hufaren=
Regiment wurde bis Etré = au = pont an der Oife vorge=
fchoben und feßte fich rechts mit der bei Henappe auf
der Straße von Landrecies nach Guife ftehenden Avant=
garde des vierten Corps in Verbindung. Die Streif=
patrouillen links gegen Rocroi und vorwärts gegen Ver=
vins wurden gleichfalls abgefchickt.

Der Generallieutenant v. Zieten hatte außer diefen
Beobachtungsmaaßregeln, noch ein Detafchement von
100 Pferden von der Referve=Kavallerie, unter dem Ritt=
meifter v. Gofchißky, über Vervins gegen Laon entfendet,
um diefe Gegend zu beobachten und Nachrichten über den
Feind einzubringen. Eine andere Abtheilung, von 1 Of=
ficier und 30 Mann, wurde zur Beobachtung von Philip=
peville nach Frasnoy gefchickt.

Von dem erften Armee=Corps wurden 2 Batail=
lons des 19ten Infanterie=Regiments unter dem Oberften
v. Schutter, und ein Detafchement von 1 Officier und 20
Pferden zur Befaßung von Avesnes zurückgelaffen. Das
Gros des Corps (die 1fte, 2te und 4te Brigade, die
Referve=Kavallerie und Artillerie) folgte der Avantgarde
bis Etroeung, wo von den Truppen ein Bivouak be=
zogen wurde. Das Hauptquartier des erften Corps kam
nach genanntem Orte.

Der General Graf Bülow v. Dennewiß hatte den
Befehl erhalten, auf der Straße von Landrecies nach

Guise bis Femy vorzurücken, die Avantgarde bis He-
nappe, Detaschements bis nach Guise vorzupoussiren und
Landrecies bis zur Ankunft der Truppen des zweiten Armee-
Corps auf beiden Seiten der Sambre eng einzuschließen.

Das vierte Armee-Corps kam diesen Anordnungen
in der Art nach, daß die Truppen unter dem General
v. Sydow (4 Bataillons der 13ten Brigade), welche
Landrecies bereits auf dem rechten Ufer der Sambre beobachteten, und welche man noch durch 1 Infanterie-
Regiment der 15ten Brigade, durch eine 6pfündige Batterie und durch das 2te pommersche Landwehr-Kavallerie-
Regiment nebst 2 Landwehr-Kavallerie-Eskadrons, von dem
Major Grafen v. Nostitz befehligt, verstärkte, unter die
Befehle des Generallieutenants v. Hake, der gestern die
Einschließung von Maubeuge geleitet hatte, gestellt wurden,
um Landrecies bis zur Ankunft der 6ten Brigade des
zweiten Armee-Corps zu berennen.

Die neu zu formirende Avantgarde wurde aus den
4 Bataillons der 13ten Brigade, die im Lager bei Maroilles gestanden, und einer halben reitenden Batterie,
so wie aus dem 8ten Husaren- und 1sten pommerschen
Landwehr-Kavallerie-Regiment gebildet, und den Befehlen
des Generals v. Sydow überwiesen. Diese Truppen
brachen gegen 9 Uhr Morgens (22. Juni) nach Henappe auf, und erreichten diesen Ort Nachmittags bei
guter Zeit. Es wurden noch Detaschements nach Guise,
Cateau-Cambrésis und Vassigny poussirt. Das Gros
des vierten Corps, die 14te, 15te und 16te Brigade und
die Reserve-Artillerie, lagerten auf der Höhe von Femy auf
dem rechten Ufer der Sambre. Die Reserve-Kavallerie
bezog ein Bivouak bei Etreux und besetzte l'Echelles,
wodurch die Verbindung mit dem ersten Armee-Corps gesichert wurde.

Das Hauptquartier des Generals v. Bülow kam nach Femy.

Der Generallieutenant Freiherr v. Thielemann wurde angewiesen, mit dem dritten Corps von Charleroi bis Beaumont vorzurücken, und seine linke Flanke gegen Philippeville zu sichern. Dies Corps folgte den Kolonnen-Wegen, die das erste Corps eingeschlagen, und detaschirte einige Bataillons auf den Wegen gegen Chimay und Philippeville.

Die Bivouaks wurden so gewählt, daß die 9te Brigade bei Beaumont, die 10te bei Chaudeville, die 11te rechts und links der Straßen nach Avesnes und Chimay, die Reserve-Artillerie hinter derselben, die 12te Brigade bei Grandrieu ihre Läger angewiesen erhielten. Die Kavallerie bivouakirte bei Heſtrud (auch Eſtrud genannt) auf der Straße gegen Solre und Avesnes.

Das Hauptquartier des Generals v. Thielemann kam nach Beaumont.

Dem zweiten Armee-Corps war schon gestern die Direktion auf Thuin, also dem vierten folgend, gegeben worden. Am heutigen Tage erhielt der General v. Pirch die spezielle Weisung, durch die 5te und 7te Brigade die Festung Maubeuge, durch die 6te Landrecies einschließen und Avesnes besetzen zu laſſen. Die 8te Brigade sollte über Chimay und Marienburg gegen Philippeville und Givet marschiren, um diese Gegend vom Feinde zu reinigen und die beiden genannten Festungen zu blokiren.

Da die Ausführung dieses letzteren Befehls nur während des 22ſten und 23ſten Juni möglich wurde, die Details auch zu dem später zu beschreibenden Belagerungskriege gehören, so würde hier nur anzuführen nöthig sein, daß den 22ſten Juni die Einschließung von

Maubeuge durch Truppen des zweiten Corps geschah, und den 23ßen Juni die Blokirung von Landrecies, so wie die Beobachtung der übrigen Festungen ausgeführt wurde.

Der Oberstlieutenant v. Sohr, den wir in der Nacht vom 21ßen zum 22ßen Juni in Florennes verließen, marschirte heute gegen Philippeville, um einen, durch die eingetretenen Verhältniffe motivirten Versuch, diese Festung zur Uebergabe zu bewegen, auszuführen. Wir werden später sehen, wie hierdurch die Veranlassung gegeben wurde, daß die beiden Husaren=Regimenter erst bei Paris die indeß weiter vorgerückte Armee einholen konnten.

Der Feldmarschall Fürst Blücher nahm den 22ßen Juni sein Hauptquartier in Catillon sur Sambre.

Nach Ausführung der speziell nachgewiesenen Bewegungen hatte der Feldmarschall am Abend des 22ßen Juni seine Armee in 2 Kolonnen getheilt, so zur Disposition, daß er mit den Têten derselben die beiden Straßen von Avesnes über la Capelle, und von Landrecies über Guise auf Laon festhielt. Das erste und dritte Armee=Corps befanden sich auf der Straße links; das vierte und zweite Armee=Corps auf der Straße rechts. Die Armee war in dieser Aufstellung geeignet, gegen Laon vorzurücken, aber auch eben so leicht einen Rechts=Abmarsch gegen Compiègne auszuführen, ohne daß der Feind bis diesen Augenblick, aus den getroffenen Maaßregeln, auf die ferneren Operationen schließen konnte. Die Richtung der entsendeten Streifparthien mußte vielmehr auf ein Vorrücken gegen Laon schließen lassen.

Da indeß die englische Armee zurückgeblieben war, die eingezogenen Nachrichten auch das Sammeln der französischen Armee bei Laon durchweg bestätigten, so schien es zweckmäßig, im Verein mit der Armee des

Herzogs v. Wellington die Fortsetzung der Operationen auszuführen. Eine augenblickliche Ruhe konnte auch preußischer Seits benutzt werden, um den gefechtsfähigen Stand der Truppen herzustellen, so wie das noch um einen halben Marsch zurückgebliebene dritte Armee-Corps heranzuziehen.

Diese Umstände wurden die Veranlassung, daß der Feldmarschall Fürst Blücher seine Armee den 23sten Juni einen Ruhetag gewährte. Die anderweitige Benutzung dieses Tages wird später noch erwähnt werden.

Bemerkung über die Märsche nach der Schlacht bei Belle-Alliance bis zum 28sten Juni.

Es ist vielleicht hier der Ort zu bemerken, daß, obgleich die kräftige Weiterverfolgung des Feindes, von den Truppen mannichfache Anstrengungen erheischte, die am 21sten und 22sten Juni durch Regenwetter und schlechte Wege vermehrt wurden, doch ein Ueberjagen der Truppen bei den kleinen Märschen durchaus nicht angenommen werden kann. Es war allerdings ungewöhnlich, nach einem so vollständigen, großen Siege, gar keine Ruhe zu gewinnen, und dies mochte die Anstrengungen größer erscheinen lassen; indeß darf man auch nicht übersehen, daß der Sieg nur die eine Hälfte, und die Verfolgung die andere ist. Was in diesen Augenblicken oft noch durch etwas größere Anstrengungen auszuführen möglich ist, kann später nur durch einen neuen Aufwand aller Kräfte erreicht werden.

Darlegung der Verhältnisse, die bei jetzigen größern Armeen in der Nähe des Feindes eintreten, und die Ertheilung der täglichen Befehle bedingen.

Eine zweite Bemerkung dürfte vielleicht an diesem Ort gleichfalls eine Auseinandersetzung verdienen. Man hat nämlich öfter die Ansicht ausgesprochen, daß bei den jetzigen Operationen in der Nähe des Feindes die Befehle aus den Hauptquartieren für den folgenden Tag immer so spät eingehen, und öfter so wenig Zeit für die weitern Anordnungen übrig lassen, daß dadurch auf die Schonung der Truppen, die weder die Zeit vor dem Abmarsch danach einzutheilen, noch ihr Abkochen gehörig einzurichten im Stande sind, zu wenig Rücksicht genommen wird. Auch behauptet man: daß die Zeit der Märsche gewöhnlich in eine Tageszeit fällt, die weder schonend für die Truppen, noch ausreichend ist, um nach vollbrachtem Marsch noch die gehörigen Sicherheitsmaaßregeln in den Lägern und Bivouaks nehmen zu können.

Bei Erörterung dieses wichtigen Gegenstandes wird man zuvörderst erwägen müssen, daß die Leitung der jetzt auftretenden großen Armeen und deren Verpflegung nach andern Grundsätzen geschehen muß, als dies früher der Fall war, wo das Beisammenhalten einer Armee von 30,000 Mann in einem Lager die Ertheilung der Befehle erleichterte, und wo die Magazin=Verpflegung die Mittel an die Hand gab, die Truppen an Ort und Stelle zu ernähren. Es wird auch nicht bestritten werden können, daß ein thätiger Bewegungskrieg nicht in den Ansichten der frühern Zeit lag, und daß, wenn schnelle Operationen eintraten, diese mehr eine Ausnahme von der Regel waren, und auch der allgemeinen Verhältnisse wegen nie lange Bestand hatten.

Jetzt hingegen, wo man mit 100,000 Mann und darüber auftritt, bedarf man der Eintheilung in selbstständige Corps aus allen Waffen zusammengesetzt, um diese große Masse gehörig leiten zu können. Die Fortschritte der Kriegskunst haben auch geringere Abtheilungen als selbstständig zu organisiren gelehrt. Die weitere Aus=

bildung des Gefechts selbst hat sogar kleineren Abtheilungen einen Grad von Selbstständigkeit verliehen, den man früher nicht kannte.

Außerdem ist die Verpflegung der großen Heere größtentheils dem Raume zugefallen, auf welchem die Operationen geschehen, und schwerlich wird man bei bedeutenden Armeen ein anderes Mittel, sie zu ernähren, ausfindig machen.

Durch die größern Massen und durch die Rücksichten, die man auf deren Verpflegung zu nehmen hat, sind die Anordnungen des Tages viel schwieriger geworden, indem der Raum, auf welchem die Truppen zerstreut sind, ausgedehnter wird, während die Zeit, in welcher diese Maaßregeln ausgeführt werden sollen, dieselbe geblieben ist.

Es ist nun zwar nicht zu läugnen, daß die Selbstständigkeit der Corps und der geringeren Abtheilungen die Gefechtsfähigkeit sehr vermehrt, und überhaupt die Möglichkeit, in jedem Terrain das Gefecht mit einem Theile oder mit dem Ganzen anzunehmen, hervorgerufen hat; ferner, daß man hierdurch mehr in den Stand gesetzt ist, die Entscheidung aufzuhalten, und also Zeit zu gewinnen. Jedoch werden die gewonnenen Vortheile im Wesentlichen immer auf denselben Punkt zurückführen, daß der Commandirende nämlich zu der Leitung seines Heers, welches wegen seiner Größe und seiner Verpflegung auf einem ausgedehnteren Raume, als bisher, sich befindet, immer nur 24 Stunden Zeit hat.

Trotz der größern Massen findet man aber auch in den neuern Kriegen mehr Handlung und Beweglichkeit, überhaupt eine raschere Entscheidung. Wenn man auch sagen will, daß bei dem Auftreten anderer Feldherren auch andere Grundsätze durchgeführt werden könnten, so kann dies dem Standpunkte, auf den die Kriegführung sich einmal gestellt hat, keinen Abbruch thun, indem immer wieder ein Feldherr auftreten kann, der diese wieder hervorruft. Eben so wenig wird der Einwurf, daß Armeen, wie z. B. die englische, anders organisirt und verpflegt seien, und doch große Resultate erfochten hätten, hier entscheiden. Die englische Armee hat fürs Erste nie eine große Beweglichkeit gezeigt, und ihre Eintheilung in Flügel=Corps nach der Ordre de Bataille ist mehr auf Defensivschlachten in bestimmten Positionen, als auf einen Angriffskrieg berechnet. Die pyrenäische Halbinsel bot ihnen einen günstigen Kriegsschauplatz dar, und die portugiesischen, spanischen und andern Hülfstruppen waren den Engländern von großem Nutzen. Außerdem muß man auch zweitens hinzufügen, daß die englische Armee nur auf sehr kurze Zeit gegen Napoleon selbst, welcher doch eigentlich der Kriegführung einen anderen Charakter verliehen, gefochten hat.

Es bleibt sehr die Frage, ob die Engländer bei einem längern Kampfe gegen Napoleon nicht auch zu andern Grundsätzen bei der Zusammenstellung ihres Heeres gekommen wären. Wir haben nur eine Thatsache, welche das schnelle Sammeln der Truppen bei Quatrebras betrifft, und wobei es mindestens auffallend ist, daß während des ganzen Gefechts so wenig Artillerie und Kavallerie herbei kommen konnte, während diese Waffen doch schneller, als die Infanterie, heranzuziehen waren. Auch muß man sich wundern, daß zu den englischen Reserven um Brüssel gar keine Artillerie und Kavallerie gehörte. Diese Mängel scheinen doch mit aus der Zusammenstellung ihrer Truppen, die keine Verbindurg der verschiedenen Waffen verlangt, hervorgegangen zu sein.

Kehrt man indeß zu dem eigentlichen Punkte der

Erörterung zurück, welcher die Art und Weise der Tages-
anordnungen eines Commandirenden enthält, so kommt
man auf folgende Erfahrungsgrundsätze.

Die Befehle für den folgenden Tag werden in dem
Hauptquartiere vorzüglich nach den Rapporten der Vorposten ertheilt. Wenn gleich man auch auf andern
Wegen Nachrichten erhält, auch Schlußfolgen aus anderweitigen Daten zieht, so werden die täglichen Meldungen
der Vorposten doch zur Vervollständigung und Bestäti-
gung des bereits Bekannten abgewartet werden müssen.
Vor 9 Uhr Abends können die Meldungen der Vorposten über das, was den Tag über geschehen, nicht im
Hauptquartier eintreffen, indem die Beobachtungen bis
gegen 6 und 7 Uhr Abends, und die Anfertigung und
die Ueberbringung der Rapporte die übrige Zeit in Anspruch nehmen. Die Zeit, von 9 — 11 Uhr Abends,
wird nun im Hauptquartier dazu verwendet, um die Be-
schlüsse für den folgenden Tag zu fassen und die Ausfertigung
der Befehle zu befördern. Diese gelangen daher zu den
Corps-Commandeurs erst gegen Mitternacht, oder treffen
selbst erst in den Stunden nach Mitternacht ein, wenn,
wie dies bei großen Armeen, sobald man nicht unmittelbar die Schlacht erwartet, gewöhnlich der Fall sein wird,
die Corps, um bequem zu lagern und besser verpflegt
zu sein, etwas entfernt stehen. Hierbei ist noch zu bemerken, daß bei einer lebendigen und regen Kriegführung
als Hauptregel gilt: nie gute und bequeme Hauptquartiere
aufzusuchen, sondern daß dieselben in der größten Nähe
der Truppen sich befinden müssen, und hierauf nur bei der
Wahl derselben zu sehen ist, damit die Befehle sogleich
die Corps-Befehlshaber treffen und diese die nöthigen
Ordres sofort weiter gelangen lassen können. Ehe die
Corps-Commandeurs jedoch die Ausfertigung der Befehle

an die unteren Abtheilungen, und diese endlich an die Truppen vollführt haben, ist gewöhnlich der Anbruch des Tages herangekommen. Jetzt erst ist die Ungewißheit gehoben, und die Anordnungen zum Abmarsch können nun, wie es zweckmäßig erachtet wird, sogleich oder nach dem Abkochen beginnen, wenn man überhaupt nicht eine anderweitige Benutzung des Tages beschlossen hat. Im Fall eines weiteren Marsches muß man diesen möglichst früh antreten, und während der Mittagszeit eine Ruhe von einigen Stunden den Truppen gewähren. Spät am Nachmittage erreicht man gewöhnlich erst einen neuen Bivouak. Die Sicherheitsmaaßregeln werden getroffen, und die Recognoscirungs-Detaschements, welche den Feind auf dem Marsche nicht aus den Augen verloren haben, werden weiter vorgeschickt, und können vor Ende des Tages keine Nachrichten einbringen. Ehe die Meldungen wiederum nach dem Hauptquartiere abgefertigt werden und dort eintreffen, ist 9 Uhr Abends herangekommen, wodurch dieselben Verhältnisse, welche die Ausfertigung der Befehle für den folgenden Tag bedingen, sich wiederholt haben.

Es ist noch zu erwägen, daß bei einem thätigen Feinde noch sehr oft Abweichungen von dieser allgemeinen Norm eintreten können, und daß alsdann Contre-Ordres oder anderweitige Abänderungen nothwendig werden, wodurch die Fatiguen der Truppen noch eine Vergrößerung erhalten.

Dauern diese Anstrengungen nun längere Zeit fort, und werden sie noch durch Nachtmärsche, Gefechte und Schlachten vergrößert, so muß dies die Kräfte und die Zahl der Truppen sehr consumiren, und es gehört gewiß ein großer Aufwand von physischer und geistiger Kraft dazu, um in diesem Getriebe sich aufrecht und zum Handeln fähig zu erhalten.

Obgleich die Franzosen bei ihren vielfachen Kriegs=erfahrungen die beste Auskunft über ihre jedesmalige Zeit=eintheilung geben konnten, so berühren sie doch selten die Anordnungen und Einrichtungen, welche sie während ihrer Kriegführung nothwendig fanden. Man bemerkte jedoch in den Feldzügen Napoleons stets ein spätes Auf=brechen der Truppen aus ihren Lägern. Fast immer traten sie ihren Marsch erst nach dem Abkochen und auch dann nicht zu früh an, welches überhaupt nicht ihre Gewohnheit ist. Wenn die Truppen gegen Abend ihre Läger erreichten, blieben sie in großen Massen dicht ge=drängt zusammen, und stellten zur Sicherung ihrer Läger in geringerer Entfernung, und vorzüglich in den Haupt=richtungen Posten aus. Recognoscirungs=Detaschements gingen indeß sogleich vor, um Nachrichten über den Feind einzuziehen.

Als jedoch die Thätigkeit Napoleons und seiner Ge=nerale nachließ, bildete sich die Schattenseite dieser Krieg=führung aus. Die Truppen brachen oft ohne weitere Ursache, als ihrer Bequemlichkeit wegen, zu spät aus ihren Lägern auf, und kamen dann auch zu spät in ihre Bivouaks. Besonders in der letzten Zeit sehen wir sie ganze Vormittage in ihren Lägern sich ausruhen, während die Zeit zu den Operationen benutzt werden mußte. Die Hauptquartiere wurden nicht in unmittelbarer Nähe der Truppen, sondern nach der Bequemlichkeit gewählt, und hierdurch die schnelle und pünktliche Ausführung der Befehle behindert, die gerade bei Leitung großer Massen von dem entschiedensten Einflusse ist und vorzüglich den Erfolg sichert. Die Ausstellung der Sicherheitsposten geschah auch nur mit geringer Vorsicht, und die Re=

cognoscirungs-Detaschements, welche den Feind durch das späte Aufbrechen aus dem Auge verloren hatten, zeigten nicht die gehörige Thätigkeit. Oft erst am andern Morgen suchte man sich hinlängliche Nachricht von seinen Gegnern zu verschaffen. Ein thätigerer Feind konnte daher diese Vernachlässigungen benutzen, und mußte bald in dieser Beziehung ein Uebergewicht erlangen. So geschah es denn auch, daß den französischen Vorposten sehr oft ihre Gegner ganz entschwanden, und sie dann ohne hinlängliche Nachricht blieben. Außer dem auffallenden Beispiele in diesem Feldzuge giebt auch noch die Campagne von 1805 einen sprechenden Beleg zu dieser Behauptung. Die französische Reiterei, welche nach der Schlacht von Austerlitz auf Kundschaft vorgeschickt war, erstattete den Bericht, daß die russische Armee in der Nacht die Straße nach Olmütz eingeschlagen habe. Napoleon ließ die ganze Kavallerie und das Corps des Marschalls Lannes gegen Olmütz marschiren. Der übrige Theil der Armee sollte demgemäß gleichfalls seinen Marsch dirigiren. Erst auf dem Schlosse zu Austerlitz erfuhr Napoleon, daß die russische Armee auf der Holitscher Straße abmarschirt sei. Die französischen Corps mußten nun eine rückwärts gehende Bewegung machen, wodurch der ganze Tag verloren ging.

Wenn man daher auch sagen muß, daß bei den Anstrengungen, denen die Truppen während des Tages ausgesetzt sind, es kaum möglich sein wird, ganz geordnete und zusammenhängende Vorposten-Arrangements zu treffen, sondern man sich begnügen muß, sein Lager mit Sicherheitsposten zu umstellen, welche die Zeit verschaffen, zu den Waffen zu greifen, und etwa wo möglich solches Terrain zum Bivouakiren wählt, daß man sich gleich darin schlagen kann: so wird man jedoch keinesweges das Aussenden der Recognoscirungs-Detaschements unterlassen dürfen. Es wird vielmehr auf die Aussenbung derselben ein großer Werth gelegt werden müssen. Wahrscheinlich findet man sich gegenüber auch keine genaue Vorpostenchaine, aus deren Richtung man auf die Stellung des Gegners schließen könnte. Diese Detaschements werden daher in allen Richtungen so weit poussirt, als es nur möglich ist, und müssen vor Eintreten der Dunkelheit schon die nöthigen Meldungen eingebracht haben. In der Nacht ersetzen Schleichpatrouillen die, durch die vorgeschickten Detaschements erhaltene Sicherheit der lagernden Truppen.

Bei Anbruch des Tages, sobald nur die erste Dämmerung eintritt, werden gleichfalls Abtheilungen vorgeschickt werden müssen, um die Maaßregeln des Feindes zu beobachten und Nachrichten darüber einzubringen. Es kann hierbei nicht genug Thätigkeit stattfinden, und man kann in dieser Beziehung sagen, daß die jetzigen Vorposteneinrichtungen von den frühern, wo man mehr den Raum vor der Position, die ein lagerndes Corps einnahm, Schritt vor Schritt streitig zu machen hatte, also eigentlich defensiv verfuhr, darin abweichen, daß man jetzt bei dem weitern Auseinanderbleiben der Hauptarmeen mehr eine active Sicherung durch stete Beobachtung und Recognoscirung des Feindes nöthig hat.

Diese Andeutungen werden hinreichen, um die Stelle zu bezeichnen, welche bei der heutigen Kriegführung die Vorposten-Einrichtungen einnehmen, und wie vorzüglich den Partheigängern und Führern kleinerer Detaschements die Sicherheits- und Kundschaftsmaaßregeln auszuführen obliegt.

Es ist unläugbar, daß die jetzige Kriegführung bei thätigen Gegnern die Anforderungen an die Truppen gesteigert

steigert hat, und daß hierin vorzüglich der Grund zu suchen ist, wenn jetzt eine geringere Rücksicht auf die Schonung der Truppen eintreten muß. Derjenige, welcher die Spannkraft seines Heeres am längsten zu erhalten weiß, und die Fähigkeit, sämmtliche Krieges-Elemente im ganzen Umfange wirken zu lassen, besitzt, wird immer das Uebergewicht auf seiner Seite erhalten.

Der Krieg ist und bleibt nun einmal die größte menschliche Anstrengung, die höchste Aufbietung aller Kräfte. Nur indem man dies festhält und von allem Unnöthigen und Zweckwidrigen entfernt bleibt, versetzt man sich in die Lage, diese die gewöhnlichen Grenzen überschreitenden Anforderungen zu erfüllen. Der Gedanke aber an solche Lagen und die Steigerung des Maaßstabes für das menschliche Wollen und Können, so wie die Ausbildung der Fähigkeiten dazu, geistig und physisch, scheint die beste Vorbereitung für jeden Krieg zu sein. Eine Armee, die nach dieser Ansicht ihre Tüchtigkeit erstrebt, dürfte wohl großen Ereignissen stets gewachsen bleiben.

Kehrt man nach diesen Bemerkungen wiederum zu den Operationen des preußischen Heeres zurück, so finden wir dasselbe in der Benutzung des ersten Ruhepunktes, der demselben seit der Schlacht bei Belle-Alliance gewährt wurde, begriffen.

Der Feldmarschall befahl, daß der 23ste Juni angewendet werden sollte, die Nachrichten über den Feind zu vervollständigen, den Gefechtsstand der Truppen herzustellen und auch das dritte Armee-Corps, welches noch einen Marsch zurück war, um einen halben Marsch heranzuziehen, damit von nun ab die drei Armee-Corps, mit denen man das weitere Vorrücken gegen Paris beschlossen hatte, sich so nahe blieben, daß sie binnen 12 Stunden, wobei die Ausfertigung und Ueberbringung der Befehle,

II. 3

mitgerechnet war, zum Gefecht vereinigt sein konnten. Diese Maaßregel wurde bei den spätern Operationen stets festgehalten, und so die Zusammenziehung der ganzen Armee durch einen halben Marsch als Bedingung der auszuführenden Bewegungen angenommen.

An dem heutigen Tage (23sten Juni) kam auch der Herzog v. Wellington zum Feldmarschall Blücher nach Catillon, um mit demselben die weitern Operationen zu verabreden.

Der Fürst Blücher machte den Vorschlag, statt die Bewegungen der Armeen weiter gegen Laon, wo der Feind sich sammele, fortzusetzen, auf dem rechten Ufer der Oise gegen Compiègne zu marschiren, auf diese Weise die linke Flanke der Franzosen zu umgehen, und sich dadurch den Weg zu bahnen, um später auf die Rückzugslinie des Feindes gegen Paris sich werfen zu können.

Um diesen Flankenmarsch hinter der Oise zu verbergen, überhaupt auch um den Feind über die Bewegungen zu täuschen, wollte der Feldmarschall starke Kavallerie-Abtheilungen gegen Laon vorschicken, welche die Nachricht von dem Vorrücken der preußischen Armee gegen Laon verbreiten sollten. Der Fürst forderte den Herzog von Wellington noch auf, seine belgische Kavallerie schnell auf Pontoise vorzupoussiren, welche dann durch einen Nachtmarsch die Communikation der französischen Armee erreichen, und sich wegen Aehnlichkeit der Sprache und Kleidung für französische Kavallerie ausgeben konnte, wobei man mit Sicherheit auf einen Erfolg rechnen durfte.

Der Herzog v. Wellington versprach die Ausführung der auf dem rechten Ufer der Oise vorgeschlagenen Operationen zu unterstützen, so wie überhaupt mit der preußischen Armee gemeinschaftlich gegen Paris vorzurücken.

Die Entsendung der belgischen Kavallerie war vielleicht weniger dem Geiste der Kriegführung des englischen Heeres zusagend, und unterblieb. Dagegen wurden preußischer Seits die Detaschirungen von Kavallerie gegen Laon, wie wir später sehen werden, ausgeführt.

In Betreff der Belagerungen der im Rücken gelassenen Festungen hatte der Feldmarschall gleich bei seinem Einrücken in Frankreich den militairischen Grundsatz aufgestellt, daß er als Basis seines Vorrückens die Festungen an der Sambre und seitwärts derselben an der Maas, also auch in Lothringen, bedürfe. Sobald diese sämmtlichen Festungen ihm nun sogleich übergeben würden, so wollte er eine gemeinschaftliche Besetzung derselben bis zur höheren Entscheidung der alliirten Souveraine gestatten. Im Fall jedoch diese Bedingung nicht augenblicklich erfüllt würde, so daß man sie noch als einen Beweis der Gesinnung gegen Napoleon und als eine Erleichterung des Vorrückens der Armee ansehen könnte, sollten alle spätern Erklärungen und Erläuterungen nicht mehr angenommen werden, und das Recht der Waffen eintreten.

Bei den Partheiungen, welche in Frankreich noch bestanden, war eine solche feste Ansicht der Verhältnisse nothwendig. Die Rechtlichgesinnten mußten wissen, woran sie sich zu halten hatten, und gewiß würde man bei einer Fortsetzung des Krieges auf eine solche allgemeine Erklärung zurückgekommen sein, um diejenigen Grenzen zu bezeichnen, in welchen Schutz und Ruhe zu gewähren sei.

Es wird in einem spätern Abschnitte gezeigt werden, in welchem Umfange und mit welchen Resultaten diese Ansicht preußischer Seits durchgeführt worden ist, und kann für jetzt nur bemerkt werden, daß der Herzog v. Wellington dem militairischen Theil derselben in soweit beitrat, daß er das Corps unter dem Prinzen Friedrich der Niederlande zur Belagerung der Festungen an der Schelde und zwischen Schelde und Sambre zurückließ.

Von preußischer Seite war, wie schon erwähnt, das zweite Armee-Corps unter dem General v. Pirch I., und das norddeutsche Bundes-Corps, welches zuerst der General der Infanterie Graf Kleist v. Nollendorf und später der Generallieutenant v. Hake befehligte, so wie ein Theil der Besatzungs-Truppen von Luxemburg unter Befehl des Prinzen von Hessen-Homburg, zum Behuf der Belagerungen bestimmt worden. Der Prinz August übernahm schon den 21sten Juni den Befehl über diese Corps.

Es sollte von diesen Truppen sofort die Besetzung des ganzen hinter der vorrückenden Armee gelegenen Landstrichs, zwischen der Mosel und Sambre, bis zur Höhe von Avesnes, diesen Ort mit eingeschlossen, ausgeführt, und diese Gegend ganz vom Feinde gereinigt werden. Die Wiederherstellung der vom Feinde schadhaft gemachten Wasser- und Land-Communikationen, so wie die Demolirung der zur Grenzvertheidigung aufgeworfenen Erdanlagen, wurde gleichfalls aufgegeben. Auch sollten die von dem 1sten, 3ten und 4ten Corps zurückgelassenen Detaschements durch Truppenabtheilungen des zweiten Corps abgelöst und der Armee schleunig nachgeschickt werden.

Der vom zweiten Corps detaschirte Oberstlieutenant v. Sohr, welcher am heutigen Tage (23sten Juni) vor Philippeville stand, und die Festung vergeblich zur Uebergabe aufforderte, entschloß sich, den 24sten über Beaumont auf Chimay zu marschiren. Durch diesen Marsch entfernte er sich aber von der bereits vorgerückten Armee noch mehr. Es begegneten ihm die Truppen der 8ten Brigade, welche vorwärts gegen Philippeville und Givet marschirten. - Hinter Beaumont erreichte jedoch endlich der an den Oberstlieutenant v. Sohr abgeschickte Befehl denselben, wonach die beiden Infanterie=Bataillons seines Detaschements zur Blokade von Philippeville bestimmt wurden, und er mit den beiden Husaren=Regimentern die Weisung erhielt, der vorgerückten Armee zu folgen. Diese befand sich den 24sten Juni schon in der Höhe von Guise, während sein Detaschement noch bei Beaumont war. Es marschirte an diesem Tage (24sten Juni) noch bis Avesnes, konnte jedoch erst vor Paris die Armee wieder erreichen.

Es ist nur noch zu bemerken, daß mit Einschließung der Festungen auch zugleich die Vorbereitungen für den ernsten Angriff derselben verbunden wurden, und daß die Anordnungen zur Herbeischaffung des Materials und der Belagerungs=Geschütze sofort in Wirksamkeit traten.

Die fernern Ereignisse der beiden zu den Belagerungen bestimmten Corps können erst in einem spätern Zeitraume zusammenhängend dargestellt werden, und sind daher für jetzt von dem geschichtlichen Bereich ausgeschlossen.

Die Meldungen, die am heutigen Tage in dem Hauptquartier des Feldmarschalls Blücher vom Feinde einliefen, bestätigten die frühern Nachrichten, daß die Franzosen noch immer beschäftigt wären, sich bei Laon wieder zu sammeln, und daß man wahrscheinlich den Marschall Grouchy, der in einem großen Bogen über Rèthel gegen Laon in Anmarsch sei, abzuwarten beabsichtige.

Der Rittmeister Goschitzky, der auf der Straße über la Capelle gegen Laon vorpoussirt war, hatte heute bei Marle ein Gefecht, in welchem er den Feind bis Froidmont zurück warf, Gefangene einbrachte, und auch einige preußische Gefangene, die in den ersten Gefechten des Feldzugs verloren gegangen waren, wieder befreite.

Die mit dem Herzog v. Wellington verabredete Operation zeigte sich unter diesen Verhältnissen ganz angemessen. Der Feind vernachlässigte seine linke Flanke, und man konnte hoffen, durch die Oise maskirt, diese entscheidende Bewegung glücklich auszuführen. Es war indeß nicht nöthig, die Truppen in den nächsten Märschen zu sehr anzustrengen, da der Feind noch entfernt war und auch keine Miene zum Abmarsch machte. Man konnte vielmehr die Kräfte der Truppen bis zu dem Augenblick, wo es die Entscheidung gelten würde, schonen, und bei den nicht zu großen Märschen auf bessere Verpflegung der Truppen Rücksicht nehmen.

Um jedoch die von Neuem beginnenden Operationen vollkommen übersehen zu lassen, ist es nothwendig, die Bewegungen der Armee des Herzogs v. Wellington bis zu diesem Zeitpunkt nachzuholen.

Uebersicht der Märsche der englischen Armee vom 20sten bis 24sten Juni.

Wir hatten die englische Armee den 20sten Juni bei Binche verlassen, wohin das Hauptquartier verlegt wurde.

Den 21sten Juni passirte das englische Heer bei Bavay die französische Grenze. Der Herzog v. Wellington erließ die in der Beilage beigefügte Proklamation an die Franzosen. Die Armee lagerte an diesem Tage bei Malplaquet, wohin auch das Hauptquartier verlegt wurde. Die Festung le Quesnoy wurde eingeschlossen.

Den 22sten Juni erreichte die englische Armee die Gegend von Cateau-Cambrésis, und blieb hier während des 23sten und 24sten Juni stehen. Der Herzog hatte

an diesem Orte sein Hauptquartier, und hielt es für nothwendig, weil sein Train und seine Pontons zurück waren,
noch einen Tag länger als die preußische Armee zu
rasten, wodurch beim Beginn der neuen Operationen das
englische Heer einen Tagemarsch zurückblieb.

Die Armee des Herzogs v. Wellington bildete auf
diese Weise den rechten Flügel der vorrückenden Heere,
und hat auch bis jenseits der Oise die Parallel-Straßen
rechts der preußischen Armee zum Marsch benutzt. Erst
später, als die Engländer hinter der Armee des Feldmarschalls Blücher zurückblieben, fielen sie in diejenigen
Straßen ein, welche die Preußen bereits eingeschlagen
hatten.

**Vorrücken der preußischen Armee vom 24sten bis
26sten Juni.**

Die Fortsetzung der Bewegungen des Feldmarschalls
Blücher begannen den 24sten Juni mit Tagesanbruch.
Der Oberstlieutenant v. Schmiedeberg brach mit dem
schlesischen Ulanen-Regiment und einigen Kanonen von
der reitenden Artillerie gegen Laon auf. Dies Detaschement wurde von der Kavallerie genommen, die sich der
Fürst zu seiner unmittelbaren Disposition gestellt hatte,
und war mit den schon vom ersten Armee-Corps entsendeten Abtheilungen hinreichend, den Feind bei Laon
zu beobachten und zu täuschen. Zugleich hatte der Oberstlieutenant v. Schmiedeberg den Auftrag, als Partisan
zu handeln, und nebenbei Nachrichten vom Feinde einzubringen.

Den drei preußischen Armee-Corps hatte der Feldmarschall den Befehl ertheilt, in 2 Kolonnen in der Art
vorzurücken, daß die linke Flügel-Kolonne zunächst dem
Feinde und hart an der Oise marschiren und aus dem

erſten und dritten Corps beſtehen ſollte; das dritte Corps
blieb einen halben Marſch hinter dem erſten. Die rechte
Flügel=Kolonne bildete das vierte Corps einen halben
Marſch ſeitwärts, und führte ſein Vorrücken auf der
parallellaufenden Straße aus, jedoch ſtets auf gleicher
Höhe mit dem erſten Corps. Als Objekt des Marſches
für die linke Flügel=Kolonne beſtimmte man Compiègne,
und für die rechte Flügel=Kolonne Pont St. Maxence.
Man glaubte, durch dieſe Anordnung, im Fall Compiègne
beſetzt ſei, bei Pont St. Maxence oder weiter unterhalb
einen Uebergang zu gewinnen, überhaupt ſtets in der
Lage zu ſein, andere Combinationen eintreten zu laſſen,
ſobald die zuerſt gedachten nicht ausführbar wurden.

Das Detail dieſer allgemeinen Anordnungen war
für den 24ſten Juni in der Art beſtimmt, daß der Generallieutenant v. Zieten mit dem erſten Corps bis Guiſe
vorrücken ſolle, wobei er die Avantgarde bis Origny und
Kavallerie=Detaſchements nach Crescy, Pont à Buſſy
und gegen la Fère vorzuſchicken die Weiſung erhielt.
Ein Verſuch, Guiſe durch ein Bombardement zu erhalten,
ſollte gemacht, jedoch im Fall dieſe Maaßregel erfolglos
bliebe, eine leichte Einſchließung angeordnet werden.

Der Generallieutenant v. Zieten ließ das erſte Armee=
Corps um 9 Uhr Morgens (24ſten Juni) in 2 Kolonnen
aufbrechen. Die Avantgarde, unter Befehl des General-
Major v. Jagow, zog das nach Etré au pont vorge=
ſchickte 1ſte ſchleſiſche Huſaren=Regiment, indem es die Oiſe
herunter zu marſchiren beordert wurde, bei Villers le
Guiſe wieder an ſich. Der zu Guiſe gehörigen Vorſtadt
St. Laurent gegenüber machte die Avantgarde (die 8te
Fuß=Batterie und zwei 10pfündige Haubitzen bei ſich
habend) Halt, um die Feſtung an dieſer Seite zu beobachten. Während deß hatte der Generallieutenant v.

Zieten eine Brigade, 1 Regiment Kavallerie von einer reitenden und einer Fuß=Batterie begleitet, bei St. Germain und la Bussière über die Oise geschickt, um die Festung auf der andern Seite zu bedrohen.

Einnahme von Guise am 24sten Juni.

Nachdem der Feind in Guise völlig eingeschlossen worden war, zog er seine Truppen in die Citadelle zurück, worauf sogleich Anstalten gemacht wurden, die Batterien gegen diesen Platz aufzustellen. Ehe jedoch das Feuer eröffnet wurde, ließ der Generallieutenant v. Zieten den Commandanten zur Uebergabe auffordern.

Der allgemeine Schrecken und vielleicht auch die Furcht vor einem ähnlichen Schicksal, wie das von Aves= nes, bestimmten den Commandanten zu capituliren. Diese Uebergabe, die ohne einen Kanonenschuß erfolgte, ist noch weniger als die von Avesnes motivirt. Die Festung war in solchem Zustande, daß sie wenigstens 14 Tage offene Tranchéen aushalten konnte. Es schien, als wenn das Geschick an ähnliche Unfälle einer vorangegan= genen Kriegsperiode vergeltend erinnern wollte.

Die Besatzung von Guise streckte das Gewehr und wurde kriegsgefangen. Man fand 14 Kanonen, 3000 Gewehre, 2 Millionen Flinten=Patronen, viel Munition und ansehnliche Magazine.

Mit den Waffen in der Hand hatte sich die Armee einen zweiten Stützpunkt für ihre Operationen erkämpft, Munition und Lebensmittel waren vorhanden, und daher die Aussicht für den glücklichen Fortgang der Operationen immer günstiger.

In Guise blieb der Major Müller mit den beiden schwachen Füsilier=Bataillons des 28sten Infanterie= und 2ten westphälischen Landwehr=Regiments zur Besatzung.

Noch ehe die Einnahme von Guise sich entschieden hatte, marschirte, sobald nur die anderen Truppen des Corps herankamen, die 3te Brigade als Avantgarde des ersten Corps nach Origny voraus. Troß aller Anstrengung konnte die Avantgarde erst um 9 Uhr Abends diesen Ort erreichen, und bezog hier einen Bivouak. Das 1ste schlesische Husaren-Regiment wurde bis Ribemont vorgeschoben. Die Verbindung rechts über Neuvillette mit der Avantgarde des vierten Corps bei Fontaine notres Dames und links mit dem Detaschement, welches die Reserve-Kavallerie gegen Crescy, Pont à Bussy und gegen la Fère gesendet hatte, um die Serre zu beobachten, wurde hergestellt.

Der Generallieutenant v. Thielemann erhielt den Befehl, mit dem dritten Armee-Corps von Avesnes nach Nouvion zu marschiren. Von dem Corps sollten Beobachtungs-Detaschements nach Hirson und Vervins entsendet werden, um Gewißheit über den Marsch der beiden Corps unter dem Marschall Grouchy zu erhalten. Es war von Wichtigkeit zu wissen, wie weit diese Truppen bereits heran waren, da hiernach der Abmarsch der feindlichen Armee von Laon gefolgert werden konnte.

Den 24sten Nachmittags gegen 4 Uhr erreichte das dritte Corps Nouvion und bezog hier einen Bivouak. Der General v. Thielemann nahm in diesem Ort sein Hauptquartier. Die von seinem Corps entsendeten Detaschements erreichten am Abende des heutigen Tages Hirson und Vervins. Es wurden Streifparthien gegen die Straße über Aubenton, Montcornet gegen Laon vorgesendet.

Der General Graf Bülow v. Dennewiß erhielt den Befehl, mit dem vierten Corps von Femy nach Aisonville und Bernonville zu marschiren, die Avantgarde bis

Fontaine notres Dames, und Kavallerie-Detaschements nach St. Quentin und Chatillon sur Oise zu poussiren.

Die Avantgarde des vierten Corps brach um 6 Uhr Morgens von Henappe auf, und ließ nur 1 Bataillon und 2 Escadrons, welche bereits gestern vor Guise standen, so lange zur Blokade zurück, bis die Truppen des ersten Corps die Ablösung bewerkstelligten, worauf dies Detaschement der Avantgarde auf Fontaine notres Dames folgte und hier mit den übrigen Truppen des Generals von Sydow einen Bivouak bezog. Die Kavallerie-Detaschements erreichten Chatillon sur Oise und fanden St. Quentin unbesetzt.

Als der General v. Sydow hiervon benachrichtigt wurde, eilte er sogleich mit den Truppen der Avantgarde nach St. Quentin und besetzte diesen Ort. Hierdurch kam die erste größere Stadt, welche der Feind durch einige provisorische Anlagen zur Vertheidigung eingerichtet hatte, in die Hände der Preußen. Die hier gewesene feindliche Abtheilung war, 5 = bis 600 Pferde stark, gestern den 23sten Juni nach Laon abmarschirt.

Die Reserve-Kavallerie des vierten Corps marschirte von Etreux nach Montigny en Arronaise und bezog hier einen Bivouak. Das Gros des Corps vollführte den Marsch von Femy bis Aisonville und nahm sein Lager bei diesem Ort und Bernonville, wohin auch das Hauptquartier des Generals v. Bülow kam. Die zur Einschließung von Landrecies zurückgebliebenen Truppen trafen heute wieder beim Corps ein.

Der Feldmarschall Fürst Blücher nahm den 24sten Juni sein Hauptquartier in Henappe.

Es wurde auch am heutigen Tage (24sten Juni) von dem General v. Zieten ein Schreiben des französischen Generals Grafen Morand eingeschickt, welcher, als die Arrieregarde commandirender Officier der Armee bei Laon sich anmeldete, und Nachricht von der Abdication Napoleons gab und in Folge deren einen Waffenstillstand nachsuchte. Das Ansuchen des feindlichen Generals mußte aber nach der eigenen Art, sich selbst zu bevollmächtigen, mehr als ein Versuch, um Zeit zu gewinnen und Nachrichten einzuziehen, angesehen werden. Der Feldmarschall antwortete daher, daß nur dann, wenn Napoleon ausgeliefert und die im Rücken der Armee gelassenen Festungen als Unterpfand eingeräumt würden, ein Waffenstillstand eingegangen werden könnte.

Zugleich ertheilte der Feldmarschall den preußischen Corps für den 25sten Juni den Befehl, den Marsch in der Art fortzusetzen, daß das erste Armee-Corps Cerisy auf der Straße von St. Quentin nach la Fère erreiche, und seine Avantgarde bis Fargnieres nahe bei la Fère poussiren solle.

Das dritte Armee-Corps erhielt die Ordre, bis Hombliéres bei St. Quentin und das vierte Corps bis Essigny le grand, die Avantgarde des Letztern nach Jussy vorzurücken.

Der Generallieutenant v. Zieten befahl, daß die Avantgarde des ersten Corps um 10 Uhr Morgens aufbrechen, und auf der Straße ganz nahe dem rechten Ufer der Oise bis Fargnieres, seitwärts la Fère, marschiren sollte. Der Generalmajor v. Jagow entsendete während des Marsches ein Detaschement vom ersten schlesischen Husaren-Regiment nach Chauny, welches links über St. Gobain mit dem Rittmeister v. Goschitzky in Crespy und rechts mit dem Vorder-Detaschement der Avantgarde des vierten Corps bei Jussy in Verbindung trat. Die gestern entsendeten Abtheilungen nach Crescy, Pont a Bussy und längs der Serre wurden eingezogen.

Einschließung von la Fère am 25sten Juni.

Als der General v. Jagow in der Nähe von la Fère angelangt war, und sich nunmehr rechts gegen Fargnieres wenden mußte, bestimmte er, daß 1 Füsilier-Bataillon, 1 Schützen-Compagnie, 2 Kanonen und 1 Escadron Husaren zur Beobachtung von la Fère zurückbleiben sollten.

Das Gros der Avantgarde erreichte Abends 8 Uhr den Bivouak bei Fargnieres. Die Steinbrücke über den Kanal und die Pfahlbrücke bei Beautor über die Oise wurden durch das Füsilier-Bataillon 2ten westpreußischen Infanterie-Regiments besetzt. Diese letztere Passage mußte jedoch erst von den Pionieren in brauchbaren Stand gesetzt werden.

Der Generallieutenant v. Zieten glaubte noch, den ihm aufgetragenen leichten Versuch auf la Fère zu einem ernsten Angriff auf diesen Ort ausdehnen zu müssen, da an diesem Platz bedeutende Krieges-Vorräthe vermuthet wurden. Man hatte daher einen Officier und 30 Pferde von der Reserve-Kavallerie auf dem linken Ufer der Oise vorgeschickt, um die Communikation dieses Platzes mit Laon abzuschneiden. Auf dem rechten Ufer der Oise ist la Fère durch Ueberschwemmungen gedeckt, auch finden sich daselbst keine Punkte zu einer vortheilhaften Aufstellung für Geschütze. Durch die Anstalten, die man während der Nacht traf, den Fluß unterhalb la Fère zu passiren, um die Höhen von Charmes zu gewinnen, die den Ort von der Seite von Laon beherrschen, wurde es möglich, den folgenden Tag einen ernsthaften Versuch auf diese Festung auszuführen. Der Versuch, welcher bei Avesnes so gut glückte, konnte ja auch hier dasselbe Resultat hervorbringen.

Ehe jedoch der weitere Erfolg dieser Unternehmung

bezeichnet werden kann, ist es nothwendig, sämmtliche Ereignisse bis zur Nacht vom 25sten zum 26sten Juni darzustellen. Man wird dann die Ueberzeugung gewinnen, daß die seit gestern veränderten allgemeinen Verhältnisse weniger günstig für einen ernsten Angriffs-Versuch auf la Fère sich stellten, und das hierdurch herbeigeführte Zurückbleiben der 1sten Brigade nicht durch den Vortheil der Einnahme von la Fère aufgewogen werden konnte.

Das Gros des ersten Armee-Corps marschirte in einer Colonne von Guise nach Cerisy. Die Reserve-Kavallerie bildete die Tête und die Reserve-Artillerie folgte der 1sten Brigade und dieser die 2te und die vierte Brigade. Um 8 Uhr des Abends erreichte dies Corps die Bivouaks in der Umgegend von Cerisy, nach welchem Orte das Hauptquartier des Generallieutenants v. Zieten verlegt wurde.

Das dritte preußische Armee-Corps führte am 25sten Juni den befohlenen Marsch von Nouvion gegen Hombliers in der Art aus, daß die Reserve-Kavallerie um 6 Uhr und die Infanterie und Artillerie nm 8 Uhr Morgens aus ihren Bivouaks aufbrachen, und am Nachmittage die neuen Lagerplätze in folgender Art angewiesen erhielten. Die 9te Brigade bei Origny, die 12te bei Neuvillette. Beide Brigaden lagerten also an Uebergangspunkten über die Oise. Der 11ten Brigade wurde ihr Bivouak bei Marcy und der 10ten bei Hombliers und Menil St. Laurent angewiesen. Die Reserve-Kavallerie lagerte bei Harly und das Hauptquartier des Generals v. Thielemann kam nach Hombliers.

Die am gestrigen Tage gegen die Straße von Mezières auf Laon abgeschickten Detaschements des dritten Armee-Corps brachten die Nachricht ein, daß die französischen Truppen am 24sten Juni Vormittags 11 Uhr Aubenton verlaſſen hätten und nach Montcornet marſchirt ſeien, ferner, daß bei Tarzy ein ſtarker Poſten feindlicher Reiterei ſtehe.

Der Marſchall Grouchy ſollte am 20ſten Juni nach Dinant, den 21ſten nach Philippeville, den 23ſten nach Rocroy marſchirt ſein und den 24ſten Rèthel erreicht haben. Seinen Marſch glaubte man auf Soiſſons gerichtet.

Nach Einbringung dieſer Nachrichten wurden die entſendeten Detaſchements wieder herangezogen, und nur das nächſte Terrain jenſeits der Oiſe blieb durch ſie beobachtet.

Der General Graf Bülow v. Dennewitz ließ die geſtern bis St. Quentin vorgerückte Avantgarde ſeines Corps den 25ſten um 5 Uhr Morgens aufbrechen und bis Juſſy marſchiren, wo ein Bivouak bezogen wurde. Das in St. Quentin von der Avantgarde als Beſatzung zurückgelaſſene Bataillon behielt die Thore beſetzt, und lagerte auf dem Markte, bis die Truppen der 14ten Brigade die Beſetzung des Ortes übernahmen, welche ſpäter von 2 Bataillons des dritten Armee-Corps abgelöſt wurden.

Der General v. Bülow fand noch nöthig, ſeine Avantgarde durch das 2te ſchleſiſche Huſaren-Regiment verſtärken zu laſſen, ſowie er auch befahl, daß die Reſerve-Kavallerie unmittelbar der Avantgarde folgen und dieſe Truppen ſämmtlich unter Oberbefehl des Prinzen Wilhelm geſtellt werden ſollten.

Die Reſerve-Kavallerie brach daher ſchon um 4 Uhr Morgens von Montigny auf und marſchirte, St. Quentin rechts laſſend, auf der Straße nach Chauny bis Montescourt, bei welchem Ort die Kavallerie bivouakirte.

Das Gros des vierten Armee-Corps brach um 5

Uhr auf, und marschirte in folgender Ordnung: das 1ste schlesische Landwehr-Kavallerie-Regiment machte die Tête; die Truppen der 13ten, 14ten und 15ten Brigade, die Reserve-Artillerie und dann die 16te Brigade folgten. Die Bagage schloß sich hierauf an, und 1 Bataillon der 16ten Brigade nebst 2 Escadrons des 2ten schlesischen Landwehr-Kavallerie-Regiments bildeten die Arrieregarde.

Am frühen Nachmittage erreichte das Corps den Bivouak bei Essigny le grand, an welchem Orte auch der General v. Bülow sein Hauptquartier nahm.

Der Feldmarschall Fürst Blücher verlegte den 25sten Juni sein Hauptquartier nach St. Quentin.

Die Stadt St. Quentin, als der erste große und bedeutende Ort, welchen die Preußen in Frankreich einnahmen, wurde von dem Feldmarschall zum Hauptsammelplatz für alle zurückgebliebene und nachkommende Truppen bestimmt. Es wurde hier ein Civil-Gouverneur eingesetzt, der die Verwaltung ohne französische Einmischung übernahm. Man verband mit der Besetzung dieses bedeutenden und an Hülfsquellen ergiebigen Ortes die Absicht, die hier gesammelten Truppen zu mobilisiren. Ferner sollten alle diejenigen, welche den Marsch nicht mehr weiter fortsetzen konnten, hier gelassen, und ebenso die überzähligen Effecten, als Gewehre, Trommeln ꝛc., zur Aufbewahrung abgegeben werden. Die ohne bestimmten Zweck bei den Corps befindlichen ledigen Wagen sollten nach St. Quentin geschickt werden, um hier Lebensmittel für die Armee zu laden und dann den Truppen folgen. Die Stadt wollte man auch durch Palissadirungen und durch Erdaufwürfe gegen die Unternehmungen von Streifcorps sichern. Als Besatzung blieben, wie schon bemerkt, 2 Bataillons des dritten Armee-Corps zurück. Die Militair-
straße

straße wurde von St. Quentin über Guise und Avesnes
zur Verbindung mit den Belagerungs-Corps festgesetzt,
und die Einrichtungen einer guten und sichern Communikation den Commandanturen zur Pflicht gemacht. Es
gehörten hierher auch die Herbeischaffung von Transport-
mitteln für den Armee-Bedarf und die Gestellung von
Pferden durch das Land, zum Bedarf für Ordonanzen,
Couriere und Stafetten.

Der Staatsrath v. Ribbentrop übernahm die Ver-
waltungs-Geschäfte, und der Obrist v. Loucy die Polizei.

In St. Quentin erhielt der Feldmarschall auch ein
Schreiben der Abgeordneten der französischen Pair- und
der Deputirten-Kammer aus Laon, worin sie die Nachricht von Napoleons Abdankung und von der Erhebung
seines Sohnes zum Kaiser mittheilten. Auch waren sie
von Seiten der provisorischen Regierung beauftragt, einen
Waffenstillstand zu unterhandeln. Man bewilligte ihnen
indeß nur Pässe, und gab ihnen Begleitung nach dem
Hauptquartiere der verbündeten Monarchen, denen es
allein zukam, über die Anträge dieser Abgeordneten zu
entscheiden.

Die Nachrichten, welche der Oberstlieutenant v.
Schmiedeberg heute vom Feinde einsandte, ließen diesen
noch bei Laon vermuthen. Auch die Meldungen der abgeschickten Detaschements des dritten Corps bestätigten
diese Ansicht, und bezeichneten die Corps des Marschalls
Grouchy noch um zwei Märsche von Laon entfernt.
Man erkannte ferner aus der angeknüpften neuen Unterhandlung, wie nothwendig es dem Feinde sei, Zeit zu gewinnen, und man glaubte daher, daß jetzt der Zeitpunkt
eingetreten wäre, durch einen forcirten Marsch die Uebergänge über die Oise zu gewinnen, und sich dann auf die
Rückzugs-Linie des Feindes über Soissons nach Paris

II.   4.

zu werfen, oder, im Fall die feindliche Armee noch ferner stehen bliebe, sie von Paris ganz abzuschneiden. Es waren bis jetzt, um die Kräfte der Truppen zu schonen, nur kleine Märsche zurückgelegt worden, man durfte daher erwarten, daß die in diesem Augenblicke nothwendig gewordenen Anstrengungen mit Kraft durchgeführt werden würden.

Die Ansicht, daß in dem jetzigen Moment die Operationen zur Entscheidung zu bringen wären, bestätigte sich vollkommen durch die in der Nacht vom 25sten zum 26sten Juni erhaltene bestimmte Nachricht, daß die französische Armee von Laon nach Soissons abmarschirt sei. Man mußte annehmen, daß entweder jetzt die Täuschung des Feindes über das Vorrücken des preußischen Heeres gegen Laon aufgehört habe und er daher seinen weitern Rückzug fortsetzen wolle, oder aber, daß er den preußischen Corps selbst in ihren Bewegungen gegen die Oise zuvorzukommen und gegen Compiègne zu detaschiren die Absicht habe.

Der Feldmarschall Fürst Blücher mußte aber gleichfalls auf den Uebergangspunkt bei Compiègne einen besondern Werth legen, da die Armee keine Pontons mit sich führte und auf die Brücken-Equipage der Engländer, welche sich noch weit zurück befand, nicht zu rechnen war. Hätte man die Oise früher, vielleicht bei Chauny oder Noyen, passiren wollen, so konnte dies nur in der Nähe der französischen Armee, die auf Soissons marschirte, bewerkstelligt werden. Außerdem würde man aber noch bei Soissons in Gegenwart des Feindes den Uebergang über die Aisne zu erzwingen gehabt haben. Im Fall die Franzosen daher Compiègne früher besetzt hätten, wäre es besser gewesen, die Oise noch weiter hinunter gegen Pont St. Maxence zu passiren, und über Senlis die Straße auf Paris zu gewinnen.

Wie man später sehen wird, hatte der Feldmarschall auch den bezeichneten Fall bei dem Entwurf seiner Operation angenommen, und daher nur das erste und das dritte Corps auf Compiègne dirigirt, während das vierte Corps bestimmt wurde, auf Pont St. Marence zu marschiren und die Uebergänge bei diesem Orte und bei Creil zu gewinnen.

Die Anlage zu diesen Märschen, so wie die Wahl des Uebergangspunktes, gehört zu den glücklichsten und entscheidendsten Combinationen der neuern Kriege. Dessenohngeachtet wird man sehen, wie der Verlust einer halben Stunde diese Operation theilweise mißlingen machen konnte.

Um eine klare Uebersicht der von jetzt ab bis zu den Mauern von Paris fortdauernden Bewegungen und Gefechte zu gewinnen, ist es nothwendig, den Stand der beiden gegen einander operirenden Armeen noch einmal zu übersehen.

Ereignisse bei der französischen Armee vom 19ten bis 27sten Juni.

Die französische Armee haben wir den 19ten Juni auf ihrem Rückzuge gegen die Sambre-Uebergänge und später in den Richtungen gegen Philippeville, Beaumont und Avesnes verlassen. Ein großer Theil kehrte ganz in die Heimath zurück, und man bemerkte beim Einrücken in Frankreich, daß schon Soldaten in ihrem bürgerlichen Gewerbe als Boten die preußischen Truppen führten. Vor dem 22sten Juni war eigentlich keine französische Armee, außer den beiden Corps unter Grouchy, im nördlichen Frankreich vorhanden. Dem Marschall Soult gelang es jedoch, bei Laon die Truppen zum Stehen zu bringen und wieder zu sammeln; indeß bedurfte er die Tage des 23sten und 24sten Juni, um einige Ordnung in den Reihen der feindlichen Armee herzustellen. Auch wollte man den Marschall Grouchy, der den großen Umweg über Rethel und Rheims gemacht hatte, erwarten und sich mit ihm bei Soissons vereinigen.

Die von dem Marschall Soult gesammelte Armee brach den 25sten Juni von Laon auf, und marschirte nach Soissons. Hier übernahm der Marschall Grouchy, welcher seinem Corps vorangeeilt war, das ihm von der provisorischen Regierung übertragene Commando der ganzen Armee. Der Marschall Soult, dessen nicht weiter erwähnt worden war, begab sich nach Paris. Die beiden großen Heeres-Abtheilungen, aus denen jetzt die französische Armee bestand, befanden sich den 26sten Juni noch um 1½ Märsche von einander getrennt, indem General Vandamme, der jetzt das dritte und das vierte Corps führte, erst den 27sten Nachts Soissons erreichen konnte. Wahrscheinlich beabsichtigte der Marschall Grouchy, den General Vandamme während des Marsches auf Paris näher heranzuziehen, und wollte daher mit der Tête seiner Armee nicht zu weit vorrücken. Man hatte jedoch schon früher die Deckung der linken Flanke ganz vernachlässigt, und that auch jetzt nichts, diesen Fehler zu verbessern. Es ist wenigstens Thatsache, daß der General Erlon erst in Soissons durch seine Vorstellungen bei dem Marschall Grouchy es durchsetzte, daß er mit dem Ueberrest seines Corps (4000 Mann) zur Besetzung von Compiègne detaschirt wurde.

Den 26sten Juni, also an demselben Tage, wo die Preußen gegen Compiègne marschirten, wie wir später sehen werden, brach Graf Erlon von Soissons nach Compiègne auf, welches 5 Meilen vom erstgenannten Orte entfernt ist. Man sieht hieraus, wie wichtig der 26ste Juni für beide Armeen wurde.

Es ist jedoch nothwendig, jetzt auch anderer Seits die Zeitbenutzung und die darauf Bezug habenden Anordnungen kennen zu lernen, welche bei dem preußischen Heere während des 26sten Juni stattfanden.

Die drei preußischen Armee-Corps standen den 25sten Juni auf den beiden Parallel-Straßen längs des rechten Ufers der Oise. Das erste Corps bei Cerisy, das vierte bei Essigny le grand, während das dritte Corps hinter St. Quentin in der Nähe von Hombliers lagerte.

Ereignisse beim preußischen Heere vom 26sten bis 28sten Juni.

In der Nacht vom 25sten zum 26sten Juni befahl der Feldmarschall Fürst Blücher, daß die Avantgarde des ersten Armee-Corps, welche am weitesten vorgeschoben stand, bis Compiègne marschiren solle. Diese Truppen hatten von Fargnieres, nahe bei la Fère, bis Compiègne 5½ Meilen zu marschiren. Man konnte durch einen Gewaltmarsch noch vor einbrechender Nacht sich dieses Ortes versichern und auch Zeit gewinnen, um Detaschements über die Brücke von Compiègne gegen Soissons und Verberie zu entsenden.

Der Feldmarschall verlangte diese Anstrengung von den Truppen, und bestimmte noch, daß das erste Armee-Corps nach Ausführung eines leichten Versuches auf la Fère bis Noyon marschiren und eine Kavallerie-Brigade bis Cambrone, als Verbindung zwischen der Avantgarde und dem Corps, vorschicken sollte. Das vierte Armee-Corps erhielt den Befehl, bis Lassigny zu marschiren. Mit der Avantgarde sollte Gournay erreicht und Detaschements nach Clermont, Creil und Pont St. Maxence entsendet werden. Dieses Armee-Corps hatte den weitesten Marsch, und wurde durch die Bewegungen dieses und

des folgenden Tages hinter dem erſten Corps weg, gegen die Communikation des Feindes dirigirt. Das dritte Armee-Corps ſollte Guiscard erreichen und ein Detaſchement nach Chauny entſenden, welches über Coucy gegen Soiſſons zu pouſſiren den Befehl erhielt.

Es wurde der Armee bekannt gemacht, daß das vollkommene Gelingen der Operationen von der Kraft und Ausdauer abhinge, welche die Truppen hierbei entwickeln würden.

Der Generallieutenant v. Zieten ließ ſeine Avantgarde um 7 Uhr des Morgens aufbrechen, und beſtimmte, daß die derſelben beigegebene 12pfündige Batterie nebſt vier 10pfündigen Haubitzen unter Bedeckung eines Bataillons zur Diſpoſition der erſten Brigade, welche einen Verſuch auf la Fère auszuführen beſtimmt wurde, zurückbleiben ſollten.

Am Nachmittage (26ſten Juni) des heutigen Tages langte die Avantgarde des erſten Corps bei Noyon an, und da ſie bereits 5 Lieues gemacht, und bis Compiègne faſt eben ſo weit zurückzulegen hatte, ſo wurde hier geruht, und aus der Stadt Noyon Eſſen und Trinken verabreicht.

Gegen Abend, nachdem die erſte Escadron des 1ſten ſchleſiſchen Huſaren-Regiments unter dem Major v. Hertel nach Compiègne mit dem Auftrage vorausgegangen war, von dort aus ein Detaſchement auf der Straße nach Soiſſons vorzuſenden, brach die Avantgarde wieder auf, um Compiègne zu erreichen, und wenn Zeit und Umſtände es erlaubten, noch eine Abtheilung über die Oiſe-Brücke gegen Verberie zu detaſchiren.

Auf dem Marſche um Mitternacht ging von dem Major v. Engelhardt die Meldung ein, daß der Major v. Hertel um 8 Uhr Abends Compiègne mit einer Escadron beſetzt und vom dortigen Maire erfahren habe, daß ein französisches Corps, welches 10,000 Portionen daselbst bestellt habe, von Soissons gegen Compiègne im Anmarsch sei. Der Generalmajor- v. Jagow machte hiervon sogleich dem Generallieutenant v. Zieten Meldung, und ließ von seinen Truppen, nach einem kurzen, den Truppen nothwendig gewordenen Ausruhen, den Marsch mit erneuerten Kräften fortsetzen.

Besetzung von Compiègne am 27sten Juni.

Am 27sten Juni um 4½ Uhr Morgens nach einem angestrengten Marsche von 9 Lieues langte die Brigade vor Compiègne an. Der Ort wurde sofort von dem Generalmajor v. Jagow, der vorgeeilt war, in folgender Art besetzt. Das Füsilier-Bataillon des 29sten Regiments wurde an den Ausgängen der untern Stadt nach Paris und Crespy aufgestellt; das Füsilier-Bataillon des 2ten westpreußischen Regiments nebst 2 Kanonen besetzte den Raum zwischen den Wegen nach Crespy und Paris, mithin alle in das Compiègner Gehölz führende Communikationen; die beiden schlesischen Schützen-Compagnien hielten den Schloßgarten und die Terrasse desselben besetzt. Vor dem Thore la Chapelle, auf der nach Soissons führenden Chaussee, war eine halbe reitende Batterie aufgefahren und wurde durch ein Detaschement schlesischer Schützen gedeckt. Das dritte Bataillon des 3ten westphälischen Landwehr-Infanterie-Regiments war zum Soutien der so eben bezeichneten Artillerie und Schützen an dem Thore la Chapelle aufgestellt. Links vom Schlosse, da, wo der Weg längs des Ufers der Oise in die Stadt und zur Brücke führt, stand in der Allee das zweite Bataillon 2ten westpreußischen Infanterie-Regiments, welches seine Tirailleurs rechts am Schlosse anlehnte, und mit dem linken Flügel derselben ein kleines 150 Schritt von der Oise entferntes Gehöft besetzt hatte. Auf dem Markte stand das erste Bataillon 2ten westpreußischen Regiments in Reserve. Der übrige Theil der 3ten Brigade, als: das zweite Bataillon vom 29sten Regiment und 2 Landwehr-Bataillons, war am rechten Ufer der Oise, theils zur Besetzung der dortigen Häuser, theils als Reserve hinter der Brücke zurückgeblieben. Die Fußbatterie № 8 war auf dem rechten Ufer der Oise so placirt, daß sie den auf der Chaussee von Soissons vordringenden Feind in die rechte Flanke nehmen konnte.

Eine Escadron vom 1sten schlesischen Husaren-Regiment war zur Beobachtung auf der Pariser Chaussee vorgeschoben, die andern 3 Escadrons befanden sich zu gleichem Zweck auf der Chaussee von Soissons. Kaum war diese Aufstellung genommen, so meldeten die auf der Chaussee von Soissons vorgeschickten Husaren, der Feind sei im Anmarsch.

Gefecht bei Compiègne den 27sten Juni.

Es mochte ohngefähr 5 Uhr Morgens sein, als die feindlichen Tirailleurs am Rande des Waldes sich zeigten und auf die diesseitigen Plänker feuerten. Bald darauf sah man deutlich eine Infanterie-Kolonne auf der Chaussee vorrücken. Die halbe reitende Batterie ließ die Kolonne auf gehörige Schußweite heranrücken, und gab dann ein so wohl angebrachtes Feuer, daß in wenig Augenblicken die feindliche Masse verschwand. Unsere Artillerie wurde aus 4 feindlichen Geschützen beschossen. Das Gehölz verdeckte indeß die Bewegungen des Feindes und man konnte daher die Stärke seiner Avantgarde nicht beurtheilen. Die Vortruppen benachrichtigten jedoch, daß der Feind im Compiègner Walde sich links zöge. Dieser

Rapport brachte auf die Vermuthung, daß die Franzosen von dem Angriff auf die obere oder Schloßseite abzustehen, dagegen aber auf der unteren und schwächeren Seite, auf den Straßen von Crespy und Paris, die Stadt anzugreifen beabsichtigten. Allein ein erneuertes Vorgehen zeigte bald, daß der Feind seinen Rückzug antrete, und diesen nur zu maskiren bemüht sei. Es wurde das 1ste schlesische Husaren-Regiment auf der Chaussee gegen Soissons zum Verfolgen nachgeschickt. Das Gesecht hatte 1¼ Stunden gedauert, sich jedoch bloß auf eine Kanonade und ein gegenseitiges Tirailliren beschränkt.

Die 3te Brigade hatte seit der Schlacht bei Belle-Alliance die Avantgarde gebildet, und war durch die fortgesetzten Anstrengungen sehr erschöpft worden.

Der Generallieutenant v. Zieten befahl daher, daß die 2te Brigade den Dienst der Avantgarde übernehmen solle, welche indeß noch nicht eingetroffen war. Hierdurch gewann der sich zurückziehende Feind einen Vorsprung, den er vortheilhaft benutzte.

Bei der größten Anerkennung, die man den Leistungen der dritten Brigade als Avantgarde zollen muß, darf doch der geschichtlichen Wahrheit wegen nicht vorenthalten werden, daß die Umstände, welche Veranlassung wurden, daß der Befehl des Feldmarschalls Blücher, am 26sten Compiègne zu erreichen, nicht in Erfüllung ging, leicht hätten nachtheilig werden und die Operationen theilweise verfehlt machen können. Vielleicht würde die Herbeischaffung an Transport-Mitteln aus Noyon während des längeren Ausruhens bei diesem Orte den Marsch erleichtert, und wenigstens möglich gemacht haben, einen Theil der Brigade Compiègne noch am 26sten erreichen zu lassen.

Es wird jetzt nothwendig, die Bewegungen der

übrigen Truppen des preußischen Heeres, vom gestrigen Tage an, nachzuholen und sie bis zu den so eben bezeichneten Punkten zu führen, von wo aus eine neue Combination von Bewegungen und Gefechten anzunehmen ist.

Schon früher wurde erwähnt, daß dem General v. Zieten der Auftrag geworden, einen leichten Versuch gegen la Fère zu unternehmen. Die allgemeinen Verhältnisse hatten sich indeß, wie schon berührt, seit gestern geändert und machten jetzt eine Beschleunigung des Marsches nach Compiègne nothwendig, wogegen die Fortsetzung der Anstalten, welche der General v. Zieten zu einem ernsten Angriff gegen la Fère traf, in diesem Augenblick in Bezug zu dem Hauptzweck nur eine untergeordnete Angelegenheit wurde.

Fortsetzung eines Versuches auf la Fère.

Der Generallieutenant v. Zieten ließ jedoch durch die 1ste Brigade seines Corps die Einschließung von la Fère am Morgen des 26sten Juni ausführen, und sandte die bisher von der 3ten Brigade, welche als Avantgarde abmarschirt war, zur Beobachtung dieser Festung bestimmten Truppen dem General v. Jagow nach.

Während der Ausführung dieser Maaßregel begann das Beschießen von la Fère. Man setzte das Feuer bis Mittag fort, jedoch ohne die Uebergabe dadurch zu erzwingen, ungeachtet das Bombardement wirksam war und mehrere Gebäude in Brand geriethen. Da es nicht die Absicht sein konnte, diesen Versuch weiter auszudehnen, so folgte die 1ste Brigade, mit Zurücklassung des Füsilier-Bataillons vom 2ten brandenburgschen Infanterie-Regiment und einer Escadron brandenburgscher Ulanen, dem

Armee-Corps nach Noyon. Die Brigade erreichte den 26ften Juni jedoch nicht einmal Chauny, 1½ Meilen von la Fère. Den 27ften Juni setzte die Brigade ihren Marsch gegen Compiègne fort, traf jedoch erst den 28ften Juni mit den übrigen Truppen wieder zusammen. Hierdurch wurde das erste Armee-Corps in einem Augenblicke geschwächt, wo gerade bei einer größeren Anwendung von Kräften noch entscheidendere Resultate zu erlangen waren.

Der Generallieutenant v. Zieten erreichte mit den übrigen Truppen seines Corps (2te und 4te Brigade, Reserve-Artillerie und eine Brigade Reserve-Kavallerie) den 26ften Abends 8 Uhr Chauny. Bei der Ermüdung der Truppen glaubte der Generallieutenant v. Zieten nicht den Marsch bis Noyon, wie es der Feldmarschall Fürst Blücher verlangt hatte, fortsetzen zu können, und ließ daher bei Chauny einen Bivouak beziehen.

Für den 27ften Juni erhielt das erste Armee-Corps den Befehl, durch Compiègne zu marschiren, dort die Oise zu passiren und durch den Wald von Compiègne auf der Straße nach Crespy bis Gillicourt vorzurücken. Im Fall der Feind den 27ften Juni noch in Soissons gestanden hätte, sollte die Avantgarde bis Villers Cotterets marschiren und das ganze Corps sich bereit halten, die Avantgarde zu unterstützen, und den von Soissons auf Paris zurückgehenden Feind anzugreifen und abzuschneiden.

Der Generallieutenant v. Zieten beschloß, um die am gestrigen Tage nicht ausgeführte Bewegung nachzuholen, den Sammelplatz des Corps für den 27ften Juni um 7½ Uhr Morgens vor den Thoren von Noyon zu bestimmen, und von dort sogleich gegen Compiègne weiter zu marschiren.

Inmittelst waren auch die Meldungen des General=
majors v. Jagow über das Vorrücken feindlicher Trup=
pen gegen Compiègne eingegangen, wodurch der Marsch
der Truppen noch mehr beeilt wurde. Es war jedoch
Mittag, als das Gros des ersten Corps Compiègne er=
reichte.

Der Feldmarschall Fürst Blücher war schon früher
persönlich hier eingetroffen, und hatte, nach den Nachrich=
ten, die man über die Absichten und den Marsch des
Feindes einziehen und vermuthen konnte, befohlen: daß
die Avantgarde des ersten Corps, die Reserve=Kavallerie
desselben und 100 Schützen an der Spitze, durch den
Compiègner Wald gegen Villers Cotterets vorrücken solle.
Das Gros des ersten Corps erhielt den Befehl, der
Avantgarde zu folgen und alle Kräfte beisammenhaltend,
war es die Absicht des Feldmarschalls, daß dieses Corps
sich auf die Rückzugslinie des Feindes gegen Villers
Cotterets werfen solle, im Fall nämlich die Avantgarde
den Feind daselbst oder auf dem Marsche dahin anträfe.

Diese, den früheren Befehl ändernde Maaßregel,
wonach das Corps nur bis Gillicourt zu marschiren die
Weisung hatte, wurde durch Zufälligkeiten, die im Kriege
so oft eintreten und die schon gestern durch die Nicht=
ausführung des Marsches bis Noyon angefangen hatten,
gleichfalls aufgehalten.

Der Generallieutenant v. Zieten hatte nämlich der
an der Spitze seines Corps befindlichen Reserve=Kavallerie
und den Schützen den Befehl ertheilt, auf der Straße
nach Crespy den Wald von Compiègne zu passiren und
ein starkes Detaschement auf dem directen Wege nach
Villers Cotterets links abzusenden. Die 2te Brigade
erhielt den Befehl, der Kavallerie unmittelbar zu folgen
und jenseits des Waldes über Marienval gegen Villers

Cotterets zu marschiren und diesen Ort durch ein vorge=
schicktes Detaschement besetzen zu lassen. Das Gros des
Corps, die 3te, 4te Brigade und die Reserve=Artillerie,
folgte der Avantgarde. Während dieser Bewegung blieb
das 1ste schlesische Husaren=Regiment auf der Straße nach
Soissons zur Deckung der linken Flanke vorgeschoben.

Die an der Tête befindliche Reserve=Kavallerie des
ersten Corps passirte den Wald von Compiègne und er=
reichte Gillicourt. Dieser Ort, welcher, an einem Neben=
flusse der Oise gelegen, eine Aufstellung gewährte, wurde
in dem Augenblick erreicht, als der Feind (General Erlon)
das Defilee passirt hatte. Es wurden den feindlichen
Truppen das erste westpreußische Dragoner=Regiment und
die brandenburgschen Ulanen nebst einer reitenden Batte=
rie nachgeschickt. Die 3te Brigade erhielt, nachdem die
zur Avantgarde bestimmte 2te Brigade von der Straße
links auf Villers=Cotterets abgebogen war, den Befehl,
der vorgerückten Kavallerie als Unterstützung zu folgen.
Die 4te Brigade dagegen wurde zum Festhalten des
Defilees von Gillicourt bestimmt.

Gefecht bei Crespy den 27sten Juni.

Die feindliche Arrieregarde wurde noch diesseits
Crespy eingeholt, und von den beiden Kavallerie=Regi=
mentern in Unordnung nach dem genannten Orte hinein=
geworfen. Der Feind mußte den Ort verlassen. Die
3te Brigade und eine Kavallerie=Brigade bezogen hier
einen Bivouak, während Kavallerie=Detaschements dem
Feinde nachgeschickt und über Crespy hinaus vorpoussirt
wurden.

Die 4te Brigade bezog ein Lager bei Gillicourt,
wo auch eine Kavallerie=Brigade und die Reserve=Artille=
rie stehen blieben.

Unterdessen war die 2te Brigade, welche durch das brandenburgsche Dragoner-Regiment und 5 Kanonen der reitenden Batterie No 10 verstärkt worden war, so daß 13 Kanonen und mit der Brigade-Kavallerie 6 Escadrons vereinigt wurden, gegen Longpré im Marsch.

Sobald die Truppen den Wald von Compiègne erreicht hatten, ließ der General v. Pirch II. einen Vortrab bilden, welcher aus dem Füsilier-Bataillon des 1sten westpreußischen Infanterie-Regiments, dem brandenburgschen Dragoner-Regiment und 5 Kanonen der reitenden Batterie No 10 bestand, und folgte demselben um 4 Uhr Nachmittags mit dem Gros der Brigade. Es wurde eine Escabron Dragoner nach Longpré vorausgeschickt, und Retheuil und Taille Fontaine patrouillirt.

Als der General v. Pirch hinter dem Walde von Compiègne die Straße auf Crespy verließ, schlug er von hier einen Feldweg links ein, um Longpré zu erreichen, indem seine Absicht war, den Wald von Villers Cotterets links liegen zu lassen und ihn bloß zu beobachten. Auf der Höhe von Marienval angekommen, überzeugte sich jedoch der General v. Pirch II., daß die Engpässe von Grimanecourt und Bonneuil nicht geeignet seien, mit einer Kolonne bei einem Nachtmarsche passirt zu werden, deshalb suchte er die große, durch den Wald auf Villers Cotterets führende Straße zu gewinnen, und langte auf dieser in der Nacht um 1 Uhr bei Longpré an.

Die Truppen, welche am heutigen Tage schon von Noyon kamen, und also beinahe 6 Meilen marschirt hatten, bedurften einige Stunden Ruhe, um für den folgenden Tag wieder schlagfertig zu werden.

Nachdem hierdurch die Gefechte und Bewegungen des ersten Armee-Corps bis zur Nacht vom 27sten zum 28sten Juni geführt worden sind, ist es nothwendig, die

Bewegungen und Ereignisse bei dem dritten und vierten Armee-Corps nachzuholen, und das Verhältniß zu bezeichnen, in welchem die hier getroffenen Maaßregeln zu dem Ganzen der Operationen zu betrachten sind.

Den 26sten Juni hatte das dritte Armee-Corps den Befehl erhalten, aus der Gegend von Hombliers bis in die Gegend von Guiscard zu marschiren. Es sollte ein Detaschement nach Chauny geschickt werden, welches über Coucy gegen Soissons vorpoussirte. Auch wurde die Pionier-Compagnie dieses Corps dem vierten Corps überwiesen.

Der Generallieutenant v. Thielemann vollführte den ihm aufgetragenen Marsch über Jussy; nur die 11te Brigade und der größere Theil der Reserve-Kavallerie und Artillerie marschirten durch St. Quentin über Hamm nach Guiscard.

Der befestigte Ort Hamm war noch vom Feinde besetzt und versperrte den Durchmarsch. Der General v. Hobe ließ den in Hamm commandirenden feindlichen Offizier auffordern, die Thore zu öffnen und die Passage zu gestatten. Als dieses Ansuchen nicht sogleich bewilligt wurde, bewirkten einige Kanonenschüsse den verlangten Durchmarsch sofort. Preußischer Seits wurde indeß keine weitere Rücksicht auf diesen sonst unbedeutenden Ort genommen.

Bei Guiscard bezogen die 9te und 11te Brigade nebst den Reserven einen Bivouak. Die 10te Brigade lagerte bei Genvry und die 12te bei Berlancourt. Das Hauptquartier des Generals v. Thielemann kam nach Guiscard.

Das Detaschement der Reserve-Kavallerie, welches nach Chauny entsendet war, schickte eine Reiter-Abtheilung über Coucy gegen Soissons vor. Die preußische

Kavallerie stieß eine Stunde hinter Coucy auf einen feindlichen Vorposten von einem Dragoner-Regiment und einem Bataillon Infanterie.

Den 27sten Juni sollte das dritte Armee-Corps aus der Gegend von Guiscard bis Compiègne marschiren. Der Feldmarschall Fürst Blücher befahl, daß starke Detaschements gegen Soissons vorgeschickt werden sollten, um den Feind dort zu beobachten, und ihn zu beunruhigen, wenn er abzöge.

Der Generallieutenant v. Thielemann erreichte Compiègne bei guter Zeit, passirte hier die Oise und bezog jenseits derselben Bivouaks. Nur die 12te Brigade erhielt den Befehl, diesseits der Oise bei Venette ein Lager zu beziehen. Die Kavallerie-Detaschements, welche gegen Soissons entsendet wurden, übernahmen die Deckung der linken Flanke des ersten Armee-Corps, weshalb auch das 1ste schlesische Husaren-Regiment wieder zum Corps des Generals v. Zieten geschickt wurde.

In Compiègne, wo der General v. Thielemann sein Hauptquartier nahm, erhielt derselbe noch den Befehl, nöthigenfalls sich zur Unterstützung des ersten Armee-Corps bereit zu halten. Der Feldmarschall Fürst Blücher hatte überhaupt die Absicht, mit diesem in Reserve behaltenen Corps nach Erforderniß der Umstände jedem bedrohten Punkte zu Hülfe zu eilen, und dadurch die Entscheidung, wenn sie zweifelhaft wäre, herbeizuführen.

Das vierte Armee-Corps hatte den 26sten Juni den Befehl erhalten, von Essigny le grand bis Lassigny zu marschiren. Die Avantgarde sollte Gournay und die Vorderdetaschements Clermont, Creil und Pont St. Maxence erreichen, so wie in Verberie mit dem ersten Armee-Corps die Verbindung aufsuchen.

Der General Graf Bülow v. Dennewitz machte seinen

seinen Truppen bekannt, daß die eingetretenen starken
Märsche zur Erreichung eines entscheidenden Resultates
nothwendig wären, und forderte daher die Brigade-Chefs
und übrigen Befehlshaber auf, daß sie den Truppen alle
Erleichterung gewähren, jedoch dabei auch Alles so ein-
richten möchten, daß der vorliegende Zweck erfüllt würde.
Die Avantgarde des vierten Corps brach den 26sten um
4 Uhr Morgens von Jussy auf und marschirte über Lassigny nach Gournay, welches auf der Straße von Peronne
nach Pont St. Maxence liegt. Es wurden noch Abtheilungen gegen Clermont, Creil, Pont St. Maxence und
Verberie entsendet, welche jedoch erst den folgenden Tag
diese Bestimmungsorte erreichen konnten.

Die Reserve-Kavallerie des vierten Corps folgte den
26sten Juni um 5 Uhr Morgens der Avantgarde, und
erreichte spät am Abend Ressons, wo sie ein Lager bezog.
Das Gros des vierten Corps folgte der Kavallerie und
bivouakirte gleichfalls bei Ressons. Das Hauptquartier
des Generals Grafen Bülow kam nach Lassigny.

Das vierte Armee-Corps hatte demnach am heutigen
Tage einen Marsch von 10 Lieues ausgeführt, und war
demungeachtet den 27sten Juni mit Tagesanbruch schon
wieder in der Fortsetzung seines Marsches begriffen.

Der Feldmarschall Fürst Blücher nahm den 26sten
Juni sein Hauptquartier in Genvry, nahe bei Noyon.

Den 27sten Juni erhielt das vierte Armee-Corps
den Befehl, bei Verberie, Pont St. Maxence oder Creil
die Oise zu passiren, und im Fall dies ausführbar wäre,
eine Avantgarde nach Senlis vorzupoussiren, und Detaschements nach Luzarches, Louvres und Dammartin zu
entsenden. Sollte das Corps bei Pont St. Maxence die
Oise nicht passiren können, so marschirt es auf Compiègne
oder erhält noch anderweitige Befehle. Auf jeden Fall

II.   5

muß die Wiederherstellung der Brücken mit der größten Schnelligkeit betrieben werden.

Ueber die Möglichkeit der Uebergänge und ihren Zustand erwartete der Feldmarschall den schleunigsten Rapport.

Der General Graf Bülow v. Dennewitz ertheilte dem General v. Sydow den Befehl, mit einem Detaschement bei der ersten Dämmerung des Tages aufzubrechen, um die bei Creil über die Oise führende Brücke zu besetzen.

Die Avantgarde des vierten Corps bestand aus dem 3ten neumärkischen Landwehr-Infanterie-Regiment, einem Bataillon des 1sten schlesischen Landwehr-Infanterie-Regiments, dem 8ten Husaren- und 1sten pommerschen Landwehr-Kavallerie-Regimente und der halben reitenden Batterie № 12.

Gefecht bei Creil, den 27sten Juni.

Der General v. Sydow, von der Wichtigkeit der Erhaltung des Uebergangs bei Creil überzeugt, setzte sich selbst an die Spitze einer Escadron des 8ten Husaren-Regiments, der 100 Mann Infanterie, die auf Wagen gefahren wurden, folgten, und erreichte mit dieser Abtheilung Creil in dem Augenblick, als die Franzosen im Begriff waren, einzurücken. Der Feind wurde sogleich angegriffen, zurückgeworfen und von der preußischen Infanterie die Brücke besetzt. Als die Avantgarde nachfolgte, besetzte das 1ste Bataillon des 1sten schlesischen Landwehr-Regiments die Brücke bei Creil, die übrigen Truppen hingegen traten nach einiger Ruhe den Marsch nach Senlis an.

Nur der Major v. Blankenburg erhielt in Creil den Befehl, sogleich mit dem 1sten pommerschen Landwehr-Kavallerie-Regiment die Oise herauf bis Verberie zu patrouilliren, und die Gefechte mit dem ersten Armee-Corps zu beobachten. Als er in Pont St. Maxence ankam, ertheilte ihm der Graf Bülow v. Dennewitz persönlich den veränderten Befehl, nach Senlis zu marschiren.

Gefecht bei Senlis den 27sten Juni.

Das preußische Kavallerie=Regiment dirigirte sich hierauf nach diesem Orte. Kaum war es hier eingerückt und hatte sich auf dem Marktplatze gelagert, als gegen 9 Uhr Abends eine Brigade französischer Kavallerie unter dem Grafen Kellermann gegen die Stadt anrückte, und bis auf den Markt sprengte.

Der Major v. Blankenburg konnte kaum zu Pferde kommen, griff jedoch mit derjenigen Mannschaft, die ge= fechtsfähig wurde, den Feind an, und warf ihn bis an die Thore der Stadt zurück.

Die Preußen mußten indeß doch der nachfolgenden Ueberzahl weichen, und zogen sich nun auf Pont St. Maxence zurück.

Auf diese Weise gelang es der 1sten Kürassier=Bri= gade des Grafen Valmy die Stadt zu passiren. Die 2te Kürassier=Brigade und das Corps des Generals Gra= fen Erlon war noch in der Richtung von Crespy und Compiègne zurück.

In der Zwischenzeit, in welcher Senlis unbesetzt blieb, rückte der General v. Sydow mit der Avantgarde des vierten Corps von Creil, also von der entgegengesetzten Seite, in Senlis ein, und besetzte die Stadt.

Der General Graf Erlon, welcher heute schon von Compiègne zurückgeworfen war, ging über Gillicourt auf Crespy zurück, und hatte die Arrieregarden=Gefechte mit der Reserve=Kavallerie des ersten preußischen Armee=Corps. Es bleibt jedoch noch aufzuklären, ob französische Deta= schements nach Verberie, Pont St. Maxence und Creil

gleichzeitig mit den Truppen, die gegen Compiègne vor=
gerückt sind, entsendet wurden, oder ob diese feindlichen
Abtheilungen erst nach dem Gefecht von Compiègne da=
hin marschirten, und auf welche Weise die Wiedervereini=
gung mit dem Erlonschen Corps bewerkstelligt worden ist.

Die Kavallerie unter den Generalen Milhaud und
Kellermann war gleichfalls gegen Compiègne vorgerückt.
Als sie aber in Erfahrung brachten, daß dieser Ort in den
Händen der Preußen sei, beschleunigten sie ihren Marsch
über Crespy, um Senlis zu erreichen. Das Kavallerie=
Corps des Generals Kellermann, welches noch 1500 Pferde
zählte, blieb jedoch auf Verlangen des Grafen Erlon in
Crespy, und wurde dadurch verhindert, in Senlis vor
den Preußen einzutreffen.

Der Graf v. Erlon entschloß sich gleichfalls, noch
am Abend des für ihn unglücklichen Tages von Crespy
nach Senlis zu marschiren, und sandte den General Kellermann mit einer Kavallerie=Brigade als Avantgarde vor=
aus. Wir haben schon gesehen, daß der preußische Ma=
jor v. Blankenburg durch die feindliche 1ste Kürassier=
Brigade aus Senlis geworfen wurde. Als jedoch die 2te
Brigade der Kellermannschen Kavallerie und die Truppen
unter Erlon anlangten, hatte bereits die Spitze der Avant=
garde des Generals v. Bülow, aus dem 8ten Husaren=Regi=
ment, dem 3ten Bataillon 3ten neumärkschen Landwehr=In=
fanterie=Regiments bestehend, Senlis um 10 Uhr Abends
erreicht und sogleich besetzt. Die preußische Infanterie, in
den Häusern, welche zunächst dem Thore lagen, placirt,
empfing die feindliche Kavallerie mit einem lebhaften Ge=
wehrfeuer in dem Augenblicke, als der Feind nur noch
einen wirksamen Gewehrschuß vom Thore entfernt war.
Die französische Kavallerie mußte umkehren, und als auch
die Infanterie des Grafen Erlon herangekommen war,

wurde auch diese eine andere Richtung zu nehmen ge=
zwungen. Die Franzosen sagen, daß man, um ein Nacht=
gefecht zu vermeiden, und um die Stadt zu schonen, links
von Senlis durch den Wald von Louvres die große auf
Gonesse führende Straße zu gewinnen beabsichtigt habe.
Der General v. Sydow folgte den Franzosen mit der
nunmehr vereinigten ganzen Avantgarde, und bezog mit
seinen Truppen gegen Mitternacht einen Bivouak vorwärts
Senlis. Der Feind dagegen erreichte am Morgen des
28sten Juni die Straße über Gonesse auf Paris.

Während die Avantgarde des vierten Armee=Corps
auf Creil und Senlis vorpoussirt wurde, war eine andere
Abtheilung gegen Pont St. Maxence und Verberie vor=
geeilt. Die Franzosen hatten jedoch schon die Brücke
bei ersterem Orte zerstört. Das 2te pommersche Landwehr=
Kavallerie=Regiment passirte daher unter dem Befehl des
Majors v. Kamecke auf Fähren die Oise bei Maxence,
und schickte sogleich Detaschements auf Verberie und Sen=
lis vor. Die 14te Brigade folgte dem genannten Kaval=
lerie=Regiment gleichfalls mittelst Fähren auf das linke
Ufer der Oise und besetzte die Höhen zu beiden Seiten
der Straße auf Paris. Nur die Artillerie dieser Brigade
blieb diesseits des Flusses, bis die Brücke wieder herge=
stellt war, zu deren Bau sofort mit größter Thätigkeit ge=
schritten wurde.

Die Truppen, welche auf das linke Ufer der Oise
übergesetzt waren, bezogen in der Nacht vom 27sten zum
28sten da, wo sie ihre Aufstellung genommen, Bivouaks.

Die 13te, 15te und 16te Brigade lagerten dagegen
auf dem rechten Ufer der Oise bei Pont St. Maxence.
Die Reserve=Kavallerie bivouakirte bei Plessis=Longeaux.
Das Hauptquartier des Grafen Bülow war in Pont St.
Maxence.

Der Feldmarschall Fürst Blücher nahm den 27sten Juni sein Hauptquartier auf dem Schlosse in Compiègne.

Ueberblickt man die im Detail bezeichneten Ereignisse während des 26sten und 27sten Juni nach ihren Erfolgen im Großen, so wird man die nachstehenden Resultate erkennen. Die preußischen Armee-Corps vollführten während der bezeichneten Tage zwei forcirte Märsche, durch welche sie sämtliche Uebergänge über die Oise von Compiègne bis Creil gewannen. Die Armee, in zwei Kolonnen getheilt, von denen die des linken Flügels — aus dem ersten und dritten Armee-Corps — und die des rechten Flügels — aus dem vierten Armee-Corps bestehend, — hatte sich der beiden aus dem nördlichen Frankreich um die linke Flanke des französischen Heeres gegen Paris führenden Straßen über Senlis und Compiègne bemächtigt, und war im Begriff, die im Rücken der feindlichen Armee befindliche Straße von Soissons über Villers-Cotterets zu gewinnen. Diese Absicht zu erreichen, war das erste Armee-Corps über den Wald von Compiègne hinaus vorgeschoben, und die Avantgarde desselben nach Villers-Cotterets entsendet worden.

Der Feind dagegen hatte zu spät einen vergeblichen Versuch gemacht, die Uebergänge über die Oise vor den Preußen zu gewinnen, und dadurch die linke Flanke der auf Paris retirirenden Armee zu decken, so wie überhaupt diesen Abmarsch zu maskiren.

Wenn die hier bezeichneten Verhältnisse auch am Abend des 27sten Juni wirklich bestanden, so ist jedoch nicht zu verkennen, daß man preußischer Seits die wahre Lage des Feindes unmöglich genau wissen konnte. Man mußte sich vielmehr sowohl auf den Fall vorbereiten, daß die französische Armee bei Soissons stehen bleiben und die Vereinigung mit dem dritten und vierten Corps unter dem General Vandamme abwarten würde, oder daß man auf die feindliche Armee während ihres Marsches von Soissons auf Paris stoßen könne.

In dem zuerst bezeichneten Falle, daß der Feind nämlich noch bei Soissons stehe, beschloß der Feldmarschall, nur Detaschrments des ersten Corps gegen ihn zu poussiren, und ihn dadurch über die Direction seines Marsches zu täuschen, während dessen aber mit dem dritten und vierten Corps hinter dem ersten weg, auf Paris zu marschiren. Das erste Armee-Corps sollte alsdann den beiden andern folgen. Man erreichte auf diese Weise Paris vor der feindlichen Armee und fand die Hauptstadt vielleicht zwei Tage wehrlos, wodurch ein entscheidendes Resultat herbeizuführen war.

Sollte man dagegen im zweiten Fall die feindliche Armee im Marsch auf der Straße von Soissons nach Paris treffen, so wollte man sie sogleich mit Kraft angreifen und von ihrer Rückzugslinie abzuschneiden suchen.

Fortsetzung der Operationen des preußischen Heeres, vom 27sten bis 30sten Juni.

Diesen Ansichten gemäß befahl der Feldmarschall Fürst Blücher in der Nacht vom 27sten zum 28sten Juni, daß der Generallieutenant v. Zieten mit dem ersten Corps über Crespy nach Nanteuil marschiren, jedoch bedeutende Detaschements in Villers-Cotterets und la Ferté-Milon zur Beobachtung der feindlichen Corps zurücklassen sollte. Dem ersten Armee-Corps wurde ferner aufgetragen, sich sogleich zu conzentriren und den Feind auf dem Marsche anzugreifen, sobald die Nachricht einginge, daß sich die französische Armee von Soissons gegen Paris in Bewegung setze. Das dritte Armee-Corps sollte augenblicklich

davon benachrichtigt werden, und dann sofort zur Unter=
stützung des ersten Corps abmarschiren.

Im Fall jedoch der Generallieutenant v. Thielemann
nicht zur Unterstützung des ersten Corps abgerufen wird,
marschirt er über Verberie nach Senlis. Das von dem
dritten Corps auf Soissons vorgeschickte Detaschement
beobachtet fortwährend den Feind und folgt seinem Mar=
sche. Das vierte Armee=Corps, welches durch die Be=
wegungen des gestrigen Tages am weitesten gegen Paris
vorgerückt war, erhielt den Befehl, mit seinem Gros die
Oise zu passiren und bis Marly la ville, die Avantgarde
bis Gonesse vorzurücken. Sollte der Feind St. Denis nicht
besetzt haben, so wird wo möglich noch Infanterie bis
dahin poussirt, um sich dieses wichtigen Punktes zu be=
mächtigen.

Es wurde den Armee=Corps noch befohlen, aus
allen Leuten, welche durchaus nicht mehr weiter konnten,
Corpsweise Detaschements zu bilden und diese nach Com=
piègne als Besatzung zu senden. Der Feldmarschall er=
nannte einen Commandanten in diesem Orte und übertrug
ihm die Beschützung des Schlosses und der darin befind=
lichen Effecten.

Die hierauf folgenden Ereignisse des 28sten Juni
beginnen bei der Avantgarde des ersten Armee=Corps,
welche, wie früher nachgewiesen worden ist, in der Nacht
vom 27sten zum 28sten Juni um 1 Uhr bei Longprée,
¼ Lieue von Villers=Cotterets, angekommen war.

Als der General v. Pirch hier erfuhr, daß Villers=
Cotterets nur schwach vom Feinde besetzt sei, beschloß er
noch in der Nacht auf diesen Ort einen Ueberfall aus=
führen zu lassen.

Ueberfall von Villers-Cotterets am 28sten Juni.

Es wurden demnach das Füsilier-Bataillon vom 1sten westpreußischen Infanterie-Regiment und das brandenburg-sche Dragoner-Regiment zu diesem Unternehmen beordert. Eine Füsilier-Compagnie und eine Escadron Dragoner bildeten die Spitze. Als die Compagnie im Walde vor-rückte, war es noch ziemlich dunkel, und nur die erste Morgendämmerung brach eben hervor. Die Spitze der Füsilier-Compagnie meldete den Anmarsch feindlicher Ar-tillerie, welche mit geringer Bedeckung auf einem Seiten-wege im Walde marschire. Der Hauptmann v. Oppen-kowsky verlor keinen Augenblick, diesen günstigen Zufall zu benutzen. Von dem Walde und der Dunkelheit be-günstigt, stürzte er sich mit seiner Compagnie rasch auf den Feind, welcher nach wenigen Schüssen gezwungen wurde, sich zu ergeben.

Es war eine französische reitende Batterie von 14 Kanonen nebst 20 Pulverwagen und 150 Mann Be-deckung, welche während der Nacht in Viviers einquar-tiert und um 2 Uhr des Morgens zum weitern Abmarsch gegen Nanteuil beordert war. In der ganzen Umgegend hatten Truppen vom 2ten französischen Armee-Corps wäh-rend der Nacht gelegen, welche indeß schon früher auf-brachen. Diese Batterie dagegen verspätete sich bei ihrem Abmarsch, und fiel auf die bezeichnete Weise in die Hände der Preußen.

Obgleich die gegen Villers-Cotterets vorgeschobenen preußischen Truppen ihren Marsch sogleich wieder fort-setzten, so waren doch die in diesem Orte noch befindlichen Franzosen durch das Gefecht im Walde aufgeschreckt wor-den. Während daher eine Füsilier-Compagnie links um die Stadt und um den großen, mit einer hohen Mauer umgebenen Garten, zur Sicherung der linken Flanke betaſchirt wurde, drangen die drei übrigen Compagnien des Füſilier-Bataillons 1ſten weſtpreußiſchen Infanterie-Regiments in Villers-Cotterets ein, und machten hier eine Menge Gefangene. Der Feind bemühte ſich vergeblich ſich im Orte zu ſammeln, und verließ die Stadt in größter Unordnung. Der Marſchall Grouchy entkam nur mit genauer Noth der Gefangenſchaft, indem er ſich auf ein Pferd warf und nach der entgegengeſetzten Seite der Stadt hinauseilte. Auf der Straße nach Nanteuil bei dem Windmühlenberge gelang es jedoch dem Marſchall, ſeine Truppen zu ſammeln und aufzuſtellen.

Das Füſilier-Bataillon des 1ſten weſtpreußiſchen Infanterie-Regiments hatte indeß Villers-Cotterets beſetzt. Der Ausgang nach Soiſſons wurde barrikadirt und in dem mit einer hohen Mauer umgebenen Schloßgarten ein Soutien aufgeſtellt. Auf dem Markte richtete man ſich gleichfalls zur Vertheidigung ein. Drei Escadrons des brandenburgſchen Dragoner-Regiments und 5 Kanonen reitender Artillerie waren dem Feinde gefolgt. Kavallerie-Detaſchements wurden zur Deckung der linken Flanke auf den Straßen gegen Soiſſons und eine Escadron des brandenburgſchen Dragoner-Regiments zur Deckung der rechten Flanke gegen Longprée entſendet.

Der General v. Pirch hatte ſich, gleich nachdem er Nachricht von den Erfolgen der gegen Villers-Cotterets pouſſirten Truppen erhalten, in Marſch geſetzt, um ſie zu unterſtützen.

Inmittelſt hatte aber auch der Marſchall Grouchy ungefähr 9000 Mann zuſammengebracht, von denen 3000 Mann ſchon früher zur Arrieregarde beſtimmt waren, die übrigen aber aus ſolchen Truppen beſtanden, die in den nächſten Orten, als Vauciennes, Coyolles und Piſſeleur die Nacht hindurch geſtanden hatten. Mit dieſen Truppen

schien der Feind ein Gefecht annehmen zu wollen. Der
General v. Pirch nahm mit seiner Brigade gleichfalls
eine Stellung dem Feinde gegenüber, und entwickelte seine
Infanterie nebst der Fußbatterie auf der Höhe am Schloßgarten.

Gefecht bei Villers-Cotterets am 28sten Juni.

Der General v. Pirch war noch mit der Anordnung
zum Angriff beschäftigt, als ihm von der auf der großen
Straße nach Soissons vorgeschickten Reiterabtheilung die
Meldung einging, es sei ein feindliches Corps, von Soissons kommend, in Anmarsch. Dieser Meldung folgte
gleich darauf die zweite, daß der Feind von dieser Seite
viel Kavallerie zeige, von welcher sich bereits 2 Regimenter gegen die linke Flanke der Preußen in Bewegung gesetzt hätten, während auch Kavallerie gegen die rechte
Flanke marschire, die eine Artillerie von 20 bis 25 Kanonen mit sich führe.

Das anrückende feindliche Corps war das 4te französische, welches nebst dem 3ten, den Befehlen des Generals Vandamme untergeordnet, jetzt im Marsch auf Villers-
Cotterets begriffen war. Das 3te Corps war jedoch noch
um einen Tagemarsch zurück. Auf diese Weise befand
sich der General v. Pirch mitten unter dem feindlichen
Heere. Es ist keinem Zweifel unterworfen, daß, wenn
statt der Avantgarde das ganze erste preußische Corps,
welches in diesem Falle auch von dem dritten preußischen
Corps unterstützt werden sollte, sich bei Villers-Cotterets
befunden hätte, hierdurch die Lage des Feindes um vieles
nachtheiliger geworden wäre. Der General v. Pirch war
dagegen zu schwach, um von den günstigen Umständen
einen größeren Vortheil ziehen zu können.

Das bloße Erscheinen der Preußen verbreitete bei

dem Vandammschen Corps schon die größte Verwirrung, und unter dem wilden Geschrei: „nach la Ferté-Milon links in die Wälder; wir sind von Paris abgeschnitten!" stürzte Alles in dieser Richtung fort. Nur der General Vandamme marschirte mit 2000 Mann und einigen Kanonen über Pisseleur, indem er die Stadt Villers-Cotterets rechts ließ, und diese Bewegung durch einen lebhaften Angriff auf den genannten Ort maskirte. Das Füsilier-Bataillon des 1sten westpreußischen Regiments wurde durch die feindliche Uebermacht zurückgedrängt. Gleichzeitig hatten die Franzosen Kavallerie-Detaschements gegen Montgobert vorgeschickt, welche später sich auf Soucy dirigirten, um vielleicht Nachrichten einzuziehen, ob größere Streitkräfte von Compiègne her zu erwarten wären.

Nach einer lebhaften Kanonade und nachdem der General v. Pirch das Füsilier-Bataillon des 1sten westpreußischen Regiments aus Villers-Cotterets an sich gezogen, entschloß er sich, ohne vom Feinde dazu gezwungen zu werden, zum Marsch auf Crespy. Ein Befehl des Generals v. Zieten hatte diese Richtung vorgeschrieben, welche eine Conzentrirung des Corps bezweckte. Der General v. Pirch hatte die Absicht, über Longprée mit dem Feinde parallel zu marschiren, welcher sich auf der Straße nach Nanteuil in Bewegung setzte. Die in dieser Richtung befindlichen Defileen glaubte aber der General v. Pirch in Gegenwart des Feindes vermeiden zu müssen, weshalb er es vorzog, sich auf der Straße nach Compiègne bis dahin zurückzuziehen, wo der Weg von Viviers einfällt, und wo zur Deckung der linken Flanke und des Rückens bereits eine Escadron brandenburgscher Dragoner aufgestellt war. Ein Kavallerie-Detaschement blieb vor dem Walde zurück, um Villers-Cotterets zu beobachten, welches die Franzosen mit Infanterie stark besetzten.

Als der General v. Pirch sich nunmehr wieder nach der Richtung von Crespy wandte, mußte er den dichten Wald auf der Straße nach Buts nochmals passiren. Bei Buts wurde einige Zeit angehalten, um über den Marsch des Feindes, überhaupt aber über die gegenseitigen Verhältnisse Nachrichten einzuziehen, und hiernach seinen Marsch einzurichten.

Der General v. Pirch brach hierauf rechts gegen Frenois la Riviere auf, wo er gegen 12 Uhr Mittags anlangte und den Befehl erhielt, einige Stunden auszuruhen. Die brennende Hitze und die angestrengten Märsche machten auch eine Erholung für Menschen und Pferde nothwendig. Nach einigen Stunden Ruhe setzte der General von Pirch seinen Marsch über Crespy nach Nanteuil fort, woselbst er Abends um 9 Uhr ankam, nachdem seine Truppen in 38 Stunden nur 8 Stunden geruht, dabei über 6 Stunden im Feuer gestanden und 21 Lieues größtentheils bei brennender Hitze marschirt hatten. Die eroberten 14 Stück Geschütz wurden nach Compiègne geschickt, dagegen konnten die 20 genommenen Pulverwagen aus Mangel an Pferden nicht fortgeschafft werden, und wurden daher zerstört.

Der General v. Zieten, welcher von den Ereignissen bei Villers=Cotterets Meldung erhielt, konnte jedoch die günstigen Umstände nicht kräftig benutzen, da durch die Verfolgung des Feindes am gestrigen Tage die verschiedenen Brigaden seines Corps sich zu weit auseinander befanden. Das Zurücklassen der ersten Brigade vor la Fère zeigte sich jetzt um so nachtheiliger, als diese Truppen erst am Nachmittage des 28sten Juni wieder mit dem Corps zusammen trafen. Ferner waren die 3te und eine Kavallerie=Brigade dem Feinde gestern auf Crespy gefolgt, und die 4te so wie die andere Kavallerie=Brigade waren bei Gillicourt stehen geblieben.

Der General v. Zieten war ferner am Morgen des 28sten Juni im Begriff, sein Corps bei Crespy zusammen zu ziehen und wollte nur starke Kavallerie=Abtheilungen in Villers=Cotterets und la Ferté=Milon stehen lassen. Demgemäß sollte der General v. Pirch mit dem Gros der Avantgarde auf Crespy marschiren und sich hier mit dem Corps vereinigen. Während der Absendung dieses Befehls ging aber die Meldung des Generals v. Pirch ein, daß er auf die feindliche, im Rückzuge über Villers=Cotterets begriffene Armee gestoßen sei, und durch Uebermacht zurückgedrängt werde. Eine unmittelbare Unterstützung des Generals v. Pirch war aber in diesem Augenblicke gar nicht ausführbar, da die Truppen bei Crespy, welche Villers=Cotterets noch am nächsten sich befanden, beinahe drei Lieues entfernt waren. Man mußte vielmehr versuchen, dem Feinde auf einem andern Punkte der Straße auf Paris zuvor zu kommen. Der General v. Zieten befahl daher, daß die 3te Brigade nebst der Reserve=Kavallerie und Artillerie gegen Levignon vorrücken und diesen Ort möglichst vor den Franzosen besetzen sollten. Der Feind war jedoch schon im Defiliren durch das genannte Dorf begriffen. Es wurde indeß sogleich eine Haubißbatterie vorgezogen und der Ort mit Granaten beworfen. Das erste westpreußische Dragoner=Regiment, nebst dem ersten schlesischen Husaren=Regiment und eine reitende Batterie, erhielten den Befehl, den Feind anzugreifen.

Gefecht bei Nanteuil den 28sten Juni.

Die Franzosen zogen sich mit solcher Schnelligkeit zurück, daß sie erst auf der Hälfte des Weges zwischen

Levignon und Nanteuil eingeholt werden konnten, wo sie
jedoch ihre Arrieregarde halten und Front machen ließen.
Der Feind, es war das 2te französische Armee-Corps unter
dem General Grafen Reille, der mehrere Kavallerie-Regimenter bei sich hatte, blieb im Marsch, unterstützte jedoch
die aufgestellte Arrieregarde. Ein Angriff von 2 Escadrons des zweiten westpreußischen Dragoner-Regiments
wurde zurückgewiesen. Die Ueberzahl des Feindes war
zu groß, und ein feindliches Lancier-Regiment griff die
preußischen Dragoner in der Flanke an. Der Feind
rückte hierauf seiner Seits vor, um die preußische Kavallerie über den Haufen zu werfen, welches ihm aber
nicht gelang. Das 1ste schlesische Husaren-Regiment machte
einen neuen Angriff, welcher so vollkommen glückte, daß
der Feind in die Flucht geschlagen und 2 Kanonen erobert wurden. Die preußische reitende Batterie war
links von der Chaussee aufgefahren und that dem Feinde
durch ihr wirksames Feuer einen großen Abbruch. Die
preußische Kavallerie verfolgte die feindliche bis über
Nanteuil hinaus.

Während der Bewegung gegen Levignon war der
General v. Hobe mit einer Kavallerie-Brigade vom dritten Armee-Corps herangekommen. Er war rechts auf
der Straße von Crespy nach Nanteuil vorgeschickt worden,
um einen Theil der feindlichen Kolonnen noch zu erreichen
und abzuschneiden. Der Feind floh indeß mit solcher
Schnelligkeit, daß nur wenige zu Gefangenen gemacht
wurden.

Es gelang jedoch dem Grafen Reille, die Trümmer
seines Corps (2ten) mit den Truppen des Grafen Erlon
(1stes Corps) zu vereinigen, welcher über Crespy und
links von Senlis entkommen war. Die Auflösung und
Unordnung in den französischen Corps wurde noch durch

das Vorrücken des vierten preußischen Armee=Corps auf
der Chaussee von Senlis vermehrt, indem der Feind, als
er dem ersten Armee=Corps entkommen war, der Avant=
garde des vierten Corps in die Hände fiel. Die weitere
Ausführung der Verfolgung des Feindes durch das vierte
Corps kann jedoch erst später nachgewiesen werden.

Während der Generallieutenant v. Zieten das zweite
feindliche Corps unter dem Grafen Reille gegen Nanteuil
verfolgte, waren die französischen Garden und die Ueber=
reste des sechsten Corps unter Marschalls Grouchy's
unmittelbarem Befehl, nach Levignon gekommen, indem
sie die zweite Kolonne der von Villers=Cotterets verjag=
ten Truppen bildeten. Als sie sich von der Gefahr ihres
weiteren Marsches überzeugten, bogen sie links von der
Chaussee auf Paris ab, marschirten über Assy, Meaux,
Claye und Vincennes, und suchten auf diesem Umwege
zu entkommen.

Der General Vandamme, welcher mit dem 3ten und
4ten französischen Corps noch am weitesten zurück war,
suchte über la Ferté=Milon, Meaux und dann jenseits
der Marne über Lagny Paris zu erreichen.

Das erste preußische Armee=Corps, welches sich
durch Heranziehung seiner Brigaden nunmehr vereinigt
hatte, stellte sich hinter Nanteuil auf. Die 1ste Brigade
bildete die Avantgarde und wurde bis le Plessis vorge=
schoben. Die erste Kavallerie=Brigade des dritten Armee=
Corps, bei welcher sich der Generalmajor v. Hobe be=
fand, stellte sich zur Unterstützung zwischen Montigny
und Silly auf. Ein Detaschement des Oberstlieutenants
v. Czettritz, durch Truppen vom ersten und dritten Armee=
Corps gebildet, nebst einer halben reitenden Batterie,
wurde bis Dammartin vorgeschoben. Das Hauptquar=
tier des ersten Armee=Corps kam nach Nanteuil.

Der

Der General Graf Bülow v. Dennewitz vollführte den ihm gegebenen Befehl, mit dem vierten Corps am 28sten Juni von Pont St. Maxence auf Marly la Ville zu marschiren, in nachstehender Art.

Man hatte sich nämlich am gestrigen Tage überzeugt, daß die bisher vorgeschickte Avantgarde des Corps bei der Nähe des Feindes nicht stark genug sei. Auch glaubte man heute auf bedeutendere feindliche Kräfte zu stoßen, die augenblicklich mit einer größern Masse angegriffen werden sollten. Es wurde demnach noch die 14te Brigade und die Reserve-Kavallerie zur Avantgarde bestimmt, und das Ganze unter den Befehl des Prinzen Wilhelm von Preußen gestellt. Dem General v. Sydow wurde aufgegeben, mit Tagesanbruch Kavallerie-Detaschements zur Aufsuchung des Feindes abzusenden, und seine gestern in Creil gelassenen Truppen wieder heranzuziehen. Die 14te Brigade und die Reserve-Kavallerie sollte gleichfalls mit Tagesanbruch ihre Bivouaks verlassen, und nachdem die ganze Avantgarde sich bei Senlis vereinigt hatte, sollte sie sofort ihren Marsch auf Gonesse beginnen. Der General v. Bülow bestimmte noch, daß die rechtsführende Chaussee über Luzarches auf St. Denis von der Avantgarde aufgeklärt werden solle.

Der Prinz Wilhelm von Preußen stieß am Nachmittage des heutigen Tages auf Abtheilungen des Grafen Erlon und auf das zweite französische Armee-Corps, welches im Rückzuge von Nanteuil begriffen war. Der Feind wurde sofort angegriffen, und diejenigen Abtheilungen, welche man erreichen konnte, wurden zerstreut und zu Gefangenen gemacht. Auf diese Weise wurden über 2000 Mann eingebracht.

Es war schon Abend, als die Avantgarde des vierten Corps Gonesse erreichte und hier einen Bivouak bezog.

II.   6

Die vorpoussirten Detaschements rückten bis le Bourget und Stains, welche Punkte indeß der Feind noch besetzt hielt, vor. Die Preußen befanden sich demnach nur noch wenig über eine Meile von Paris.

Das Gros des vierten Armee-Corps marschirte in einer Kolonne. Die 15te Brigade an der Tête, hierauf die 16te, dann die Reserve-Artillerie und zuletzt die 13te Brigade. Zwei Escadrons des 2ten schlesischen Landwehr-Kavallerie-Regiments bildeten die Arrieregarde.

Das Corps erreichte am Abend des 28sten Marly la Ville und bezog hier einen Bivouak. Das Hauptquartier des Generals Grafen Bülow kam nach Marly la Ville.

Auf diese Weise war durch die Bewegungen des gestrigen und heutigen Tages das 4te Armee-Corps an die Spitze der Armee gekommen und stand Paris am nächsten.

Der Generallieutenant v. Thielemann erfüllte die ihm gegebenen Befehle, mit seinem Corps von Compiègne auf Senlis zu marschiren, im Fall das erste Armee-Corps nicht die Unterstützung des dritten nothwendig habe, in der Art, daß er den Marsch seiner Infanterie und Artillerie auf Crespy dirigirte, während die Reserve-Kavallerie auf Verberie nach Senlis marschirte. Als jedoch die Nachricht eintraf, daß das erste Armee-Corps sich im Gefecht mit dem Feinde befinde, wurde die Kavallerie von der Höhe von Verberie gegen Crespy herangezogen. Die Kavallerie-Brigade Marwitz wurde, gleich nachdem sie bei Crespy eingetroffen war, mit 6 Kanonen reitender Artillerie auf der Straße nach Nanteuil weiter poussirt, und traf dort mit der Reserve-Kavallerie des ersten Armee-Corps zusammen, ohne jedoch Antheil an der Entscheidung des Gefechts noch nehmen zu können. Die weitere Verwendung dieser Kavallerie ist schon bei dem ersten Corps angeführt.

Die 2te Brigade der Reserve=Kavallerie des dritten Armee=Corps wurde gleichzeitig auf der Straße von Crespy nach Villers=Cotterets vorgeschoben.

Die Infanterie und Reserve=Artillerie des dritten Armee=Corps langte während deß auch bei Crespy an, und bezog hier in der Art Bivouaks, daß die 9te und 11te Brigade bei Villers und Ormoy, die 10te hinter Rouville, demnach alle drei Brigaden vorwärts Crespy, und die 12te Brigade und Reserve=Artillerie bei diesem Orte lagerten.

Das Hauptquartier des Generals v. Thielemann kam nach Crespy.

Das dritte Armee=Corps hatte demnach die ihm auf Senlis angewiesene Richtung, den eingetretenen Umständen gemäß, verändert, und war zur Unterstützung des ersten Corps bereit.

Der Feldmarschall Fürst Blücher war für seine Person von Compiègne schon früh aufgebrochen, und hatte sich nach Senlis begeben, wo er den 28sten sein Hauptquartier nahm.

Am Abend des heutigen Tages war die preußische Armee auf den beiden nach Paris führenden Chausseen vereinigt. Das vierte Armee=Corps, welches die rechte Flügel=Kolonne bildete, befand sich auf der Chaussee von Senlis über Louvres, und die beiden andern Corps (das 1ste und das 3te), welche die linke Flügel=Kolonne ausmachten, waren auf der Chaussee über Nanteuil und Dammartin gelagert.

Der Feldmarschall fand nothwendig, am heutigen Tage noch ein bedeutendes Kavallerie=Detaschement über die linke Flanke des ersten Armee=Corps hinaus gegen die Marne vorzupoussiren, um über die Bewegungen des Feindes in dieser Richtung Nachrichten zu erhalten, und

späterhin über Meaux oder Chateau-Thierry eine Verbindung mit der baierschen Armee anzuknüpfen. Der Feldmarschall bestimmte zu dieser Unternehmung den Oberstlieutenant v. Kamecke mit dem Regiment Königinn Dragoner. Dies Regiment gehörte zu der Kavallerie, die
der Fürst zu seiner eignen Disposition sich vorbehalten
hatte. Die bezeichnete Aufgabe war die eines Partisans,
und mußte, wenn sie mit Glück durchgeführt wurde, von
wesentlichem Nutzen sein, da diese Reiterei nicht allein
auf die schon sehr in Deroute befindliche Kolonne des
Marschalls Grouchy, welche über Assy marschirte, stoßen
mußte, sondern auch auf die Truppen des Generals Vandamme traf, welche schon über la Ferté-Milon in Unordnung geflohen waren.

Gleichzeitig bestimmte der Feldmarschall, daß das
vorpoussirte Detaschement der Avantgarde des vierten
Corps unter dem Major v. Colomb, welches aus zwei
Bataillons Infanterie und einem Kavallerie-Regiment bestand, sogleich weiter nach Besons marschiren solle, um
hier oder weiter unterhalb sich eines Uebergangs über die
Seine zu bemächtigen. Zugleich wurde der Befehl ertheilt, Napoleon, im Fall er sich noch in Malmaison
aufhalte, aufzuheben.

Dieses zweite Unternehmen war gleichfalls außer
dem augenblicklichen Operations-Bereich der Armee, und
der das Detaschement führende Offizier war zur Lösung
seiner Aufgabe auf sich und seine Truppen beschränkt.

Bei einem schon früher gegebenen Ueberblick der
Bewegungen am 26sten und 27sten Juni war der Gewinn der feindlichen Flanke und der Uebergänge über die
Oise, so wie das Vorpoussiren des ersten Armee-Corps
gegen die Rückzugslinie des Feindes als Resultat bezeichnet
worden. Jetzt kann man noch hinzufügen, daß durch

die Ereigniſſe des 28ſten Juni, welche die Auseinander-
ſprengung der feindlichen Corps herbeiführten, das bereits
gewonnene Reſultat ſeine Vervollſtändigung erhielt. Es
wäre indeß vielleicht noch von größerem Erfolge geweſen,
wenn die Brigaden des erſten Corps noch am 27ſten
Juni zwiſchen Creſpy und Villers-Cotterets hätten vereinigt werden können. Dann würde der Stoß auf Villers-Cotterets oder Levignon mit mehr Nachdruck ausgeführt worden ſein.

Durch das Zurückbleiben der erſten Brigade, ſo wie
durch das Gewicht, welches man auf die Stellung von
Gillicourt ſetzte, ſcheint das erſte Armee-Corps in dem
entſcheidenden Augenblicke nicht in der Verfaſſung geweſen
zu ſein, die günſtigen Verhältniſſe zu benutzen.

Indeß iſt durch die Umſicht der Commandirenden
und durch die Anſtrengung der Truppen immer der eigentliche Zweck, die Franzoſen von der directen Straße von Soiſſons auf Paris abzudrängen, vollkommen erreicht worden.

Auch war man in der Lage, im Fall der Feind
nicht eilig zurückging, durch die Bewegungen des vierten
Corps ſein völliges Abſchneiden bewirken, und früher, als
er, vor Paris erſcheinen zu können.

Alle einlaufende Nachrichten ſo wie der Ausgang
der Gefechte, durch welche die Franzoſen ihren Rück-
weg decken wollten, zeigten den wahren Zuſtand des
feindlichen Heeres. Man erkannte Auflöſung und Muthlo-
ſigkeit in ihren Reihen und Unſicherheit in ihrer Führung.

Fortgeſetzter Rückzug der franzöſiſchen Armee während des 28ſten und 29ſten Juni.

Die feindliche Armee, durch die Gefechte am 28ſten
auf ihrer Rückzugslinie auseinandergeſprengt, konnte die
Hauptſtadt nur auf Umwegen erreichen, wobei die eingetretenen Umſtände die Richtungen beſtimmten, ſo wie auch

das zufällige Zusammentreffen der Corps die vorhandenen Abtheilungen bildete. Es ist nur noch zu bemerken, daß die Vereinigung der Ueberreste des 1sten und 2ten französischen Armee-Corps bei Gonesse stattfand, wo die Straßen von Nanteuil und Senlis zusammentreffen. Der Marschall Grouchy, welcher dem 2ten Corps folgen wollte, mußte, wie schon gezeigt, links ausbiegen, indem er diejenigen Truppen, die er bei sich hatte, über Assy führte. Die Vandammesche Abtheilung marschirte größtentheils auf dem linken Ufer der Marne über Lagny nach Paris.

Der Feind führte aber diese Bewegungen mit einer solchen Uebereilung aus, daß die preußische Kavallerie ihn zuletzt gar nicht mehr erreichen konnte, und wenn man einzelne Trupps einholte, so liefen sie sofort auseinander. Die Franzosen legten in 30 Stunden 28 Lieues zurück. An Gefangenen brachten die Preußen im Ganzen 4000 Mann ein und eroberten bei Villers-Cotterets und Nanteuil 16 Kanonen.

In diesen für die französische Armee kritischen Augenblicken war es auch, wo der Marschall Grouchy einen Waffenstillstand nachsuchte.

Von preußischer Seite erkannte man in diesem Gesuch nur einen Nothbehelf, Zeit zu gewinnen, um Paris erreichen zu können. Es war daher natürlich, daß man, anstatt sich aufhalten zu lassen, sich nur noch mehr beeilte, vor Paris zu erscheinen, und den gefaßten Entschluß, den Feind selbst hinter seinen Verschanzungen aufzusuchen, jetzt auch auszuführen sich anschickte.

Der Feldmarschall wußte sehr wohl, daß nur einige Tage Ruhe die feindliche Armee retabliren würde, und bei dem Ehrgefühl, welches bei den Franzosen so leicht anzuregen ist, würden sie gewiß unter den Augen der Hauptstadt sehr bald zu einer hartnäckigen Vertheidigung

bereit gewesen sein. Aus dieser Beurtheilung der Verhältnisse und des Charakters der Franzosen läßt sich die
rastlose Verfolgung des Feldmarschalls und der feste Wille
erklären, nicht eher, als bis die feindliche Armee völlig unschädlich gemacht wäre, irgend eine Verbindlichkeit einzugehen.

Bei diesen Unterhandlungen um einen Waffenstillstand ist noch die wenig passende List von französischer
Seite zu bemerken, welche durch die Mitführung des preußischen Unterhändlers Major v. Brünneck nach Paris in
der Absicht geschah, die Unterhandlungen in die Länge zu
ziehen, und dadurch Zeit für den Rückzug zu gewinnen.
Es versteht sich von selbst, daß von preußischer Seite
nicht die mindeste Rücksicht auf dies Benehmen stattfand;
man würde es selbst gar nicht erwähnen, wenn nicht eine
Stelle in dem Briefe des Feldmarschalls Blücher an den
Marschall Davoust hierauf Bezug nähme.

Dieser Brief, welcher in der Anlage beifolgt, ist von
den Franzosen als ein Vandalismus angesehen worden,
vorzüglich weil er in deutscher Sprache abgefaßt war.
Es scheint indeß wohl das kleinste Recht des Siegers zu
sein, in seiner Landessprache zu schreiben, und eben so
darf man nicht übersehen, daß die Sprache des Briefes
auf die augenblicklichen Verhältnisse berechnet war, und
im Angesicht einer Hauptstadt, wo so vielfache Interessen
sich berühren, gewiß ihren Zweck nicht verfehlen konnte.

Ueber die politische Lage Frankreichs.

In dem Augenblick, in welchem man jedes militairische Hinderniß, sich der Hauptstadt Frankreichs zu nähern,
hinweg geräumt sieht, wird es nothwendig, die inneren
Verhältnisse des Landes zu bezeichnen, überhaupt die politische Lage Frankreichs, insofern sie auf die militairischen
Operationen Einfluß hatte, ins Auge zu fassen.

Bei Napoleons Rückkehr von Elba zeigte es sich unverkennbar, daß die französische Armee ihr gänzliches und unbedingtes Vertrauen ihm zuwandte. Die Masse der Nation hatte Napoleon gleichfalls lieber, als die Bourbons; nur wollte man nicht sein altes tyrannisches Kaiser-System. Dies fühlte Napoleon auch gleich. Hätte er sich entschließen können, bloß für Frankreichs Wohl zu kämpfen, und gezeigt, daß er dies nur allein im Auge habe, so wäre es möglich gewesen, die französische Nation für sich zu bewaffnen. Napoleon behielt aber immer sich selbst, die Unbegränztheit seiner Macht, zu sehr im Auge. Seine Reden waren liberal, das Innere seiner Seele aber nicht.

Dies Verhältniß wurde bald erkannt, und nun wollte man nur seine militairischen Talente nützen. Jedoch wurde diese Ansicht der Dinge für Napoleon dann erst recht gefährlich, da er als Flüchtling nach der Schlacht bei Belle-Alliance in Paris erschien. Nun brach die zurückgehaltene Meinung hervor. Napoleon versäumte zum zweitenmal, sich der Nation in die Arme zu werfen und sein Geschick ganz und aufrichtig mit dem ihren zu verbinden. Fouché's Intriguen machten die Sache noch schlimmer. Die geringe Achtung, in welcher Napoleon augenblicklich stand, gab den Partheien freie Hand. Die National-Parthei glaubte mit den Alliirten eine Uebereinkunft treffen zu können, und schickte Abgeordnete zu den Feldmarschällen Blücher und Wellington. Der preußische Feldherr ließ sich jedoch gar nicht mit ihnen ein, sondern verwies sie an die hohen Souveraine.

Es war thöricht, daß die französische Nation in dem Augenblick, wo sie Krieg führte, in ihrem Innern Streitigkeiten und Partheiungen zuließ. Dies konnte für die feindlichen Armeen nur vortheilhaft sein.

Die Ansicht des Fürsten Blücher war nach der

Schlacht bei Belle=Alliance und vor den Mauern von Paris stets dieselbe. Er wollte den Sieg ohne Aufenthalt auf das äußerste verfolgen. Hierdurch glaubte er am sichersten die Ruhe wieder herzustellen und die Entscheidung über das Schicksal Frankreichs den verbündeten Monarchen in die Hände geben zu können.

Es war aber auch nothwendig, je mehr die Kennzeichen der Zerfallenheit und Ungewißheit im Innern des Landes bemerkbar wurden, desto eifriger auch bemüht zu sein, Paris zu erreichen und den Krieg zu beendigen. Die Partheien durften nicht mit einander einig und sich ihrer Kräfte bewußt werden, weil sonst ein größerer Widerstand unvermeidlich und die Beendigung des Krieges noch vielen Zufälligkeiten unterworfen blieb.

Dieser Ansicht gemäß vermied auch der Feldmarschall in irgend eine Unterhandlung zu treten, und glaubte, daß ein zuverlässiger Waffenstillstand nur in Paris geschlossen werden könne. Alle Vorschläge und Anerbietungen, welche auf die mindeste Verpflichtung oder Bedingung hinausliefen, wurden daher zurückgewiesen.

Dagegen fanden zwischen dem Herzog v. Wellington und Fouché fortwährende Mittheilungen statt, welche bis zur Uebergabe von Paris fortdauerten. Welchen Zweck die häufig ankommenden Boten zwischen Fouché und dem Herzog v. Wellington verfolgten: darum bekümmerte sich der Feldmarschall Blücher nicht. Er wollte nicht politisiren, sondern nur das ihm von Gott verliehene Glück mit ganzer Kraft verfolgen.

Der Herzog v. Wellington mochte durch andere Gründe bestimmt werden. Der Staats=Sekretair der auswärtigen Angelegenheiten, Lord Castlereagh, befand sich bei ihm. Auch war der König von Frankreich, Ludwig XVIII., von dem Herzog v. Wellington eingeladen worden, der Armee zu folgen.

Dies Mithineinziehen so vielfacher Beziehungen störte die einfachen Kriegesverhältnisse. Die Geschichte hat es indeß bereits übernommen, den Versuch des Fürsten Talleyrand und die Intriguen Fouché's zu würdigen. Es ist hier nur noch zu bemerken, daß diese Verhältnisse überhaupt der allgemeinen Sache geschadet haben, und das Recht, welches durch die siegreichen Waffen hervorgerufen wurde, nachtheilig störten.

Die preußische Armee kommt den 29sten Juni vor Paris an und nimmt Stellung.

Durch die so eben bezeichnete Ansicht über die innern Verhältnisse Frankreichs und der Hauptstadt in dem frühern Entschluß, unter den Mauern von Paris den Feind aufzusuchen und anzugreifen, bestärkt, befahl der Feldmarschall Fürst Blücher in der Nacht vom 28sten zum 29sten Juni, daß die Armee den Marsch auf Paris fortsetzen solle.

Das vierte Armee-Corps erhielt die Bestimmung, sich über Louvres Paris zu nähern und St. Denis, sobald es vertheidigt würde, zu beobachten.

Dem ersten Armee-Corps wurde der Befehl, über Dammartin vorzurücken und bei Aulnay und Blanc-Mesnil eine Stellung zu nehmen.

Dem dritten Armee-Corps ging die Weisung zu, dem ersten zu folgen und bis Dammartin zu marschiren.

Der General Graf Bülow v. Dennewitz befahl seiner Avantgarde, von Gonesse bis le Bourget vorzurücken und rechts der Straße gegen die Übergänge der Seine, vorwärts auf der Straße nach ⬛⬛ette und Pantin und links derselben zur Verbindung ⬛⬛ dem ersten Armee-Corps Kavallerie-Detaschements zu entsenden.

Die Avantgarde fand le Bourget vom Feinde verlassen, St. Denis war dagegen stark besetzt, und ein Vordringen bis gegen la Vilette und Pantin der getroffenen Vertheidigungs=Anstalten wegen unmöglich. Das Deta=schement des Majors v. Colomb war schon in der Nacht vom 28sten zum 29sten Juni über Argenteuil gegen Be=sons marschirt, und hatte hier die Brücke zerstört gefun=den. Der Major v. Colomb wollte indeß die Seine weiter herunterwärts marschiren, um sich eines andern Uebergangs zu bemächtigen. Gleichzeitig hatte der General=Major v. Sydow einige Infanterie=Bataillons der Avantgarde gegen St. Denis zur Beobachtung dieses Postens vor=geschoben. Auch wurde der Posten von Stains, nachdem der Feind hier zum Rückzuge genöthigt worden war, durch zwei Füsilier=Bataillons und ein Kavallerie=Regiment unter dem Befehl des Oberstlieutenants v. Schill besetzt, um hierdurch die rechte Flanke des vierten Armee=Corps zu sichern. Als die übrigen Truppen herangekommen waren, wurde auch das Dorf la Cour neuve zwischen St. Denis und le Bourget besetzt.

Das Gros des vierten Corps brach (29sten Juni) von Marle la Ville um 7 Uhr Morgens auf; an der Spitze das 1ste schlesische Landwehr=Kavallerie=Regiment. Dann folgten die 13te, 15te und 16te Brigade und die Reserve=Artillerie. Das Corps bezog bei le Bourget einen Bi=vouak. Das Hauptquartier des Grafen Bülow kam nach diesem Orte.

Der Generallieutenant v. Zieten vollführte die ihm gewordenen Befehle, indem er seine Avantgarde mit An=bruch des Tages von Dammartin nach Blanc=Mesnil aufbrechen ließ. Das Gros des Corps folgte um 7 Uhr und hatte die Reserve=Kavallerie an ihrer Tête; darauf schlossen sich die 4te, 3te, 2te Brigade und dann die Reserve=Artillerie an. Die Avantgarde entsendete sogleich Detaschements gegen die Straßen von Meaux und Chelles

längs des rechten Ufers der Marne, um diese Gegend im
Auge zu behalten. Eben so wurden Abtheilungen über
den Wald von Bondy hinaus zur Recognoscirung der
feindlichen Vertheidigungs=Anstalten vorgeschoben.

Das erste Armee=Corps nahm hierauf eine Stellung
mit dem rechten Flügel an Blanc=Mesnil und dem linken
an Aulnay. Der Wald von Bondy blieb links liegen.
Die Reserve=Kavallerie lagerte hinter dem linken Flügel
bei Savigny. Es wurden außerdem noch zur Aufklärung
der Umgegend Detaschements nach Livry am Ourcq=Kanal,
ferner gegen Bondy und Pantin, und eben so nach Grande=
Drancy und Baubigny Kavallerie=Abtheilungen entsendet.

Diese Gegend schien methodisch ausgeplündert worden
zu sein, daher der Mangel an Fourage und Lebensmitteln
sehr fühlbar wurde. Das Füsilier=Bataillon des 2ten
westpreußischen Infanterie=Regiments stand in Nonneville
und das 6te Ulanen= nebst dem 1sten schlesischen Husaren=
Regiment mit 2 reitenden Kanonen hatten die Vorposten
am Ourcq=Kanal, und standen mit denen des vierten Corps
in Verbindung.

Der Generallieutenant v. Zieten nahm sein Haupt=
quartier am heutigen Tage (29sten Juni) in Blanc Mesnil.

Der Generallieutenant v. Thielemann brach mit seinem
Corps am Morgen des 29sten Juni von Crespy auf und
marschirte bis Dammartin. Die 9te Brigade bezog bei
diesem Orte, die 10te bei Longperrie, die 11te bei Rou=
vres, die 12te bei Villeneuve ihre Bivouaks. Die Re=
serve=Kavallerie wurde zur unmittelbaren Unterstützung des
ersten Armee=Corps bis Tremblay vorgeschoben. Das
Hauptquartier des Generallieutenants v. Thielemann kam
nach Dammartin.

Auf diese Weise waren die drei preußischen Armee=
Corps so aufgestellt, daß sich das erste und vierte Armee=

Corps unmittelbar im Gefecht zu unterstützen im Stande waren, während das dritte Armee=Corps einen halben Marsch rückwärts zu jeder Verwendung bereit stand, und daher die ganze Armee durch eine Bewegung von wenigen Stunden zur Annahme einer Schlacht conzentrirt werden konnte.

Der Feldmarschall Fürst Blücher nahm sein Hauptquartier den 29sten Juni in Gonesse.

Im Angesichte der Hauptstadt von Frankreich angekommen, finden wir es noch angemessen, einen Blick auf die feindlichen gegen Paris zurückgeeilten Armee=Corps zu werfen, so wie das Nachrücken der englischen Armee bis zu diesem Abschnitt näher zu bezeichnen, um dadurch den Standpunkt zu gewinnen, von dem aus die folgenden Operationen zu betrachten sein dürften.

Es ist schon gezeigt worden, daß das feindliche Heer dem Stoße nicht mehr gewachsen war, den das erste preußische Armee=Corps gegen dasselbe ausführte. Ungeachtet der Schnelligkeit, mit welcher die Franzosen der Hauptstadt zueilten, kam ein Theil ihres Heeres nur wenige Stunden vor den preußischen Truppen in den Vorstädten von Paris an.

Das 1ste und 2te feindliche Armee=Corps erreichte auf der Straße von Gonesse in der Nacht vom 28sten zum 29sten Juni die Vorstädte von Paris, und behielt le Bourget bis zum Morgen des 29sten Juni besetzt.

Die Garde und das 6te Corps mit Einschluß derjenigen Truppen, welche bereits zur Verstärkung des Heeres aus dem Innern von Frankreich entgegen geschickt waren, kamen unter dem unmittelbaren Befehl des Marschalls Grouchy auf der Chaussee über Claye und Pantin am Vormittage des 29. Juni an, und wurden sogleich zur Besetzung der auf dieser Seite zu vertheidigenden Punkte verwendet.

Das 3te und 4te französische Armee-Corps unter dem General Vandamme erreichten am Nachmittage des 29sten Juni über Lagny die Hauptstadt, welche sie jedoch nur passirten, um auf der südlichen Seite von Paris die Besetzung des Montrouge zu übernehmen.

Während demnach die feindliche Armee nur mit Aufbietung aller Kräfte ihre Hauptstadt zu erreichen im Stande war, hatte das preußische Heer mit gleicher Anstrengung und glücklicherem Erfolge die bezeichneten Gewaltmärsche vollführt, und war dadurch der englischen Armee um zwei Märsche voraus geeilt.

Uebersicht der Märsche der englischen Armee vom 24sten bis 30sten Juni.

Der Herzog v. Wellington gewährte nämlich seinem Heere am 24sten Juni noch einen zweiten Ruhetag, den er zu Vorbereitungen eines Angriffs auf Cambray verwendete, auch um das Heranziehen seiner Pontons abzuwarten für nothwendig fand. Hierdurch kamen indeß, da die preußische Armee am heutigen Tage in der Richtung auf St. Quentin vorgerückt war, beide Heere von Neuem um einen Tagemarsch auseinander.

In der Nacht vom 24sten zum 25sten Juni führten die Engländer einen Versuch zur Wegnahme von Cambray aus. Die Division Colville und die Kavallerie-Brigade Grants wurden zu dieser Unternehmung beordert. Nachdem der Ort vergeblich aufgefordert worden war, befahl der Herzog v. Wellington, mittelst Sturmleitern sich des schlecht befestigten und erst in der letzten Zeit einigermaßen zur Vertheidigung eingerichteten Ortes zu bemächtigen. Mit dem Degen in der Faust drangen die Engländer in die Stadt ein, wobei 1 Offizier und 30 Mann verloren gingen. Die Garnison warf sich in die Citadelle, ergab sich jedoch den andern Morgen. Es wurden 150 Gefangene gemacht, und einige Kanonen erobert.

Die Engländer gewannen indeß durch die Einnahme von Cambray gleichfalls einen festen Punkt für ihre Operationen.

Den 25sten Juni marschirte die englische Armee nach Jaucourt, wohin auch der Herzog v. Wellington sein Hauptquartier verlegte. Die braunschweigschen Truppen lagerten bei Morets.

Den 26sten Juni rückte die englische Armee über Vermant hinaus. In diesem Orte war das Hauptquartier des Herzogs v. Wellington. Das braunschweigsche Corps lagerte bei Nauraine.

Der Herzog v. Wellington recognoscirte am heutigen Tage in Person die Festung Peronne, und fand die Möglichkeit, sie mit Sturm zu nehmen. Von preußischer Seite war dem Herzoge die im Jahre 1814 auf Veranlassung des Generals v. Grolman angefertigte Aufnahme dieses Orts überreicht worden.

Die englische Brigade unter dem General Maitland erhielt den Befehl, den Sturm auszuführen. Es mußten die Leitern aus der Umgegend zusammengebracht werden, und da man sie zu kurz fand, wurden sie aneinander befestigt.

Nachdem der Commandant die Aufforderung ausschlug, wurde das Hornwerk an der Straße von Cambray des Abends um 7 Uhr erstürmt. Die Engländer eroberten mit dem geringen Verlust von 2 Todten und 9 Verwundeten dies Außenwerk, wodurch die Vorstadt auf dem linken Ufer der Somme gedeckt wird. Unmittelbar darauf ergab sich die Festung durch Kapitulation. Die Besatzung mußte ihre Waffen niederlegen, und wurde in ihre Heimath entlassen.

Den 27ften Juni marſchirte das engliſche Heer bis
Nesle, wohin auch der Herzog v. Wellington ſein Hauptquartier verlegte. Die braunſchweigſchen Truppen lagerten bei Hamm.

Den 28ften Juni verlegte der Herzog ſein Hauptquartier nach Orville. Das engliſche Reſerve-Corps lagerte bei der Stadt Roye.

Den 29ften Juni bezog die Armee des Herzogs v.
Wellington ein Lager bei Neufville unweit Gournay.
Das Hauptquartier kam nach St. Martin Longueau.

Durch die forcirten Mârſche der preußiſchen Corps
am 27ften und 28ften Juni war die engliſche Armee
abermals um einen Tagemarſch zurückgeblieben, ſo daß
dieſelbe in dem Augenblick, als der Feldmarſchall Blücher
mit ſeinem Heere vor Paris erſchien, ſich um zwei Tage-
mârſche zurück befand.

Die franzöſiſche Armee konnte jedoch von dieſem Um-
ſtande keinen Vortheil ziehen, da die verſchiedenen Corps
ſich durch den ſchnellen Rückzug und die dabei ſtattge-
fundenen Geſechte in einer ſolchen Verfaſſung befanden, daß
es nothwendig wurde, den Truppen erſt wieder einige Ruhe zu
gewähren, um ſie in einen geſechtsfähigen Stand zu ſetzen.

Obgleich die raſtloſe Thätigkeit des Feldmarſchalls
Fürſten Blücher auch nach dem Eintreffen ſeiner Armee
vor den Mauern von Paris, keinen Ruhepunkt in ſeinen
Operationen zuließ, ſo wird bei einer Darſtellung der
großen Ereigniſſe dieſes Feldzuges doch angedeutet werden
müſſen, daß die weit umfaſſende Benutzung des Sieges
bei Belle-Alliance hier endigte, und daß eine neue Combination der Kriegs-Verhältniſſe nothwendig wurde, um
den Beſitz der Hauptſtadt zu gewinnen, deren Einnahme
für die Beendigung des Krieges den wichtigſten Einfluß
äußern mußte.

Sechster Abschnitt.

Ueber einige Verhältnisse, welche nach Napoleons Abdankung in Paris eintraten. — Stärke der französischen Armee in den Linien vor Paris. — Bemerkungen über das Terrain und über die künstlichen Vertheidigungs-Anlagen um Paris. — Recognoscirungs-Gefecht bei Aubervilliers vom 29sten zum 30sten Juni. — Der Feldmarschall Fürst Blücher faßt den Entschluß, Paris zu umgehen, und es auf der Südseite anzugreifen. — Detaschirung des Oberstlieutenants v. Sohr gegen die Straße von Paris auf Orleans. — Der Herzog v. Wellington kommt den 30sten Juni zum Feldmarschall Fürsten Blücher nach Gonesse. — Abmarsch des ersten und dritten Corps am 30sten Juni und des vierten Corps am 1sten Juli auf das linke Ufer der Seine. — Gefecht bei St. Denis am 30sten Juni. — Die Franzosen greifen den 1sten Juli Aubervilliers an. — Bemerkungen über den Abmarsch des vierten Armee-Corps am 1sten Juli. — Vorläufige Anordnungen für den Fall, daß die preußische Armee bei St. Germain das Gefecht annimmt. — Marsch des Oberstlieutenants v. Sohr am 30sten Juni über St. Germain bis Marly. — Fortsetzung des Marsches des Oberstlieutenants v. Sohr am 1sten Juli bis Versailles. — Gefechte bei Villacoublay, Versailles und la Chenay am 1sten Juli. — Vorrücken der Avantgarde des dritten Armee-Corps gegen Rocquencourt. — Bewegungen der englischen Armee vom 30sten Juni bis 2ten Juli. — Das vierte preußische Armee-Corps trifft in der Nacht vom 1sten zum 2ten Juli bei St. Germain ein. — Ueber einige Veränderungen in der Aufstellung der französischen Armee während des 30sten Juni, 1sten und 2ten Juli. — Bemerkungen über das Terrain um Paris auf dem linken Ufer der Seine. — Der Feldmarschall Fürst Blücher beschließt am 2ten Juli, sich der vortheilhaften Aufstellung bei Meudon und Clamard zu bemächtigen. — Gefecht bei Sevres am 2ten Juli. — Gefecht bei Moulineau am 2ten Juli. — Die Franzosen greifen Moulineau wieder an (2ten Juli). — Die Preußen bemächtigen sich des Dorfes Issy in der Nacht vom 2ten zum 3ten Juli. — Die Avantgarde des dritten Armee-Corps besetzt Chatillon am Abend des 2ten Juli. — Ueber einige Anordnungen beim englischen Heere am 2ten Juli. — Die Franzosen verändern in der Nacht vom 2ten zum 3ten Juli ihre Aufstellung. — Gefecht bei Issy am 3ten Juli. — Von französischer Seite wird ein Waffenstillstand nachgesucht. — Capitulation von Paris. — Anhang. — Rückzug der französischen Armee hinter die

II.   7

Loire. — Die Preußen beseßen Paris und folgen dem Feinde gegen die Loire mit dem dritten und vierten Armee-Corps. — Stand der Verhältnisse am 12ten Juli. — Ueber die leßten freien Schritte Napoleons zur Herbeiführung seines Geschicks. —

Ueber einige Verhältnisse, welche nach Napoleons Abdankung in Paris eintraten.

Nachdem Napoleon am 22sten Juni, durch eine Er=klärung an die beiden Kammern des Reichs, dem Throne von Frankreich zu Gunsten seines Sohnes entsagt hatte, wurde dieser als Napoleon II. zum Kaiser der Franzosen berufen. Es ist keinem Zweifel unterworfen, daß Na=poleon nur durch sein Zurückkehren nach Paris, anstatt an der Spiße der Armee zu bleiben, diese Abdankung veran=laßte. In dem Augenblicke, wo sie geschah, wurde sie überdem durch die drohenden Schritte, welche die beiden Kammern gegen ihn unternahmen, erzwungen. Der Po=lizei-Minister Fouché, welcher die Aufregungen gegen das Benehmen Napoleons leitete, wußte sich an die Spiße einer provisorisch eingeseßten Regierung zu bringen, welche indeß bei den vorhandenen vielen Partheien, die sich ein=ander bekämpften, nur schwach blieb. Eine natürliche Folge hiervon war, daß man die Meinung hegte, durch Unterhandlungen die drohenden Gefahren von außen ab=wenden zu können. Fouché mochte vielleicht noch glauben, daß die Ueberlieferung Napoleons in die Hände der Eng=länder, den Absichten der provisorischen Regierung förder=lich sein würde. Es ist wenigstens gewiß, daß hiernach seine Schritte berechnet waren, und daß ein Verrath gegen seinen ehemaligen Kaiser wohl nicht mehr bezweifelt wer=den kann.

Dessen ohngeachtet bleibt es unerklärlich, daß Napo=leon gar nichts that, um die ihm drohende Gefahr ab=zuwenden. Sieyes, der noch immer in seinen Orakel=

sprüchen sich gefiel, hatte ihm vorhergesagt, „man wird Sie Ihren Feinden überliefern." Diese Warnung nicht achtend, ließ Napoleon sogar, als die provisorische Regierung von der ihm ergebenen Parthei Unruhen befürchtete, sich gefallen, nach Malmaison verwiesen zu werden. Der General Becker wurde ihm zur Begleitung und, wie es hieß, zum Schutz mitgegeben, während wohl die Bewachung seiner Person der wahre Auftrag war.

In Malmaison finden wir Napoleon noch bis zum 29sten Juni Morgens fortwährend durch die erbärmliche Intrigue der noch nicht geschehenen Ausfertigung von Pässen zu seiner Reise nach Amerika hingehalten. Es werden später noch die Anerbietungen bezeichnet werden, die er beim Anrücken der preußischen Armee der provisorischen Regierung machte. Für jetzt kann man nur sagen, daß man den Mangel an einem kräftigen und seiner würdigen Entschluß wahrnimmt. Napoleon mochte thun was er wollte, das Schlechteste war immer, zu erwarten, was mit ihm geschähe.

Kehrt man indeß zu den Maaßregeln zurück, welche während dessen die provisorische Regierung traf, um der herannahenden Gefahr von außen zu begegnen, so findet man, daß die Anstalten zur Benutzung der vorhandenen Vertheidigungs-Mittel zu spät getroffen wurden, und daß daher die Täuschung, mit Napoleons Entfernung einen Frieden nach ihren Ansichten zu erlangen, nur nachtheilig für sie wurde.

Man hatte gleich nach der Abdankung Napoleons mehrere ihm ergebene Personen vom Kommando entfernt; so wurde an die Stelle des Generals Durosnel, der Marschall Massena als Oberanführer der Nationalgarde von Paris ernannt. Eben so wurde das Commando der Rheinarmee dem General Rapp genommen und dem

Marschall Jourdan übergeben. Den 28sten Juni erhielt jedoch erst der Marschall Davoust das Commando über sämmtliche Linien=Truppen, so wie ihm die Vertheidigungs= Maaßregeln der Hauptstadt untergeordnet wurden.

Stärke der französischen Armee in den Linien vor Paris.

Die Stärke der französischen Armee in den Linien vor Paris würde, mit Hinzuzählung der aus den Depots herangezogenen Truppen, welche ohngefähr die Zahl von 19,000 Mann haben mochten, und mit Hinzurechnung der Armee des Marschalls Grouchy, ungefähr eine Masse von 60= bis 70,000 Mann Linien=Truppen ausmachen.

Die Nationalgarden betrugen über 30,000 Mann, welche indeß, obgleich gut organisirt, nicht sehr geneigt waren, sich gegen die Alliirten zu schlagen. Mehr Neigung zeigten die sogenannten föderirten Tirailleurs, welche aus den Bewohnern der Vorstädte gebildet wurden, und in der Stärke von 17,000 Mann bewaffnet und organisirt waren.

Diese Streitkräfte konnten in kurzer Zeit leicht zu einer bedeutenden Armee heranwachsen. Für diesen Augen= blick fehlte es jedoch an Einheit und Energie, wozu die schlechte Stimmung der bei Belle=Alliance geschlagenen Armee viel beitrug. Man konnte jedoch annehmen, daß der Feind bei einem Angriff auf Paris ungefähr 80= bis 90,000 Mann entgegen setzen konnte, da von den Na= tionalgarden nicht zu erwarten war, daß sie alle mit= fechten würden. Außerhalb Paris würden indeß zu einem Angriff gegen die alliirte Armee gewiß nicht mehr als 60,000 Mann disponibel gewesen sein.

Bemerkungen über das Terrain und über die künstlichen Vertheidigungs-Anlagen um Paris.

Außer den feindlichen Streitkräften vor Paris, deren Aufstellungen noch näher angegeben werden sollen, boten noch das Terrain und die schon von Napoleon getroffenen Vertheidigungs=Anstalten dem preußischen Heere bedeutende Hindernisse dar. Es wird daher zur genauen Kenntniß der nachfolgenden Operationen und Gefechte nothwendig, das Terrain um die Hauptstadt näher kennen zu lernen. Die natürliche Beschaffenheit des Bodens, so wie die künstlichen Anlagen um Paris werden stets auf die Vertheidigung dieser Hauptstadt keinen großen Einfluß äußern. Die massiven Schlösser, Dörfer, Mauern, so wie die vielen Parks, können jeden Augenblick zu festen Posten benutzt werden. Die massiven Vorstädte sind als fortlaufende lange Defileen leicht zu vertheidigen, und nur mit vielen Schwierigkeiten anzugreifen.

Der Charakter des Terrains im ganzen nordwestlichen Frankreich spricht sich am bestimmtesten durch die Lagerungen der sogenannten Côtes aus. Diese früheren Seeküsten sind aus Thon und Kalksteinen gebildet, und ziehen sich in wellenförmigen Strichen zwischen und neben den Flüssen hin, ohne daß ein fortgesetzter Zusammenhang der Höhen existirt.

Die tief eingeschnittenen Flußbetten, die schroffen Thäler und oft isolirten Höhen und Höhenzüge gehen aus dieser Terrain=Bildung hervor. Es ist auf diese Eigenthümlichkeit des Terrains eine besondere Rücksicht zu nehmen, weil öfter Flußpassagen hierdurch sehr schwierig werden. Die Jahreszeiten haben einen großen Einfluß auf die Practicabilität der Straßen und Wege. Der Besitz von Höhenzügen wird hier von entschiedenem Einfluß auf die Operationen und Bewegungen einer Armee.

Auf der Nordseite von Paris findet man einen der beschriebenen Terrain-Bildung angehörenden Höhenzug, welcher parallel mit der Marne läuft und sich unmittelbar an den Barrieren von Paris mit den Höhen von Belleville, Menil montant und Charonne endet. Dieses Berg-Plateau zieht sich bis hinter Romainville und dehnt sich in der Breite bis gegen die Marne aus. Nördlich von diesem erhöhten Terrain gegen St. Denis tritt eine völlige Ebene ein. Die Seine, welche auf der Westseite von Paris einen großen Bogen beschreibt, nähert sich durch diesen der Ebene und dem Orte St. Denis. Am Fuße des östlichen Bergrückens beginnt sumpfiges Terrain, welches von mehreren kleinen Gewässern durchschnitten wird. Der Ourcq-Kanal, von welchem ein Arm nach Paris fließt und die Stadt mit Wasser versorgt, entsendet einen andern Arm gegen St. Denis. Dieser Kanal bildet, in Verbindung mit mehreren andern kleinen Gewässern, wie die Montfort, Crould und Rouillon, einen bedeutenden Abschnitt für die Vertheidigung. Die Stadt St. Denis liegt niedrig zwischen diesen Bächen, die sich hinter dieser Stadt in die Seine ergießen.

Auf der Nordseite von Paris erhebt sich noch eine isolirte Höhe, der Montmartre genannt. Diese Höhe besteht aus einem Gipsfelsen, der, ohne Verbindung mit dem östlichen Höhenrücken, für die Vertheidigung der Stadt einen vortheilhaften Punkt gewährt.

Die Franzosen betrachteten die Linien von St. Denis bis Vincennes als erste Defensions-Linie. Es ist nicht zu leugnen, man hatte vieles für die Vertheidigung gethan, und man konnte sich nicht im ersten Anlauf dieser Linie bemächtigen.

Die Stadt St. Denis, von morastigen Gewässern und der Seine umgeben, war zu einem ziemlich starken

Posten gemacht worden, und konnte auch, nachdem die Umgegend überschwemmt war, als ein für sich bestehender fester Punkt betrachtet werden. Es hätte die Versäumniß von einigen Tagen gekostet, um sich dieses Ortes zu bemächtigen.

Hinter dem Ourcq-Kanal lief ein Damm, in welchem Schießscharten für schweres Geschütz eingeschnitten waren. Das einen Flintenschuß vorliegende große Dorf Aubervilliers, auch Vertus genannt, war besetzt und diente zum Avantposten dieser natürlichen Verschanzung. Der Ourcq-Kanal wurde noch hinter dem Dorfe Aubervilliers durch eine Art von Tête du Pont gedeckt, welche die Verbindung auf beiden Ufern des Kanals sichern sollte. Zur Vertheidigung dieser Linie waren das 1ste, 2te und 6te französische Armee-Corps bestimmt. Die Garden bildeten die Reserve und standen bei Menil montant; die Kavallerie lagerte im Bois de Boulogne. Die Truppen aus den Depots und die herangezogenen Reserven standen hinter dem Kanal, welcher nach St. Denis läuft. Ein Park von 300 Geschützen, größtentheils von schwerem Kaliber, war zur Besetzung der Werke vorhanden.

Der Marschall Davoust verlegte den 29sten Juni sein Hauptquartier nach la Vilette.

Auf den Höhen von Belleville waren feste Erdwerke erbaut; der Montmartre war verschanzt und mit schwerem Geschütz besetzt. Wollte man, wie es von den Franzosen angenommen wird, eine dreifache Vertheidigungslinie bezeichnen, so würden der Montmartre und die nächsten Höhen an der Stadt die zweite Defensionslinie haben bilden müssen. Die dritte Vertheidigungslinie konnte dann nur die eigentliche Stadt nebst den Barrieren, die gleich den zunächst liegenden Häusern zur Vertheidigung eingerichtet werden mußten, darstellen.

Die Vertheidigung dieses letztern Abschnitts würde indeß wohl nicht stattgefunden haben, wenn die preußischen Batterien von dem Montmartre die Stadt beschossen hätten. Im Jahre 1814 hatte man die Vortheile und Nachtheile dieses Terrains genau kennen gelernt, und wußte, daß gerade der Montmartre derjenige Punkt sei, den man umgehen könne, weshalb man auf keinen Augenblick in seinen Entschlüssen unsicher war.

Die Vertheidigung der Südseite von Paris war dem General Vandamme mit dem 3ten und 4ten Armee-Corps anvertraut worden, welcher den Montrouge besetzte, jedoch auf Einrichtungen zur Vertheidigung der vorliegenden Dörfer kein Gewicht zu legen schien. Dagegen waren auf dem rechten Ufer der Seine und Marne mehrere Dörfer, Parks und Gärten, durch Schießscharten in den Mauern und andere Vorkehrungen, zur Vertheidigung eingerichtet.

Wenn gleich sämmtliche Defensions-Anstalten nicht so bedeutend gewesen, wie sie von den Franzosen geschildert sind, indem viele entworfene Arbeiten noch nicht vollendet waren, so durfte man doch annehmen, daß man nicht mit dem Degen in der Faust sich dieser befestigten Linien sogleich bemächtigen könne.

Recognoscirungs-Gefecht bei Aubervilliers vom 29sten zum 30sten Juni.

Der Feldmarschall Blücher erkannte indeß wohl, daß nicht allein Verschanzungen, sondern vorzüglich der Geist und die Kraft ihrer Vertheidiger zu beachten seien. Um daher sogleich nach dem Erscheinen vor Paris die Contenance der französischen Truppen zu prüfen, befahl der Fürst, daß der General Graf Bülow v. Dennewitz mit Truppen seines Corps noch in der Nacht vom 29sten Juni einen Angriff auf Aubervilliers ausführen lassen solle. Zugleich wollte man eine Recognoscirung vorwärts dieses Dorfes mit diesem Gefecht verbinden. Der General v. Zieten erhielt noch den Befehl, diesen Angriff zu unterstützen, welches auch durch die Allarmirung der Dörfer Bondy und Pantin geschah.

Der Graf v. Bülow übertrug den Angriff auf Aubervilliers dem General v. Sydow, welchem er 9 Bataillons (die 13te Brigade) nebst einem Bataillon der 14ten Brigade und 2 Kavallerie=Regimenter überwies. Die übrigen Truppen des Armee=Corps sollten jedoch gleichfalls unter dem Gewehr bleiben, damit, im Fall der Feind zu große Blößen gäbe, diese sogleich benutzt werden könnten.

Der General v. Sydow ließ 4 Bataillons in Kolonnen unter dem Oberst v. Lettow zum ersten Angriff auf Aubervilliers vorrücken. Die andern 5 Bataillons waren zum Soutien bestimmt. Die nächste Brigade hinter le Bourget rückte durch den Ort, die Hauptstraße festzuhalten. Indeß hatten diese Anordnungen in der Nacht Zeit erfordert. Schon graute der Tag, als der Angriff begann und Oberst v. Lettow auf drei Seiten in das große wüste Dorf eindrang, die Barrieren in dem Dorfe sprengte und was er vor sich fand mit dem Bajonnet über den Haufen warf. Die 4 Bataillons verschwanden fast in dem weitläufigen Ort, und es mußte noch 1 Bataillon vom Soutien herangezogen werden. Der Feind hatte ungefähr 1000 Mann seiner besten Truppen in diesem Orte gehabt, von denen 200 Mann zu Gefangenen gemacht wurden. Die aus dem Dorfe Geworfenen wurden bis gegen den Ourcq=Kanal verfolgt.

Der General v. Sydow machte mit dem Major v. Lützow des Generalstabes sofort eine Erkennung des Ourcq = Kanals. Man sahe, daß am jenseitigen Ufer desselben viel feindliche Infanterie aufgestellt sei, und daß diejenigen Stellen, die sich zu einem Uebergange eigneten, durch Batterien vertheidigt würden.

Als der General v. Sydow jedoch den Versuch machte, vorzurücken, gerieth er in ein heftiges Artillerie- und Klein-Gewehrfeuer vom jenseitigen Rande des Ourcq-Kanals.

Man überzeugte sich, daß die befestigte Aufstellung des Feindes nur mit Verlust an Zeit und Aufopferung von Truppen zu nehmen sei. Der General v. Sydow beschränkte daher sein Unternehmen auf die Besetzung des so eben eroberten Dorfes.

Mit dieser Recognoscirung gleichzeitig wurde von dem Obersten Grafen Dohna ein Versuch ausgeführt, südlich von dem Dorfe Aubervilliers gegen den Ourcq-Kanal vorzudringen. Das 3te Bataillon des 1sten pommerschen Landwehr-Infanterie-Regiments und das 10te Husaren-Regiment, welche als Vorposten die Verbindung mit dem ersten Armee-Corps unterhielten, wurden bei ihrem Vorrücken gegen den Ourcq-Kanal gleichfalls vom Feinde mit einem heftigen Gewehr-Feuer empfangen. Die preußischen Füsiliere setzten dies Gefecht längere Zeit hindurch fort, während dessen die Masse der feindlichen Truppen hinter dem Kanal wahrgenommen wurde. Hätte die dem ersten Armee-Corps befohlene Diversion zur Unterstützung des linken Flügels gegen Baubigny und Pantin weiter ausgeführt werden können, so würde diese Recognoscirung noch ein vollständigeres Resultat ergeben haben.

Im Wesentlichen fand man jedoch auch hier, daß nur ein durch Geschützfeuer vorbereiteter ernster Angriff zum Zweck führen könne.

Man hatte jedoch schon am Nachmittage des 29sten Juni im Hauptquartier des Feldmarschalls Fürsten Blücher die fernere Meldung des Majors v. Colomb erhalten, daß auch die Brücke bei Chatou, über welche das Detaschement sich Malmaison nähern wollte, um seinen Auftrag, Napoleon hier aufzuheben, auszuführen, gleichfalls zerstört sei.

Als der Major v. Colomb jedoch hörte, daß die Brücke bei St. Germain noch erhalten wäre, eilte er sogleich dahin, und bemächtigte sich dieses Uebergangs in demselben Augenblick, in welchem die Franzosen ihn vernichten wollten. Eben so wurde weiter unterhalb die Brücke bei Maisons genommen und besetzt.

Von Napoleon erfuhr man, daß er erst am Morgen des 29sten Juni, also in demselben Augenblick, als die preußischen Husaren bei Chatou erschienen, von Malmaison, welches kaum einige 1000 Schritt von diesem Uebergangspunkt entfernt liegt, abgereist sei. Die Nachricht von dem Erscheinen preußischer Kavallerie in der Richtung der Ebene von St. Denis, soll Napoleon zu dem Entschluß, die schon lange bereit gehaltenen Wagen zur Abreise vorfahren zu lassen, bestimmt haben. Die später erhaltenen Aufklärungen über das Verweilen Napoleons in Malmaison bestätigten noch die Versuche, die er von hier aus gemacht, sich wieder an die Spitze der Armee zu stellen. Der General Becker mußte in seinem Namen der provisorischen Regierung das Anerbieten überbringen, daß er als General die Anführung der Armee zu übernehmen bereit sei. Er versprach zugleich, nachdem er den Feind geschlagen, sich zu entfernen, und dadurch den Unterhandlungen nur eine günstige Wendung zu erzwingen.

Dieser Vorschlag wurde indeß zurückgewiesen, weil man seinen Versicherungen nicht trauen zu können glaubte.

Abgesehen von dem Unpassenden, welches in allen diesen Schritten bei der jetzigen Lage Napoleons lag, so

ist auch der Vortheil, den seine Anhänger sich davon versprachen, wenn er das Commando wieder übernommen
haben würde, keinesweges so entschieden, wie man es gewöhnlich darstellt.

Betrachtet man nämlich die Lage der französischen
Armee, nachdem sie bei Compiègne in ihrer linken Flanke
umgangen und angegriffen war, welches Napoleon nur
verhindern konnte, wenn er selbst bei der Armee geblieben
wäre, so kann es wohl keinem Zweifel unterworfen sein,
daß er mit diesen auseinandergesprengten Truppen die preußische Armee nicht schlagen konnte. Vor dem 30sten Juni,
zu welcher Zeit erst die französische Armee in ihren verschiedenen Abtheilungen vor Paris angekommen war, konnte
man gar keine hinlänglichen Truppenmassen vereinigen, die
der preußischen Armee an Stärke gleich kämen. Demnach würde Napoleon erst am 1sten Juli, da doch ein
Tag (der 30ste Juni) nöthig gewesen wäre, den gefechtsfähigen Zustand der Truppen wieder herzustellen, die Aussicht gehabt haben, mit Erfolg die preußische Armee anzugreifen, welche sich jedoch an diesem Tage mit den Engländern wieder vereinigte, die, im Fall es nothwendig
geworden wäre, auch noch schneller herbeieilen konnten.

Wenn ferner angegeben wird, daß Napoleon sich von
St. Denis aus, zwischen die, eine Umgehung ausführen-
den preußischen Armee-Corps habe werfen wollen, um
sie zu vernichten, so ist dies eine von den Behauptungen,
die weder auf die Zeit noch auf die Thatsachen Rücksicht
nehmen, indem die Abreise Napoleons, wie schon bemerkt,
am Morgen des 29sten Juni geschah, und den Preußen
bekannt wurde, während die Umgehung erst die zweite
Nacht darauf, nämlich vom 30sten Juni zum 1sten Juli,
statt fand.

Napoleon verdankt seine persönliche Rettung eigent-

lich nur den Anordnungen des Marschalls Davouſt, welcher, ſobald die Preußen die Oiſe überſchritten hatten, befahl, daß die Brücken, welche Malmaiſon gegenüber lagen,
abgebrannt werden ſollten. Die pünktliche Befolgung des
Generals Becker, der dieſen Befehl ſelbſt ausrichten ließ,
konnte unter den damaligen Umſtänden nur als ein für
Napoleon glückliches Ereigniß angeſehen werden.

Erſt in einem ſpätern Zeitpunkt kann das fernere
Schickſal Napoleons, obgleich daſſelbe nicht mehr den
Thatſachen angehört, die dieſen Feldzug beſtimmten, berührt werden. Zur Ueberſicht der jetzigen Verhältniſſe iſt
es hinlänglich zu wiſſen, daß ſeine Entfernung beim erſten
Herannahen der Preußen geſchah, und daß daher jede
Maaßregel, die man mit ſeiner Perſönlichkeit in Verbindung bringen will, ſchon durch den Mangel der dazu erforderlichen Zeit, ganz unausführbar wurde.

**Der Feldmarſchall Fürſt Blücher faßt den Entſchluß,
Paris zu umgehen, und es auf der Südſeite anzugreifen.**

In dem Hauptquartier der preußiſchen Armee hatte
man dagegen ſchon früher ſich entſchloſſen, im Fall ein
Angriff gegen die befeſtigten Linien vor Paris auf dem
rechten Ufer der Seine zu viel Schwierigkeiten darbieten
würde, die Stadt zu umgehen und dieſelbe auf dem linken Ufer der Seine anzugreifen. Paris war von dieſer
Seite offen, und man hatte nur die Schwierigkeit zu über-
winden, einen Uebergangspunkt über die Seine zu erhalten. Der Gedanke zu dieſer Umgehung erſcheint von
den gewöhnlichen Kriegesregeln abweichend. Man möchte
aber ſagen, daß nur auf dieſem Wege der Krieg in dem
Geiſte, in welchem man ihn bisher geführt hatte, auch zu
beendigen war.

Nach den durch den Major v. Colomb am 29ſten Juni Nachmittags eingegangenen Nachrichten, die den Gewinn von zwei Uebergangspunkten ergaben, entſchied man ſich im preußiſchen Hauptquartier definitiv für den Abmarſch auf das linke Ufer der Seine. Die ſchon eingeleitete Recognoſcirung gegen Aubervilliers und den Ourcq-Kanal ſah man jetzt nur als einen leichten Verſuch an, ſich von den Maaßregeln des Feindes zu überzeugen, und ihn über die eigentliche Abſicht zu täuſchen.

Als Hauptmotiv dieſer Operation kann man das Bewußtſein moraliſchen Uebergewichts im preußiſchen Heere und dagegen die Auflöſung unter den feindlichen Truppen, ſo wie das Erkennen und Benutzen der Vortheile, welche kräftige Entſchlüſſe durch ihre Ueberraſchung immer hervorbringen, annehmen.

Deſſen ungeachtet würde man, wenn Napoleon noch an der Spitze der franzöſiſchen Armee geweſen wäre, dieſe Umgehung vielleicht nicht ausgeführt haben. Man war ſtark genug, um vereint mit den Engländern den günſtigen Erfolg einer Schlacht gegen Napoleon erwarten zu können. Warum ſollte man ſich dieſes Vortheils gegen einen talentvollen Feldherrn ſelbſt begeben? Im Fall dagegen Napoleon eine Schlacht vermied, konnte man die übrigen alliirten Armeen abwarten. Unter den jetzigen Verhältniſſen aber, wo ein vollkommener Sieg nur durch die Benutzung des Augenblicks herbeigeführt werden konnte, in welchem Frankreich, die Armee und die Hauptſtadt noch ungewiß in ihren Entſchließungen waren, in dieſem Augenblicke mußte man die Regeln des Krieges nach den herrſchenden Umſtänden modifiziren. Nur wenn man kräftig und entſchieden handelte, konnte man über die Furchtſamkeit und Unbeſtimmtheit, welche die Maſſe der Franzoſen niederdrückte, den Sieg davon tragen.

Detaschirung des Oberstlieutenants v. Sohr gegen die Straße von Paris auf Orleans.

Um jedoch augenblicklich die gewonnenen Uebergangs=
punkte zu benutzen, erhielt der Oberstlieutenant v. Sohr
noch am Abend des 29sten Juni den Befehl, mit seiner
Kavallerie=Brigade (dem brandenburgschen und pommer=
schen Husaren=Regiment) aus ihren Quartieren von Fon=
tenay und Goussainville bei Louvres aufzubrechen und sei=
nen Marsch so einzurichten, daß er am Morgen des 30sten
Juni bei St. Germain die Seine passiren könne. Der
fernere Marsch wurde so auszuführen befohlen, daß der
Oberstlieutenant v. Sohr mit seiner Brigade sich am
1sten Juli auf der Straße von Paris nach Orleans be=
finde, um diese Kommunikation zu unterbrechen und in
dieser Gegend, welche von den aus Paris Fliehenden zu
ihrer Rettung benutzt wurde, Verwirrung und Schrecken
zu verbreiten, und dadurch die Unordnung zu vermehren.
Auch wollte man die Zufuhren von Lebensmitteln aus den
südlichen und westlichen Provinzen hemmen. Die Auf=
gabe des Oberstlieutenants v. Sohr war daher die eines
Partisans, der, ohne auf die ihm nachfolgenden Truppen
Rücksicht zu nehmen, sein Unternehmen auf eigene Hand
auszuführen hatte.

Der Feldmarschall Fürst Blücher gab zugleich den
drei Corps seiner Armee in der Nacht vom 29sten zum
30sten Juni den Befehl, daß sie sich zu einer neuen Operation, welche den Angriff der Hauptstadt auf der südlichen
Seite bezwecke, bereit halten sollten.

Die zur Ausführung dieses Angriffs nothwendig ge-
wordene Umgehung von Paris wollte man im Großen so
bewerkstelligen, daß die Vorposten des vierten und ersten
Corps bis zur Ankunft der englischen Armee in ihrer
jetzigen Stellung verbleiben sollten. Die preußischen Corps

dagegen beabsichtigte man in der Art abmarschiren zu laffen, daß das dritte Armee-Corps zuerst nach Goneffe herangezogen und dann gegen St. Germain dirigirt, diese Bewegung so auszuführen habe, daß das erste preußische Corps zu seiner Unterstützung folgen, und das vierte Corps hierauf durch ein Rechtsschieben gegen St. Denis stets bereit sein sollte, den hier hervorbrechenden Feind zurückzuwerfen, zugleich aber auch sich in der Richtung befinde, der allgemeinen Bewegung der Armee gegen St. Germain nachzurücken und diese zu unterstützen.

Durch dies allmählige Entfalten der Armee gegen St. Germain befanden sich die einzelnen Corps stets in der Lage, sich gegenseitig Hülfe zu leisten, und wenn es nothwendig werden würde, vereint zu schlagen. Es ist hierbei noch zu bemerken, daß der Abmarsch nach der hierzu vortheilhaften Tageszeit und dem Terrain angemessen bestimmt wurde. Der Aufbruch des dritten Corps sollte den 30sten Juni Morgens um 5 Uhr geschehen; der fortzusetzende Marsch von Goneffe aber, durch das Thal von Montmorency verdeckt, so gegen Argenteuil ausgeführt werden, daß man erst bei völlig eingetretener Dunkelheit auf diesem freieren Terrain erschiene, und nun den Marsch gegen St. Germain vollführte.

Das erste Armee-Corps erhielt den Befehl, den 30sten Juni um 10 Uhr Abends aufzubrechen und südlich von Goneffe über Montmorency, Franconville, Cormeil nach Maisons zu marschiren, hier die Seine zu passiren und sogleich die Verbindung mit dem dritten Corps auf dem jenseitigen Ufer zu eröffnen.

Das vierte Corps wurde angewiesen, bei Anbruch des 1sten Juli sich rechts bei St. Denis vorbeizuschieben, diesen Ort während des Marsches beschießen zu laffen, und über Argenteuil sich mit den übrigen Corps der Armee

zu

zu vereinigen. Die Vorposten des ersten und vierten Corps sollten die Ablösung der Engländer erwarten und dann gleichfalls der Armee folgen.

Die Details dieser Bewegung werden bei Ausführung derselben durch die einzelnen Corps anzuführen sein. Für jetzt ist nur noch zu bemerken, daß die gefährlichen Momente während dieser Umgehung, wenn es überhaupt deren gab, nur vom 30sten Juni Abends bis zum 1sten Juli Mittags, also während des Vormittags dieses letztern Tages, anzunehmen sind.

Als dagegen der General v. Thielemann am 1sten Juli Mittags St. Germain besetzt und der General v. Zieten zu seiner Unterstützung schon die Seine passirt hatte, so wie das vierte Armee=Corps sich auf dem Marsche zur Vereinigung mit den übrigen Corps befand, konnte wohl kein nachtheiliges Verhältniß mehr für die preußische Armee eintreten. Der Fall jedoch, daß die französische Armee am 1sten Juli, sobald der Abmarsch der preußischen Armee auf das linke Ufer der Seine in Paris bekannt geworden sein würde, einen Angriff gegen dasselbe unternehmen könne, ist von Seiten des Feldmarschalls gleichfalls erwogen worden. Man wird zu seiner Zeit diejenigen Maaßregeln andeuten, die dann von preußischer Seite ergriffen werden sollten.

Es ist hier noch zur vollständigen Uebersicht dieser Operation hinzuzufügen, daß die Masse der Streitkräfte in den verschiedenen Armeen sich in diesem Augenblick auf folgende Weise verhielt: Die preußische Armee zählte nach den Tages=Listen 62,000 Combattanten; das englische Heer war 50,000 Mann stark, und die französischen Truppen mochten nach den bereits gegebenen Andeutungen bei der unmittelbaren Vertheidigung von Paris allerdings stärker, jedoch an Linien=Truppen nicht über

II.   8

70,000 Mann anzunehmen fein, von denen jedoch zu einem Angriff der alliirten Armeen, da doch Befatzungen zurückbleiben mußten, nicht mehr als 60,000 Mann verwendet werden konnten. Diefe Angabe ftimmt auch mit der Stärke überein, welche die Franzofen bei ihrem fpätern Abmarfch hinter die Loire wirklich hatten.

Der Herzog von Wellington kommt den 30ften Juni zum Feldmarfchall Fürften Blücher nach Goneffe.

Das Hauptquartier des Feldmarfchalls Fürften Blücher blieb am 30ften Juni in Goneffe. Im Laufe diefes Tages kam der Herzog von Wellington zum Feldmarfchall, um mit ihm die weiteren Operationen zu verabreden. Von preußifcher Seite wurde dem Herzoge die entworfene und bereits in der Ausführung begriffene Operation vorgelegt, und die Mitwirkung des englifchen Heeres in Anfpruch genommen. Es ift allerdings gegründet, daß die Bewegung gegen die Südfeite von Paris nach der Aufftellung der beiden Heere den Engländern zufiel, welche aber für den Augenblick noch zu weit zurück waren. Man hatte indeß keine Zeit zu verlieren, da es den Franzofen leicht werden konnte, die Uebergänge über die Seine in der nächften Umgegend der Hauptftadt zu zerftören.

Von preußifcher Seite kannte man ferner das Terrain auf dem linken Ufer der Seine aus dem Feldzuge von 1814. Man wußte, welche Vortheile die dominanten Höhen von Meudon und Clamard einer Armee gewähren, welche ihren Feind aus Paris zu erwarten hat, oder ein Debouchiren auf der Straße nach Orleans verhindern will. Eine Armee, hier einmal angekommen, war in der Lage, jeder Bewegung des Feindes zuvorzukommen, und fchnitt durch diefe Stellung dem franzöfifchen Heere, fo wie der Hauptftadt alle Zufuhren aus der Nor-

mandie und dem südlichen Frankreich, ohne welche die
hier zusammengehäufte Menschenmasse gar nicht bestehen
konnte, ab.

Der Herzog von Wellington versprach, die Operation zu unterstützen, und mit einem Theil seiner Truppen schon am Morgen des 1sten Juli die von den Preußen besetzte Vorpostenchaine zu übernehmen, und mit den
übrigen Abtheilungen seines Heeres im Laufe des 1sten
Juli die von den Preußen inne gehabte Stellung gegen
St. Denis und la Vilette zu besetzen.

Durch die Bereitwilligkeit des Herzogs von Wellington, die Operationen des preußischen Heeres zu unterstützen, kann man sämmtliche Einleitungen zur Umgehung
von Paris, welche im voraus zu bestimmen möglich sind,
als beendigt ansehen.

Es bleibt nur noch der von französischer Seite aus-
gesprochene bittere Tadel, so wie die Behauptung zu erwähnen, daß der Herzog von Wellington dem Fürsten
Blücher diese Umgehung angerathen habe, um ihn aus
einer noch größeren Verlegenheit herauszuziehen, als diejenige sei, durch welche er, getrennt von den Engländern,
isolirt den Franzosen gegenüber stehe. Ueber die Verlegenheit, in welcher sich die preußische Armee befunden
haben soll, ist eigentlich gar nichts zu sagen, indem es
seltsam klingt, wie eine siegreiche Armee vor einer in die
Flucht geschlagenen in Verlegenheit kommen kann, und
scheint dies von dem Blücherschen Heere in diesem Feldzuge am wenigsten zu fürchten gewesen zu sein.

Was die Einwirkung betrifft, welche der Herzog von
Wellington auf diese Operation hatte, so ist hierüber in
der einfachen Erzählung der Thatsachen die beste Wider-
legung aufzufinden.

Es dürfte demnach der Grund zu dem bittern Tadel

von Seiten der Franzosen nur in der Empfindlichkeit zu suchen sein, die ihnen diese Umgehung selbst verursachte, um so mehr, da durch die Folgen dieser Operation die Hauptstadt, so wie das Schicksal der feindlichen Armee in die Hände der Sieger fiel.

Abmarsch des ersten und des dritten Corps am 30sten Juni, und des vierten Corps am 1sten Juli auf das linke Ufer der Seine.

Nach Bezeichnung der allgemeinen Anordnungen zum Abmarsch des preußischen Heeres, wird es nun nothwendig, die Details kennen zu lernen, welche bei den einzelnen Corps während dieser Bewegung stattfanden.

Der Generallieutenant v. Thielemann versammelte um 5 Uhr des Morgens sein Corps bei Villeneuve, und marschirte von hier aus, die Reserve-Kavallerie an der Tête, dann die 9te, 10te, 11te und 12te Brigade, welche letztere zugleich die Arrieregarde durch ein Bataillon Infanterie nebst der Brigade-Reiterei bilden ließ. Das Corps traf gegen Mittag bei Gonesse ein, und ruhete hier hinter der Stadt bis zum späten Nachmittage.

Wenn die Franzosen diesen Marsch bemerkten, so mußten sie eher vermuthen, daß der Feldmarschall die Absicht habe, sein Heer zu einem Angriff zu conzentriren. Diese Ansicht hätte durch das am heutigen Morgen stattgefundene Gefecht bei Aubervilliers unterstützt werden können, und es war zu glauben, daß man von preußischer Seite diese Angriffe erneuern wolle. Das Vorrücken der Franzosen aus St. Denis um 3 Uhr Nachmittags, wahrscheinlich um zu recognosciren, scheint diese Vermuthung zu bestätigen.

Es war schon spät am Nachmittage, als das dritte Armee-Corps, durch das Thal von Montmorency völlig verdeckt, gegen Argenteuil abmarschirte. Das Corps konnte erst bei völliger Dunkelheit das freiere Terrain bei diesem Orte erreichen. Bis zu diesem Punkte aber konnte der Feind von dem Thurme zu St. Denis den Marsch der preußischen Kolonne nicht bemerken. Auch war es nicht möglich, die Direction des Marsches zu wissen, die eben so gut auf ein Festsetzen bei Argenteuil gedeutet werden konnte. Das Aufhalten der Preußen in Argenteuil seit dem Morgen des heutigen Tages mußte überdies schon die Aufmerksamkeit auf diesen Punkt lenken.

Dem General v. Thielemann war noch aufgetragen worden, seine Avantgarde rasch gegen St. Germain zu poussiren und dort den Major v. Colomb im Besetzen und Behaupten des Uebergangs über die Seine, le Pec genannt, zu unterstützen. Auch sollten gleichzeitig die Truppen zum Besetzen der Brücke bei Maisons, unterhalb St. Germain, durch das dritte Corps verstärkt werden. Diese Befehle waren ohne Hinderniß ausgeführt worden.

Bei Argenteuil ließ der Generallieutenant v. Thielemann die Reserve-Kavallerie seines Corps rechts von der Straße auf St. Germain lagern. Mit der Infanterie hingegen marschirte er die ganze Nacht hindurch. Um 6 Uhr des Morgens (1sten Juli) traf das Corps in St. Germain ein, und ließ bei der hier befindlichen Brücke Truppen zum Besetzen derselben zurück.

Das Hauptquartier des Generals v. Thielemann kam nach St. Germain.

Der Generallieutenant v. Zieten bestimmte den Abmarsch des ersten Armee-Corps um ¼ 11 Uhr des Abends, und schloß sich dadurch der Bewegung des dritten Armee-Corps an. Die Reserve-Kavallerie machte mit einer Brigade die Tête; dann folgte die 1ste, 2te, 3te und 4te

Infanterie-, hierauf die Reserve-Artillerie und zuletzt die
2te Kavallerie-Brigade. Eine 12pfündige Batterie wurde
der 1sten Brigade attaschirt.

Als Vorposten und zur Unterstützung derselben blieben das 6te Ulanen- und 1ste schlesische Husaren-Regiment nebst zwei Kanonen reitender Artillerie zurück. Auch wurden die Posten der Reserve-Kavallerie zu Sevran, Livry, Bondy, Baubigny stehen gelassen, so wie das Füsilier-Bataillon 2ten westpreußischen Infanterie-Regiments den Posten in Nonneville besetzt hielt.

Der Major v. Engelhardt, welcher die Vorposten befehligte, sollte dafür sorgen, daß die Lagerfeuer zur Täuschung des Feindes erhalten würden, und mit seinen Truppen so lange stehen bleiben, bis er von den Engländern abgelöst würde, worauf die preußischen Vorposten dem Corps zu folgen die Weisung hatten.

Das Corps marschirte von Blanc menil, Gonesse rechts liegen lassend, durch das Thal von Montmorency, wie schon angeführt über Franconville, Cormeil gegen Maisons. Während des Marsches wurde die 4te Brigade noch durch das aus Avesnes kommende 19te Infanterie-Regiment verstärkt. Am Morgen des 1sten Juli ging das Corps bei Maisons über die dortige Brücke auf das linke Ufer der Seine, und traf gegen Mittag hinter St. Germain, bei der Ferme Auval, ein, woselbst das Corps nach einem angestrengten Marsche Bivouaks bezog und die Brücke bei Maisons besetzt hielt.

Der Generallieutenant v. Zieten nahm sein Hauptquartier in Auval.

Um die Ausführung der Anordnungen zum Abmarsch der beiden Armee-Corps nicht zu unterbrechen, ist des Gefechts bei St. Denis am Nachmittage des 30sten Juni noch nicht Erwähnung geschehen.

Gefecht bei St. Denis am 30ften Juni.

Der General Graf Bülow v. Dennewitz hatte nämlich für nothwendig gehalten, nachdem er schon am gestrigen Tage die feindlichen Vorposten durch den Oberstlieutenant v. Schill aus Stains und Pierrefitte werfen und bis hinter die in St. Denis angelegten Verhaue zurückdrängen ließ, jetzt beim Abmarsch der Armee das Debouchee von St. Denis stärker beobachten zu lassen. Der Oberst v. Hiller erhielt daher den Befehl, mit 6 Bataillons Infanterie, einem Regiment Kavallerie, einer halben 6pfündigen Batterie und 2 Kanonen reitender Artillerie diesen Auftrag auszuführen.

Am Nachmittage um 3 Uhr meldeten die preußischen Vorposten, daß feindliche Kolonnen aus St. Denis vorrückten, und die Vedetten bereits zurückgedrängt würden. Der Oberst v. Hiller verstärkte sogleich die Feldwachen, und ließ die Tirailleurs von 2 Bataillons, so wie 2 Escadrons Kavallerie mit 2 Kanonen reitender Artillerie vorrücken, während die in Stains gelagerten Truppen zu den Waffen traten, um zur Unterstützung bereit zu sein. Es kam zu einem sehr heftigen Tirailleurgefecht, obwohl in der Ebene den Tirailleurs nichts als die Bäume an der großen Straße zur Deckung, so wie das hohe Korn zur verdeckten Annäherung dienen konnte. Der Feind hatte zugleich Abtheilungen gegen Epinay und Pierrefitte vorgeschickt; jedoch hier sowohl, als in der Richtung gegen Stains zum Weichen gebracht und bis hinter seine Verhaue zurückgeworfen, mußte er die Recognoscirung aufgeben, ohne seinen Zweck, die preußischen Vorposten zurückzuwerfen, erreicht zu haben.

Das Gros des vierten Armee=Corps blieb während des 30sten Juni in seiner Aufstellung bei le Bourget. Die Avantgarde unter dem General v. Sydow wurde rechts gegen Argenteuil zur Verbindung mit dem dritten Corps geschoben.

Man benutzte den heutigen Nachmittag noch, um auf der Seite von Aubervilliers einige Vertheidigungs-Maaßregeln zu treffen, damit, sobald das Corps abmarschirte, hier einiger Widerstand geleistet werden konnte. Man ging dabei von der Ansicht aus, das Dorf Aubervilliers gegen schwache Angriffe zu behaupten. Es wurden zur Besetzung 2 Compagnien an den äußern Eingängen verwendet, und zwei andere Compagnien standen dahinter conzentrirt als Soutien. Rückte der Feind zu einem ernsthaften Angriff von St. Denis und la Vilette vor, so sollten diese Truppen sich eilig auf die Hauptstellung repliiren, die sich in der Dorfreihe Chantourterelle, Courneuve und Merville befand. Diese Orte sind mittelst eines bebuschten Wasserzuges verbunden, und bestehen aus einzelnen ummauerten Landhäusern und Schlössern, in welche man Schießscharten einschnitt und Tirailleurs etablirte. Sechs Bataillons, zu großem Theil als Tirailleurs aufgelöst, waren vollkommen hinreichend, diese ganze Front bis an die Chaussee von le Bourget zu besetzen. Auf dieser Straße sollten die von Aubervilliers zurückkehrenden Truppen in Masse aufgestellt werden, so wie die hier noch nicht verwendeten Bataillons der 14ten Brigade als Soutien placirt wurden.

Am Morgen des 1sten Juli ließ der General Graf Bülow den allmähligen Abmarsch der Brigaden seines Corps über Dugny, Pierrefitte gegen Argenteuil beginnen. Die Reserve-Kavallerie befand sich an der Tête. Dann sollte die 15te Brigade, hierauf die Reserve-Artillerie folgen. Die 13te und 16te Brigade blieben vorläufig gegen St. Denis, und die 14te Brigade blieb bei le Bourget stehen. Sobald die Avantgarde der Engländer eintraf, sollten die zum Soutien gebliebenen Brigaden auch aufbrechen und die Ablösung der Vorposten sofort beginnen.

Die Franzosen greifen den 1. Juli Aubervilliers an.

In dem Augenblick, als dies allmählige Abmarschiren des vierten Corps ausgeführt wurde, griff der Feind am Morgen des 1sten Juli das Dorf Aubervilliers auf der Frontseite, vom Kanal von St. Denis aus, an. Der Feind war bis an die Kirche in der Mitte des Orts vorgedrungen. Hier stellte sich ihm das Soutien entgegen, und eine aus der Hauptstellung anlangende Verstärkung von 2 Bataillons war hinreichend, den Feind zurück zu werfen.

Unter gegenseitigem Tirailleur- und Haubitzenfeuer, von Seiten des Feindes auf das von uns behauptete Dorf, ward der Marsch des vierten Corps fortgesetzt. Die 14te Brigade blieb als Soutien der Vorposten bis zur Ankunft der Engländer stehen. Die 13te, dann die 16te Brigade, den übrigen Truppen des vierten Corps folgend, marschirte gegen Mittag ab, und die 14te Brigade bildete die Arrieregarde, welcher die auf Vorposten gestandenen Truppen am Abend des 1sten Juli, als die Ablösung der Engländer ausgeführt war, nachfolgten.

Bemerkungen über den Abmarsch des vierten Armee-Corps am 1sten Juli.

Die Behauptung der Franzosen, daß am 1sten Juli ein Vorrücken ihrerseits aus St. Denis die Preußen während ihres Marsches in Flanke und Rücken genommen hätte, kann nach der genauen Darlegung der Verhältnisse nicht begründet werden. Nimmt man jedoch eine Offensive des Feindes von St. Denis aus an, so konnte diese nur am Morgen des 1sten Juli gegen das vierte preußische Armee=Corps geschehen. Diese An= nahme setzt aber voraus, daß der Feind den Abmarsch der übrigen Corps entdeckt, und der General v. Bülow, wegen späteren Eintreffens der Engländer, nöthig gefun= den hätte, von der ursprünglichen Idee eines allmähligen Abfallens vom linken Flügel, in der Richtung auf St. Germain abzugehen.

Denn geschah dies nicht, so warfen die Franzosen bloß die Vorposten zurück, und würden wahrscheinlich nicht mit bedeutenden Kräften ihre Vortheile verfolgt haben, um ihre Hauptstadt nicht zu entblößen. Auch hätten sie der Arrieregarde des Generals v. Bülow auf Argenteuil, Truppen nachsenden können, ohne jedoch da= durch die Preußen im mindesten in Verlegenheit zu brin= gen. Die Engländer würden alsdann, während ihres Marsches von dem Vorrücken des Feindes sogleich aver= tirt, sich zeitig genug conzentrirt, und am Abend des 1sten Juli die Franzosen wieder zurück geworfen haben.

Setzte man hingegen von Seiten des vierten Corps auf die Behauptung des einmal angenommenen Terrains einen besonderen Werth, so konnte dasselbe sich auch auf den vortheilhaften Höhen bei Pierrefitte formiren. Der Scheidungspunkt der Straße nach Beauvais und Amiens wurde durch diese Aufstellung gesperrt. Die Avantgarde des Herzogs v. Wellington war ferner im Begriff, die starke Position bei le Bourget auf der Straße nach Sen= lis, welche auch die Communikation nach Meaux begün= stigte, von den Preußen zu übernehmen. Ueberdies war auch die Armee des Herzogs v. Wellington, in der Rich= tung der Oise=Uebergänge, nahe genug, um dem Feinde offensiv entgegen zu rücken, bevor er auf irgend einem Punkt mit Uebermacht debouchiren konnte. Im unglück=

lichsten Falle aber hätte sich das vierte Armee-Corps auf den Höhen von Montmorency formiren und gegen die englische Armee, die in der Direktion ihrer Aufstellung anmarschirte, zurückziehen können. Die Aufstellung bei Montmorency eignet sich überdies sehr gut für eine geringere Truppenmasse, welche die Angriffe überlegener Streitkräfte auszuhalten hat, und bietet alle Vortheile zu einer hartnäckigen Vertheidigung von Stellung zu Stellung dar.

Es ist demnach unter allen dankbaren Chancen keine aufzufinden, welche am 1sten Juli nachtheilig für die auf dem rechten Ufer der Seine gegen Paris gebliebenen Truppen werden konnte. Von preußischer Seite war man dagegen mehr besorgt für den Fall, daß der Feind eine Offensive auf der Südseite der Hauptstadt gegen St. Germain unternehmen würde. Hätten die Franzosen die Masse ihrer Kräfte hier hingezogen, und wären sie über Sevres vorgerückt, so würde der Feind, wie es scheint, mehr Vortheile als bei einem Debouchiren aus St. Denis sich haben versprechen können. Die Umgehung der preußischen Armee wäre parirt und ein Vorrücken der Preußen gegen Meudon und Clamard nur mit großem Menschenverlust zu erzwingen gewesen.

Vorläufige Anordnungen für den Fall, daß die preußische Armee bei St. Germain das Gefecht annimmt.

Für den Fall, daß die Franzosen eine Offensive auf der Südseite von Paris ausführen sollten, hatte der Feldmarschall Fürst Blücher den Entschluß gefaßt, das Gefecht anzunehmen.

Das Corps des Generals v. Thielemann, welches des Morgens um 6 Uhr die Seine passirt und St. Germain besetzt hatte, sollte hier sogleich Aufstellung nehmen. Der linke Flügel an St. Germain gelehnt, die Mitte und der rechte Flügel auf dem hohen Terrain bei Mareil, den Grund bei diesem Orte vor sich behaltend.

Das Corps des Generals v. Zieten, welches am Morgen des 1sten Juli hinter dem dritten Corps bei Maison die Seine passirt hatte, sollte sich gleichfalls gegen Mareil dirigiren und gegen Poissy entsenden. Beide Flügel waren auf diese Weise durch die Seine gedeckt, und der Wald von St. Germain, so wie die Uebergangspunkte über die Seine, blieben im Rücken der Armee besetzt.

Das Terrain ist der Vertheidigung sehr günstig, und der beschleunigte Marsch des vierten Corps, für diesen Fall über Maisons dirigirt, würde die Vereinigung der ganzen Armee herbeigeführt haben. Man würde dann die weitere Umgehung vorwärts Poissy auf St. Cyr, um hinter Versailles vorbei das vortheilhafte Terrain gegen Paris und die Straße auf Orleans zu gewinnen, ausgeführt haben.

Auf diese Weise war man wiederum einem Angriffe des Feindes vollkommen gewachsen, und würde auch das schwierige Terrain, welches die Defileen von Sevres und Versailles darbieten, vermieden haben, so wie den blutigen Gefechten zum Oeffnen der Defileen ausgewichen sein.

Verfolgt man jedoch, nach diesen verschiedenen Betrachtungen, den Gang der Begebenheiten bei dem preußischen Heere während des 1sten Juli, so finden wir den Feldmarschall Fürsten Blücher gegen 10 Uhr Vormittags in St. Germain eingetroffen, wohin auch das Hauptquartier verlegt wurde.

Obgleich die Truppen durch den Nachtmarsch und überhaupt durch eine beinahe während 24 Stunden fort-

gesetzte Bewegung sehr ermüdet waren, so war es doch
die Absicht des Feldmarschalls, daß die Truppen ihre
Bivouaks zum Gefecht bereit, rechts von St. Germain
nehmen, und auch diejenigen Vorbereitungen treffen sollten, welche die Annäherung des Feindes zeitig genug erfahren ließ.

Sobald diese vorläufigen Anordnungen ausgeführt waren und die Truppen ausgeruhet hatten, wurde bestimmt, daß
die Avantgarde des dritten Armee-Corps Abends um 7 Uhr
noch bis Marly vorrücken und sich hier aufstellen sollte.

Der Major v. Colomb war schon am Morgen,
gleich nach dem Eintreffen des dritten Armee-Corps bei
St. Germain, mit seinem Detaschement über Marly, wo
er den Oberstlieutenant v. Sohr traf, gegen die Defileen
von Sevres vorpoussirt, um den Mont Valerien, die
Uebergänge der Seine und überhaupt das Terrain in der
Richtung auf Neuilly im Auge zu behalten.

Es tritt jetzt aber auch der Zeitpunkt ein, in welchem die dem Oberstlieutenant v. Sohr befohlene Unternehmung gegen die Straße von Orleans den Operationen
günstig werden konnte, und es ist daher nothwendig, den
Erfolg derselben anzudeuten.

**Marsch des Oberstlieutenants v. Sohr am 30sten Juni
über St. Germain bis Marly.**

Schon früher ist bemerkt, daß der Oberstlieutenant
v. Sohr angewiesen wurde, bereits am Morgen des
30sten Juni die Brücke bei St. Germain zu passiren,
und den 1sten Juli sich auf der Communikation von
Paris nach Orleans zu befinden. Die Kavallerie-Brigade brach jedoch erst den 30sten Juni mit Tagesanbruch aus ihren Kantonnirungen bei Louvres auf, und
marschirte über Montmorency, Argenteuil nach dem Ueber-

wenn der Oberſtlieutenant v. Sohr entweder früher aus seinem Bivouak aufgebrochen und dann auch früher von Versailles abmarschirt wäre, oder wenn er nur ohne weitern Aufenthalt diesen Ort passirt hätte, daß ihm auch dann kein Nachtheil begegnen konnte, dem er nicht als ein seinen Waffengefährten bekannter kühner Anführer an der Spitze zweier braven Regimenter gewachsen gewesen wäre.

Die französischen Berichte sagen, daß am 1ſten Juli des Morgens dem General Excelmans, welcher die Kavallerie des Marschalls Grouchy befehligte und links von der Vorstadt Vaugirard bivouakirte, eine Nachricht zugekommen sei, daß 2 Regimenter preußischer Husaren von St. Germain kommend, bei Marly gelagert hätten und gegen Versailles vorrückten. Der General Excelmans schickte nach Empfang dieser Nachricht einen Adjutanten zu dem Marschall Davouſt, und erbat sich von ihm die Erlaubniß, diese beiden Regimenter aufheben zu dürfen, welches ihm gestattet wurde. Erſt gegen Mittag brach der General v. Excelmans mit dem 5ten, 15ten, 20ſten Dragoner- und 6ten Husaren-Regiment, überhaupt mit einer Masse von 3000 Mann auf der Straße von Montrouge nach Plessis-Piquet gegen die Front des preußischen Detaschements auf. Die Kavallerie-Division des Generals Piret, aus dem 5ten und 6ten Ulanen- und dem 1ſten und 6ten Chasseur-Regiment bestehend, nebst dem 33ſten Infanterie-Regiment, wurde gegen Flanke und Rücken der preußischen Kavallerie dirigirt.

Die Details der Anordnungen des Feindes gegen Flanke und Rücken der Preußen waren folgende: Das 5te und 6te Ulanen-Regiment ging die Straße von Sevres auf Viroflay, das 6te Chasseur-Regiment besetzte die Seitenwege, welche gleichfalls von Sevres, rechts der
großen

großen Straße, durch Umwege nach dem nördlichen
Theile von Versailles führen.

Das 1ste Chasseur-Regiment marschirte durch Sevres
über Villedavray, Marne und Rocquencourt. Dieser
Ort ist ungefähr eine Stunde von Versailles entfernt,
und liegt auf der Straße von St. Germain. Das
33ste Infanterie-Regiment folgte dieser Richtung. Beide
Regimenter waren bestimmt, dem Feinde den Rückzug
abzuschneiden, wenn er von der Kavallerie des Generals
Excelmans zurückgedrängt werden würde.

Diesen Zweck zu erreichen, wurden 50 Chasseurs
und 2 Compagnien Infanterie in mehreren Abtheilungen
in der Richtung gegen Marne und auf den Seitenwegen
postirt, um auf diese Weise den preußischen Husaren
jeden Ausweg in ihrer rechten Flanke zu versperren,
und sie auf die große Straße gegen Rocquencourt zu
beschränken.

Im Dorfe Rocquencourt wurden 50 Chasseurs in
zwei Zügen mitten auf die Straße placirt, und 2 Bataillons des 33sten Infanterie-Regiments schlossen sich
rechts und links an diese beiden Züge im halben Kreise
an, und sperrten auf diese Weise die Communikation.
Zwei Compagnien vom dritten Bataillon des 33sten Regiments rückten vom Dorfe Rocquencourt aus, auf der
Straße von Versailles vor, und stellten sich eine Viertel-
Stunde vorwärts in einem mit einer Hecke umzäunten
Terrain auf. Dieser Infanterie folgten 150 Chasseurs,
welche ihren Weg gegen Versailles fortsetzten, um den
Feind aufzusuchen. Im Rücken der Aufstellung bei
Rocquencourt wurden 100 Chasseurs auf der Straße
nach St. Germain eine halbe Stunde vorpoussirt. Die
rechte Flanke dieser Aufstellung deckten 50 Chasseurs,

II. 9

in gleicher Entfernung vorgeschoben, welche jeden Seiten=
weg nach Rocquencourt beobachteten.

Durch die, gegen Versailles vorgerückten Chasseurs
wurden ein Unteroffizier und 8 preußische Husaren, welche
wahrscheinlich als ein Verbindungs=Posten gegen St.
Germain zurückgelassen waren, in einem kleinen Dörfchen
gefangen genommen, wodurch, wie die Franzosen behaup=
ten, jede Gemeinschaft der preußischen Husaren mit St.
Germain abgeschnitten wurde.

Alle diese Maaßregeln waren von feindlicher Seite
geschehen, ehe der Oberstlieutenant v. Sohr Versailles
verließ. Es wird behauptet, daß ein an diesem Orte
befindliches schönes Kavallerie=Depot, welches man be=
nutzte, um viel unbrauchbares und schlechtes Material
umzutauschen, die Ursache eines zu langen Aufenthalts
geworden sei.

Gefecht bei Villacoublay, Versailles und le Chenay, am 1sten Juli.

Wenigstens ist es gewiß, daß man dann erst auf=
brach, als das Anrücken feindlicher Kavallerie gemeldet
wurde. Eine Patrouille stieß auf der Pariser Straße
bei Plessis=Piquet auf den Feind. Andere Kavallerie=
Abtheilungen bezeichneten das Anrücken des Feindes von
Bourg la Reine gegen Villacoublay. Auch jetzt war
noch der günstige Augenblick, entweder gleich am Aus=
gange der Stadt, den Weg rechts nach Buc einzuschla=
gen, oder eine kurze Strecke auf der Straße nach Villa=
coublay rasch vorzurücken und unweit der Ferme la
Bouillie die Straße rechts auf Jouy zu gewinnen, und
so dem Feinde den leeren Platz, den er dann ohne Er=
folg so künstlich umstellt hatte, zu überlassen. Statt
dessen rückten die beiden Husaren=Regimenter dem Feinde

entgegen. Es war bereits spät am Nachmittage. Die Avantgarde wurde durch die aus Villacoublay vorrückende feindliche Kavallerie angegriffen. Die Jäger=Escadron der brandenburgschen Husaren rückte zur Unterstützung der Avantgarde vor. Der Feind entwickelte jedoch über=legene Kräfte, wodurch der Oberstlieutenant v. Sohr sich bewogen fühlte, seine beiden Husaren=Regimenter im Trabe vorrücken zu lassen, um den Feind zurückzuwerfen.

Ehe die preußische Kavallerie herankommen konnte, hatte der Feind ein Dragoner= und ein Husaren=Regi=ment vorwärts Villacoublay aufgestellt. Die preußischen Husaren benützten gleichfalls das in der Nähe des Dorfes befindliche freie Terrain, um rechts und links der Chaussee zu deployiren. Die mit Entschlossenheit ausgeführte At=take gelang vollkommen, indem beide feindliche Regimen=ter in das Dorf hineingeworfen wurden. Es war kein Schuß gefallen, sondern der Kampf blos mit dem Säbel entschieden. Durch diesen kräftigen Angriff waren aber auch die preußischen Regimenter auseinander gekommen, und die Verfolgung bis in das Defilee des Dorfes er=schwerte das Ralliiren. Der Oberstlieutenant v. Sohr ordnete zwar noch diesseits des Dorfes eine geschlossene Reserve an, jedoch war sie nicht hinreichend, die beiden bis jetzt verdeckt gehaltenen feindlichen Kavallerie=Regi=menter nebst einer reitenden Batterie aufzuhalten. Der Rückzug mußte angetreten werden. Man gewann jedoch so viel Zeit, um sich wieder aufzustellen. Der Feind ging indeß seiner Seits zum Angriff über, ohne jedoch einen andern Erfolg, als die Fortsetzung des Rückzugs zu erlangen. Um dagegen das Anbringen des Feindes zu zügeln, wurde mehrmals selbst im ungünstigen Terrain attakirt, und der Feind stets zurückgewiesen. Auf diese Weise hatten sich die preußischen Husaren=Regimenter dem

durch Palissaden eingeengten Thore von Versailles genähert. Der Oberstlieutenant v. Sohr beschloß die beiden
Regimenter auf dem freien Plaß am Ausgange nach St.
Germain zu sammeln. Dies war jedoch nicht anders
ausführbar, als daß man es möglich machte, den stür-
misch andringenden Feind am Thore aufzuhalten. Mehrere
Offiziere, und unter ihnen die Lieutenants v. Probst,
v. Wedell und v. Kedszeghy, leisteten den heldenmüthig-
sten Widerstand und hielten den Feind, von mehreren
anderen Braven unterstüßt, längere Zeit vom Eindringen in die Stadt ab. Hätte man diesen günstigen Moment benußt, um sich in den Park von Versailles zu
werfen, und von dort die Allee in der Richtung auf St.
Germain oder irgend einen andern Ausweg auf das
freie Feld gesucht, so würde man immer nicht in den
Hinterhalt des Feindes bei Rocquencourt gefallen sein.
Gleich einem fixen Gedanken beherrschte indeß der durch
erhaltene Nachrichten erzeugte Glaube, auf eine Unter-
stüßung des dritten Armee-Corps zu stoßen, fortwährend
die Gemüther.

Es war bereits 7 Uhr Abends, als die sich auf
dem freien Plaß am Ausgange nach St. Germain sammelnde Masse von Husaren hinlänglich schien, um den
weitern Rückzug gegen St. Germain anzutreten. Der
Eingang zur Stadt wurde noch immer auf das Tapferste
vertheidigt. Die feindlich gesinnten Einwohner schossen
aus den Häusern auf die preußischen Husaren. Zugleich
erhielt der Oberstlieutenant v. Sohr die zuverlässige Nachricht, daß er von Kavallerie und Infanterie umgangen
sei und von St. Germain abgeschnitten wäre.

Der tapfere Führer erwog nicht die geringere Zahl
seiner Braven und die ungünstigen Verhältnisse, sondern
verließ sich auf das den preußischen Husaren innewoh-

nende Gefühl, sich mit dem Säbel in der Faust immer noch einen Ausweg zu bahnen.

In den meisten Fällen wird man mit diesem kühnen Sinne durchkommen. Hier unterlag indeß die Tapferkeit einem zu ungünstigen Geschick.

Kaum hatte die Masse der Husaren Versailles verlaffen, als sich die Nachricht verbreitete, englische und preußische Kavallerie rücke auf dem Wege von St. Germain zur Hülfe heran. Man überzeugte sich indeß bald, daß man den Feind, und zwar das 1ste französische Chasseur=Regiment, welches abweichende Kopfbedeckungen trug, gegen sich hatte. Die Nationalgarden an der Barriere von Versailles, denen der Oberst Simmoneau Patronen verabreichen ließ, schoffen auf die Preußen.

Der Oberstlieutenant v. Sohr hatte indeß schon seine Husaren formirt und rückte im Galopp vor. Der Feind that ein Gleiches. Die französischen Chasseurs wurden vollkommen geworfen, und der feindliche Oberstlieutenant Maubourg durch den ersten Pistolenschuß todt zu Boden gestreckt. Noch im Verfolgen des Feindes begriffen, wurden die preußischen Husaren unerwartet durch das Feuer der in dem umzäunten Terrain des Dorfes le Chenay aufgestellten 2 feindlichen Compagnien empfangen. Der Oberstlieutenant v. Sohr schlug hierauf mit dem größten Theile seiner Husaren einen Feldweg rechts von le Chenay ein, um das durch Infanterie besetzte Dorf zu umgehen. Doch auch auf diesem Wege traf man auf eine Brücke und einige daran liegende Häuser, welche durch die beiden andern Compagnien des 3ten Bataillons 33sten Infanterie=Regiments besetzt waren. Die preußischen Husaren wurden auch hier von einem heftigen Feuer empfangeu. Dieses erneuerte Hinderniß zwang die Preußen einen Mittelweg über eine Wiese einzuschlagen, um auf diesem Wege, es koste was es wolle, sich eine Bahn durch das Dorf le Chenay zu brechen. Es war natürlich, daß bei den öfteren Versuchen, sich durchzuhauen, die Ordnung aufgelöst worden war, besonders wenn man erwägt, daß der General Excelmans mit seiner ganzen Kavallerie, an welche sich auch noch das 5te und das 6te französische Ulanen=Regiment geschlossen hatte, von rückwärts drängten. Die Kavallerie=Masse, welche sich dem Oberstlieutenant v. Sohr angeschlossen hatten, mochte noch ungefähr 150 Husaren betragen, welche den eben bemerkten Weg auf le Chenay einschlugen. Die entgegen rückenden feindlichen Chasseurs wurden abermals geworfen, und nun ein Weg durch das Dorf verfolgt, welcher unglücklicher Weise in einen Hof, der keinen Ausweg hatte, führte. Hier von feindlichem Infanterie=Feuer empfangen und von der Kavallerie verfolgt, befanden sich die dem Oberstlieutenant v. Sohr folgenden Husaren in verzweifelter Lage. Ein wüthender Kampf Mann gegen Mann begann. Das heldenmüthige Beispiel des Oberstlieutenants v. Sohr, der das Anerbieten eines Pardons verwarf, und nun, durch einen Pistolenschuß schwer verwundet, niedersank, begeisterte die ihm folgende Schaar zur verzweifelten Gegenwehr. Die Franzosen errangen hier den Sieg größern Theils nur über Verwundete und Todte.

Während die Franzosen die Masse ihrer Truppen in dem Gefecht gegen den Oberstlieutenant v. Sohr verwendeten, war es mehreren Abtheilungen der Regimenter gelungen, durchzukommen. Der Rittmeister v. Sohr, welcher bei dem ersten Chok die Arrieregarde geführt und den aus Versailles nachdringenden Feind bis zu dem Thore der Stadt wieder zurückgeworfen hatte, wurde nun, nachdem er sich dem Gros wieder anschließen wollte, von feindlicher Kavallerie umringt und aufgefordert, sich zu ergeben. Der Rittmeister v. Sohr hatte indeß schon beim Verfolgen des Feindes auf Versailles durch den bereits blessirten Lieutenant v. Probst eine seitwärts befindliche Hecke besetzen lassen, der er sich nun in dem Augenblicke, wo der Feind ihn völlig abgeschnitten glaubte, zum Entkommen bediente; auf welche Weise er mit einem Theil der brandenburgschen und pommerschen Husaren das freie Feld gewann, hierauf Rocquencourt umging und über Marly sich mit den Truppen des dritten preußischen Armee=Corps, welche bereits im Vorrücken vor St. Germain begriffen waren, vereinigte. Eben so gelang es dem Major v. Wins, von den pommerschen Husaren, einen an der Straße auf Rocquencourt links führenden Seitenweg zu gewinnen und ebenfalls mit den um ihn gesammelten Husaren St. Germain zu erreichen.

Der Verlust der beiden braven Regimenter war bedeutend. Wenn man ihre Stärke auch nicht über 6= bis 700 Mann annehmen kann, da sie durch die Gefechte und Anstrengungen bereits sehr gelitten und auch ihre maroden Leute und Pferde in ihren Kantonnirungen zurückgelassen hatten, so haben sich doch kaum 200 Mann durchschlagen können. Der Verlust von 10 Offizieren und 4= bis 500 braven Husaren, von denen viele todt und ein großer Theil blessirt dem Feinde in die Hände fiel, ist eine theure Erfahrung für brave Truppen, deren Einbuße um so empfindlicher war, als ihr beharrlicher Muth in der bedrängtesten Lage ruhmwürdig erscheint.

Uebersieht man die Unternehmungen der Partheigänger während dieses Feldzuges, so waren sie mit geringen Ausnahmen überhaupt nicht glücklich. Die entsendeten Partifans konnten von der Armee nicht abkommen, und kehrten größtentheils zu früh wieder zurück. Der dem Major

v. Kamecke mit dem Regiment Königinn Dragoner gegebene Auftrag, zwischen Marne und Seine über Meaux oder Chateau=Thierry als Partheigänger zu streifen, wurde gleichfalls nicht in diesem Geiste ausgeführt. Das entsendete Detaschement vereinigte sich sehr bald wieder mit der Armee, wodurch die Idee des Feldmarschalls Fürsten Blücher, ein Kavallerie=Detaschement des vierten Armee=Corps von der Südseite von Paris in derselben Richtung vorzuschicken und hier eine Verbindung mit dem Detaschement des Majors v. Kamecke aufzusuchen, wie wir später sehen werden, nur unvollkommen ausgeführt wurde.

Es scheint, daß bei künftigen Kriegen auf diesen Zweig der Kriegführung noch größere Aufmerksamkeit zu verwenden sein dürfte, indem bei dem größern Auseinanderbleiben der Armeen ein Spielraum für solche Unternehmungen bleibt, der durchaus benutzt werden muß. Diejenige Armee, welche in diesem Operationsraume das Uebergewicht erhält, wird stets in mannichfachem Vortheile über den Gegner sich befinden.

Es wird jetzt noch nothwendig, das weitere Vorrücken des Generals Excelmans nach dem Gefecht in und um Versailles zu berühren. Die feindliche Kavallerie verfolgte den Weg auf St. Germain bis ungefähr eine Stunde hinter Rocquencourt.

Vorrücken der Avantgarde des dritten Armee=Corps gegen Rocquencourt.

Unterdessen war aber auch die zur Avantgarde des dritten Armee=Corps bestimmte 9te Brigade unter dem General v. Borcke Abends vor 7 Uhr von St. Germain aufgebrochen, um sich bei Marly aufzustellen. Unterwegs ging die Nachricht ein, der Feind habe die beiden Ka=

vallerie-Regimenter unter dem Oberstlieutenant v. Sohr bei Versailles aufgerieben. Der General v. Borcke beeilte hierauf seinen Marsch noch mehr. Die beiden Füsilier-Bataillons des Leib-Infanterie- und des 30sten Infanterie-Regiments marschirten an der Tête. Kaum war der Marsch eine halbe Stunde fortgesetzt worden, als die Tirailleurs des Leib-Füsilier-Bataillons bereits auf den von Versailles kommenden Feind stießen. Die Franzosen wurden sogleich angegriffen, und mit gefälltem Bajonnet vom gedachten Füsilier-Bataillone fortwährend zurückgetrieben, so daß ihnen keine Zeit blieb, sich festzusetzen, obgleich sie es zu verschiedenen Malen versuchten. Das Füsilier-Bataillon des 30sten Infanterie-Regiments unter dem Capitain v. Fragstein detaschirte der General v. Borcke links von der Straße auf Louvecienne zur Deckung der linken Flanke, um dadurch zugleich den Angriff des Füsilier-Bataillons vom Leib-Regimente auf der Straße zu unterstützen. Der Feind wurde indeß mit einer solchen Lebhaftigkeit angegriffen, und so rasch verfolgt, daß er seinen Rückzug gegen Rocquencourt ohne allen Aufenthalt bewerkstelligen mußte.

Der General v. Borcke wollte bei der einbrechenden Dunkelheit nicht zu viel Truppen ins Gefecht bringen, und schickte daher blos das 1ste Bataillon des 30sten Infanterie-Regiments zur Unterstützung des Füsilier-Bataillons des Leib-Regiments vor. Die übrigen Truppen wurden in Bataillonsmassen rechts und links der Straße aufgestellt, die Kavallerie aber nahe bei St. Germain bis auf eine Escadron zurückgelassen, weil das Terrain für dieselbe sich durchaus nicht eignete. Der Feind, durch den raschen Angriff der preußischen Infanterie zum Weichen gebracht, ging ohne weiteren Zeitverlust bis an die Vorstadt von Paris zurück. Die Brigade des Generals

v. Borcke lagerte in der Nacht vom 1sten bis zum 2ten Juli bei Rocquencourt. Die Patrouillen fanden des Morgens um 3 Uhr Versailles vom Feinde verlassen, und also den Stand der Dinge ganz so, wie am Tage vorher, wieder hergestellt.

Die Vorfälle und Gefechte bei Villacoublay, Versailles und le Chenay sind nur als eine Episode während der ununterbrochen fortgehenden Bewegungen der Armee anzusehen, die indeß ohne den mindesten Einfluß auf die Operationen der verschiedenen Corps blieb.

Ehe jedoch noch der zu den Ereignissen des 1sten Juli gehörige Abmarsch der zurückgelassenen Truppentheile des Bülowschen Corps, so wie die Ablösung der Vorposten des ersten und des vierten Corps durch die Engländer näher bezeichnet werden kann, ist es nothwendig, die Bewegungen der englischen Armee vom 30sten Juni bis 2ten Juli nachzuholen.

Bewegungen der englischen Armee vom 30sten Juni bis zum 2ten Juli.

Wir haben die englische Armee am 29sten Juni jenseits der Oise im Lager bei Neuville, unweit Gournay, zurückgelassen. Den 30sten Juni passirte die Armee des Herzogs von Wellington über Pont St. Maxence die Oise. Die Corps der Generale Hill und Byng rückten bis Louvres vor, wohin auch der Herzog von Wellington sein Hauptquartier verlegte. Die Reserve der Engländer lagerte jenseits des Waldes von Hollat. Die Kavallerie bivouakirte bei Fleurinnes.

An dem heutigen Tage begab sich der Herzog von Wellington in das Hauptquartier des Fürsten Blücher nach Gonesse, wo die früher schon bezeichneten Maaßregeln verabredet wurden.

Den 1ſten Juli beſetzten die Corps der Generale Hill und Byng die früher von den Preußen eingenommene Stellung bei Blancmenil, le Bourget, Aubervilliers und St. Denis. Das Reſerve-Corps des Generals Kempt paſſirte Senlis, und lagerte unweit Louvres.

Ruft man ſich jetzt die Ereigniſſe des 1ſten Juli und die Stellung der Armee noch einmal zurück, ſo wird man auch durch die Bewegungen der engliſchen Armee die Urtheile beſtätigt finden, welche dem Tadel entgegengeſtellt wurden, den die Franzoſen gegen die Operationen des Feldmarſchalls Fürſten Blücher erheben. Es iſt nur noch zu bemerken, daß die Ablöſung der preußiſchen Vorpoſten am Abend des 1ſten Juli völlig beendigt wurde, und dieſe hierauf dem vierten Corps auf Argenteuil folgten.

Das vierte preußiſche Armee-Corps trifft in der Nacht vom 1ſten zum 2ten Juli bei St. Germain ein.

Das Bülowſche Corps, deſſen Avantgarde ſchon am Morgen des 1ſten Juli in Argenteuil eintraf, war am Abend dieſes Tages hier völlig verſammelt, und ſetzte hierauf während der Nacht den Marſch auf St. Germain fort. Am frühen Morgen des 2ten Juli traf dies Corps bei der Brücke von St. Germain ein, und war nunmehr ganz zur augenblicklichen Dispoſition des Feldmarſchalls bereit.

Ueber einige Veränderungen in der Aufſtellung der franzöſiſchen Armee während des 30ſten Juni.

In der Aufſtellung der franzöſiſchen Armee hatte ſich ſeit dem 29ſten Juni Abends wenig geändert. Den 30ſten Juni zog der Feind einige Verſtärkungen an ſich. Der Zuſtand der Truppen wurde einigermaßen retablirt, und Abtheilungen des zweiten Corps beſtanden, wie dies schon gezeigt worden, die Gefechte bei Aubervilliers und bei St. Denis. Den 1sten Juli Abends rückte die Garde zur Unterstützung des 3ten und 4ten Corps aus ihrer alten Stellung auf das linke Ufer der Seine, um hier als Reserve zu dienen. Eben so hatte die Kavallerie des Generals Excelmans an diesem Tage das bereits angeführte Gefecht mit den beiden preußischen Husaren-Regimentern unter dem Oberstlieutenant v. Sohr.

Die Aufstellung, welche der General Vandamme auf der Südseite von Paris eingenommen hatte, lehnte sich mit dem rechten Flügel an die Seine, der linke Flügel war in der Richtung auf Montrouge bis zur Straße nach Orleans, und das Centrum auf dem Terrain seitwärts in der Richtung auf Issy placirt. Die Dörfer Vanves und Issy hatte man jetzt noch zur Vertheidigung eingerichtet. Die Avantgarde hielt Chatillon, Clamard, Meudon, Sevres und St. Cloud besetzt. Obgleich diese Orte nicht besonders in Vertheidigungsstand gebracht worden, so konnte man doch in den massiven Häusern und in den mit steinernen Mauern eingeschlossenen Gärten hartnäckigen Widerstand leisten. Man hatte auch noch das Festhalten von Sevres durch eine Aufstellung jenseits der Seine bei Billancourt kräftig zu unterstützen gesucht.

Diese ausgedehnteren Maaßregeln wurden jedoch erst am Vormittage des 2ten Juli getroffen. Man kann mit Hinzuzählung der aus dem Boulogner Walde nach der Ebene von Grenelle entsendeten Kavallerie die Masse der auf dem linken Ufer der Seine versammelten Streitkräfte nach französischen Nachrichten auf 40,000 Mann schätzen. Die Kavallerie nahm am 2ten Juli eine Stellung zwischen Vaugirard und der Seine ein. Die Artillerie war in der eigentlichen Position, die mit dem rechten Flügel an Vanves, mit dem Centrum auf dem Montrouge, mit

dem linken Flügel an die Straße auf Orleans lehnte, auf=
gefahren. Die Dörfer in der Front blieben im wirkfa=
men Kartätschenfeuer von den dahinter liegenden mit Ar=
tillerie besetzten Höhen entfernt.

Nach dieser Aufstellung ist anzunehmen, daß die
Franzosen vorzüglich den Angriff über Versailles, Pleſſis=
Piquet, also gegen die Front des Montrouge, erwarteten.

Um jedoch die preußischer Seits getroffenen Maaß=
regeln zu übersehen und ihre Zweckmäßigkeit zu prüfen,
ist es nothwendig, einen Blick auf das Terrain um Pa=
ris auf dem linken Ufer der Seine zu werfen, welches
einen so bedeutenden Einfluß auf die Anordnungen und
Gefechte der Truppen äußern mußte.

Bemerkungen über das Terrain um Paris auf dem linken Ufer der Seine.

Die Seine macht auf der Südwestseite von Paris
einen bedeutenden Bogen, und fließt, wie dies schon als
Charakter der Flüſſe im nordöstlichen Frankreich angege=
ben worden, in einem tief eingeschnittenen Bette mit
schroff abfallenden Ufern.

Die Ueberhöhung des Thalrandes ist ganz hervor=
tretend auf der Südseite, und der Höhenzug von Meudon
gegen Pleſſis=Piquet überhaupt bis zum Abfall der Bièvre
ist beherrschend, nicht allein bis zu den Barrieren von
Paris, sondern auch für die ganze Gegend südlich der
Hauptstadt.

Von den Terraſſen von Meudon sieht man die Seine
80 bis 100 Fuß tief unter sich fließen, und alles, was
die Barrieren von Paris verläßt, so wie jede Bewegung
auf der Straße von Orleans, geschieht im Gesichtskreise
derjenigen Armee, welche das bezeichnete hohe Terrain
besitzt. Dies wird in Paris auch allgemein anerkannt,

und die eigene Geschichte Frankreichs giebt hierzu die besten Beläge.

Von der Höhe von Chatillon fällt das Terrain gegen die Bievre und weiter hin gegen die Seine ab. Die Straße nach Orleans führt am Fuße der Höhe zwischen dieser und der Bievre hin, und ist daher gar nicht zu passiren, wenn eine Armee das bezeichnete Plateau besetzt hält.

Außer der vortheilhaften Aufstellung, welche man hiernach gewinnt, begünstigen aber auch die dominanten Höhen eine freie Bewegung, mittelst welcher man einem aus Paris abmarschirenden Corps in jeder Richtung zuvorkommen und es zu einem nachtheiligen Gefechte zwingen konnte.

Von St. Germain, wo die preußische Armee sich in der Nacht vom 1sten zum 2ten Juli vereinigt fand, führen zum Gewinn des bezeichneten vortheilhaften Terrains zwei Hauptrichtungen: die erste läuft durch enge Defileen nahe der Seine gegen Vaucresson, Marne, Sevres und Meudon; die zweite Direktion würde man über Versailles, Plessis-Piquet und Chatillon, zwar auch in einem coupirten Terrain, aber doch die eigentlichen Defileen umgehend, einschlagen können. Wenn man auf dem ersten Wege zu viel Schwierigkeiten fand, so blieb nur übrig, die Umgehung auf dem zweiten Wege über Versailles zu erzwingen.

Das Terrain nördlich von diesen beiden Angriffs-Direktionen oder örtlich bezeichnet, links von Sevres, die Seine herunterwärts, über St. Cloud gegen den Mont Valerien, bleibt fortwährend dominant, und bildet bei dem letztgenannten Punkte eine isolirte Anhöhe, von welcher man die Gegend vorwärts, so wie links gegen Neuilly übersehen kann. Verfolgt man das Plateau gegen la

Tournelle, so ist man im Stande, das Terrain bis zum Montmartre und bis St. Denis zu beobachten. Hinter dem Mont Valerien fällt jedoch das Terrain gegen Colombes und seitwärts gegen Villeneuve ab.

Bei einem Vorrücken der Armee in den zuvor bezeichneten Richtungen wurde es nothwendig, das so eben beschriebene Terrain zu beobachten, und besonders den Punkt von Neuilly, wo der Feind noch eine Brücke zum Debouchiren besaß, genau im Auge zu behalten.

Der Feldmarschall Fürst Blücher beschließt, vom 8ten Juli sich der vortheilhaften Aufstellung bei Meudon und Clamard zu bemächtigen.

Nach dieser Ansicht der lokalen Verhältnisse um Paris auf dem linken Ufer der Seine beschloß der Feldmarschall Fürst Blücher, durch ein Vorrücken seiner Armee in 2 Colonnen gegen Meudon und Chatillon, sich der vortheilhaften Stellung auf der Südseite von Paris zu bemächtigen. Die linke Flügel-Colonne, welche den Weg zunächst der Seine einschlagen sollte, wurde durch das erste Armee-Corps gebildet, und die rechte Flügel-Colonne, aus dem dritten Armee-Corps bestehend, sollte die Umgehung dieser Defileen über Versailles gegen Chatillon ausführen. Das vierte Armee-Corps wurde angewiesen, als Reserve in der Richtung auf Versailles zu folgen.

Glückte der Angriff des ersten Armee-Corps, so konnte das dritte Corps, bei Chatillon angekommen, den Feind in die linke Flanke fassen, und beide Corps vereint die Franzosen bis hinter die Barrieren von Paris zurückwerfen. Das vierte Armee-Corps blieb zur Disposition für jeden eintretenden Fall, und konnte sowohl zur Unterstützung der linken als rechten Flügel-Colonne verwendet werden. Die ganze Reserve-Kavallerie des dritten und

des vierten Corps wurde bei denselben für Offensiv-Maaß=
regeln bereit gehalten. Diesen gewiß den Verhältnissen
angemessenen, und in ihrer Einfachheit nachahmungswerthen
Anordnungen verdankt man allein die späteren entschei=
denden Erfolge. Erst dann, wenn der Feind noch einen
größeren Widerstand entwickelt hätte, würde man den gan=
zen Umfang der richtigen Beurtheilung der vorhandenen
Kriegsverhältnisse, zu erkennen die Veranlassung gefunden
haben.

Obgleich es einer geschichtlichen Darstellung mehr
Reiz verleihen mag, wenn blos die Resultate in ihrem
Zusammenhange bezeichnet werden, so scheint es doch,
um den Gang der Ereignisse in ihrer natürlichen Folge
beobachten zu können, angemessener, wenn man den bis=
her gewählten Weg auch bei denjenigen Operationen,
welche den Schluß des Feldzuges ausmachen, befolgt, und
demnach zuerst die jedesmaligen Entschlüsse, und dann erst
die Art ihrer Ausführung zu bezeichnen bemüht ist.

Die Ansicht des Feldmarschalls Fürsten Blücher über
die Fortsetzung der Operationen am 2ten Juli ist bereits
ausgesprochen, und jetzt nur noch hinzuzufügen: daß dem
General v. Thielemann befohlen wurde, sich den 2ten Juli
mit Tagesanbruch in Bewegung zu setzen, und über Marly
und Rocquencourt zu marschiren. Die Avantgarde sollte so=
gleich bis Versailles vorgeschoben werden, das Corps hin=
gegen so lange halten bleiben, bis das erste Armee-Corps
herangekommen sein, und sich mit demselben auf gleiche
Höhe gesetzt haben würde. Sobald dies geschehen, sollte
die Fortsetzung des Marsches über Versailles auf Plessis-
Piquet gegen Chatillon ausgeführt werden, um hier nach
Befinden der Umstände das Debouchiren des ersten Armee-
Corps zu erleichtern, und überhaupt mit demselben vereint
zu agiren.

Der

Der Generallieutenant v. Zieten erhielt die Weisung, gleichfalls mit Tagesanbruch sich in Marsch zu setzen, und über St. Germain, Marly und Rocquencourt vorzurük= ken, hier aber sich auf Vaucresson, Sevres gegen Meudon und Issy zu wenden, und die Verbindung mit dem drit= ten Armee=Corps aufzusuchen. Ein Seiten=Detaschement, welches auf der großen Straße gegen Paris vorgeschoben werden sollte, hatte sich von Malmaison gegen St. Cloud zu dirigiren, und in Verbindung mit dem Detaschement des Majors v. Colomb die Brücke von Neuilly und das Ter= rain links der direkten Straße auf Paris zu beobachten.

Dem General Grafen Bülow v. Dennewitz wurde aufgetragen, mit seinem Corps sich gleichfalls mit Tages= anbruch über St. Germain nach Versailles zu begeben, und hier die weiteren Bestimmungen zu erwarten.

Der Feldmarschall bestimmte noch, daß von dem vierten Corps ein Detaschement, aus Infanterie und Ka= vallerie zusammengesetzt, nach Poissy, um die dortige Brücke zu besetzen und die Gegend zu beobachten, und ein anderes Detaschement nach St. Nom la Bre= leche, um jenseits des Waldes von Marly die Straße von Mantes nach Versailles zu beobachten, entsendet werden sollte. Sobald die Brücken bei Chatou und Argenteuil, welche von preußischen Pionieren erbaut wur= den, fertig geworden, sollten Detaschements zu ihrer Be= wachung, bis sie von den Engländern abgelöst würden, zurückbleiben.

Diesen Anordnungen gemäß ließ der Generallieute= nant v. Thielemann mit Tagesanbruch das dritte Armee= Corps von St. Germain aufbrechen; die Avantgarde, aus der 9ten Brigade formirt, besetzte Versailles, und das Corps blieb während 2 Stunden bei Rocquencourt halten,

II. 10

um das Eintreffen des ersten Corps abzuwarten. Das Resultat des weitern Vorrückens gegen Chatillon kann jedoch erst später angeführt werden.

Der Generallieutenant v. Zieten passirte Morgens um 8 Uhr St. Germain und dirigirte seinen Marsch auf Rocquencourt. An der Tête der ersten Brigade, welche die Avantgarde bildete, marschirte das brandenburgsche Ulanen-Regiment. Außerdem waren der Brigade, nebst ihrer Fußbatterie, eine reitende Batterie, eine 12-pfündige und sämmtliche 10pfündige Haubitzen beigegeben worden. Der 1sten Brigade folgten eine Brigade Reserve-Kavallerie unter dem Generalmajor v. Treskow, dann die übrigen 3 Infanterie-Brigaden und zuletzt die Reserve-Artillerie, hierauf die übrige Reserve-Kavallerie.

Das Detaschement, welches links auf der großen Straße gegen Paris vorrückte, wurde aus dem 1sten Bataillon des 1sten westpreußischen Infanterie-Regiments unter dem Befehl des Hauptmanns v. Krensky, 2 Kanonen reitender Artillerie und einer Escadron Kavallerie formirt, und dirigirte sich auf Malmaison, um von hier aus gegen St. Cloud zu detaschiren.

Von Rocquencourt marschirte die Avantgarde des ersten Corps links von der Straße nach Versailles über Vaucresson, Marne und Villedavray, wo ein feindliches Piquet angetroffen und verjagt wurde. Hier erfuhr man, daß der Feind zwar die Brücke von St. Cloud gesprengt habe, aber bedeutende Kräfte im Bois de Boulogne verborgen hatte, und Miene mache, die zerstörte Brücke wieder herzustellen.

Die 3te Brigade erhielt daher den Befehl, links auszubiegen, um auf der Chaussee nach St. Cloud zu marschiren, und jede Bewegung des Feindes in unserer linken Flanke zu verhindern.

Bei dem weitern Vorrücken gegen die Höhen von Meudon mußten die schwierigen Defileen von Sevres passirt werden, welche der Feind stark besetzt hielt, und wo er mit Benutzung der massiven Mauern und Häuser einen hartnäckigen Widerstand vorbereitet hatte. Der Weg ging auf einer Strecke von 2 Lieues durch den Park von St. Cloud, welcher mit steinernen Mauern umgeben ist. Auf gleiche Weise sind aber auch alle Höhen um Sevres, welche zu Weinbergen benutzt werden, mit Mauern umschlossen. Der Feind mußte jedoch hier nothwendig vertrieben werden, und man glaubte, daß ungeachtet dieser Schwierigkeiten unter Mitwirkung des dritten Armee-Corps, welches die feindliche Aufstellung in der Richtung auf Chatillon umging, ein glückliches Resultat erkämpft werden könne.

Gefecht bei Sevres am 9ten Juli.

Als die 1ste Brigade Nachmittags um 3 Uhr bei Sevres auf den Feind stieß, welcher diesen Ort und die Höhe von Bellevue stark besetzt hatte, erhielt der General v. Steinmetz den Befehl, den Feind aus diesem Posten zu vertreiben. Die 2te und 4te Brigade sollten folgen, und wenn es nöthig würde, das Gefecht unterstützen. Die 3te Brigade war noch zur Deckung der linken Flanke gegen St. Cloud detaschirt.

Da das sehr coupirte Terrain die Anwendung der übrigen Waffen nicht zuließ, so wurde der Reserve-Kavallerie und Artillerie nur der Auftrag, der Infanterie zu folgen.

Der Feind, durch den General v. Steinmetz angegriffen, vertheidigte das Defilee von Sevres ziemlich hartnäckig. Man überzeugte sich von der Schwierigkeit, das Gefecht bei der geringen Umsicht, die das Terrain ge-

währte, zu leiten. Die vielen kleinen Parks und Ge-
büsche vermehrten die Chikanen des Bodens. Die Fech-
tenden mußten, über die Mauern der Weinberge hinweg,
sich neue Communikationen bahnen, wobei sie aus jedem
Hinterhalt feindliche Tirailleurs zu vertreiben hatten.

Nachdem die preußischen Tirailleurs den Feind aus
dieser vortheilhaften Aufstellung und aus den einzelnen
Schlupfwinkeln verjagt hatten, wurde der massive Flecken
Sevres angegriffen. Die Franzosen hatten sich in den
Häusern des Ortes postirt. Der Feind hatte 4 bis 5
Bataillons in dem jenseits der Seine gelegenen Dorfe
Billancourt und in den einzelnen zu St. Cloud gehöri-
gen Häusern, welche ebenfalls auf dem rechten Ufer des
Flusses lagen, aufgestellt, wodurch er im Stande war,
ein starkes Feuer auf das diesseitige Ufer zu unterhalten.

Doch trotz allen diesen Schwierigkeiten, und ohne
auf die Mehrzahl des Feindes, so wie auf die aus den
Fenstern fallenden Schüsse zu achten, stürzte sich die 1ste
Brigade mit dem Bajonnet auf den Feind, und warf
ihn nach einem sehr lebhaften Gefecht aus Sevres und
von der Höhe aus den Schlössern von Bellevue 2c.
Der Feind zog sich auf Moulineau zurück. Die Brücke
von Sevres war von den Franzosen abgebrochen worden,
weshalb das Vertreiben derselben vom jenseitigen Ufer
unmöglich wurde. Demnach dauerte das Gefecht in
Sevres in der Art fort, daß man sich auf beiden Ufern
unausgesetzt beschoß. Der Feind hatte den Vortheil,
die Straße, auf welcher man gegen Moulineau und Issy
vorrücken mußte, stets bestreichen zu können. Dieser Umstand hielt aber die Preußen nicht ab, den Feind durch
Sevres zu verfolgen und fortwährend durchzumarschiren.

Gefecht bei Moulineau am 8ten Juli.

Die 1fte Brigade war indeß gleich nach dem Sturm= angriff auf Sevres dem Feinde auf Moulineau gefolgt. Ein kräftiger Angriff entschied auch hier. Der Feind wurde wiederum geworfen und zog sich gegen Iffy zu= rück. Der General v. Steinmetz besetzte sogleich Mou= lineau. Ein Theil der Brigade war von der Höhe, auf welcher das Schloß Bellevue gelegen, längs des Kam= mes der Höhe gegen das Schloß Meudon vorgerückt, und hatte sich auch dieses Punktes bemächtigt.

In dem Maaße, als man durch die Fortschritte der 1ften Brigade Terrain gewann, wurde die 2te Brigade nebst der Reserve=Artillerie gegen die Höhe von Meudon vorgeschickt. Die Reserve=Kavallerie folgte der 1ften Brigade unmittelbar zur Unterstützung. Die 4te Bri= gade wurde zur Besetzung von Sevres und zur Fort= setzung des Gefechts in diesem Orte bestimmt.

Während deß war auch die 3te Brigade unter dem Generalmajor v. Jagow, nachdem dieselbe sich überzeugt hatte, daß der Feind aus dem Bois de Boulogne nichts unternehme, und die beiden schlesischen Schützen=Com= pagnien, in Verbindung des zur Deckung der linken Flanke entsendeten Detaschements des Hauptmanns v. Kreutzky, das sich so eben näherte, vollkommen hinreichend wären, um dem Feinde in dieser Richtung gewachsen zu sein, wieder in Marsch gesetzt worden, um dem Corps zu folgen.

Als die 3te Brigade gegen Abend in Sevres ein= traf, bestimmte der General v. Zieten, daß sie auf den Höhen von Meudon rechts von Sevres eine Aufstellung nehmen sollte.

Die Franzosen greifen Moulineau wieder an (8ten Juli).

Um diese Zeit war es auch, als der Feind, nachdem er sich bei Issy wieder formirt hatte, das Dorf Moulineau von Neuem angriff, aber mit vieler Standhaftigkeit zurückgeschlagen wurde. Die 2te Brigade sendete das 2te Bataillon des 2ten westphälischen Landwehr-Regiments zur Unterstützung dahin, weil das Gefecht immer heftiger wurde, und der Feind durch erneuerte Versuche alles anwendete, dieses Dorf wieder zu erobern. Gleichzeitig schickte man die halbe Fußbatterie № 3 am Abhange der vorliegenden Höhe links von Moulineau vor, um 3 feindliche Geschütze, die in der Ebene standen und das preußische Fußvolk flankirten, zum Schweigen zu bringen. Dieser Zweck wurde nicht allein erreicht, sondern auch der Feind zum Zurückweichen gegen Issy genöthigt.

Es war schon Abends gegen 7 Uhr, als der so eben beschriebene Angriff auf Moulineau zurückgeschlagen wurde.

Der Generallieutenant v. Zieten wollte jedoch noch die letzten Stunden des Tages benutzen, und ertheilte daher der 1sten Brigade den Befehl, den wichtigen Posten an der Mühle von Clamard zu besetzen, welches auch sofort ausgeführt wurde. Die 4te Brigade besetzte dagegen das Dorf Moulineau; die 2te Brigade rückte zur Unterstützung der ersten vor, und die 3te Brigade blieb zur Reserve bei Meudon, wo auch die Reserve-Artillerie auf der hohen Terrasse von Meudon aufgestellt wurde. Die Reserve-Kavallerie dagegen erhielt die Weisung, auf der Ebene von Moulineau und Issy sich zu placiren.

Mit dem Gewinn dieser Stellung war die Aufgabe gelöst, welche dem ersten Armee-Corps gegeben war.

In diesem Augenblick würde das Erscheinen des dritten Corps bei Chatillon von dem größten Erfolge gewesen sein, und man hätte sofort zum Angriff auf Issy und vielleicht auch der Barrieren von Paris schreiten können. Wenigstens würde man am heutigen Abend den Einwohnern der Hauptstadt noch durch Geschützfeuer die Nähe der preußischen Corps fühlbar zu machen im Stande gewesen sein.

Die Franzosen sammelten während deß eine Masse von 15 Bataillons, welche in und bei dem Dorfe Issy aufgestellt wurden, und von einer zahlreichen Artillerie und Kavallerie unterstützt werden sollten. Die Weinberge vorwärts Issy hatte der Feind gleichfalls durch Infanterie besetzt, und vertheidigte sie hartnäckig.

Die Preußen bemächtigen sich des Dorfes Issy in der Nacht vom 2ten zum 3ten Juli.

Gegen Einbruch der Nacht, es konnte ¾11 Uhr sein, schien jedoch ein sehr günstiger Moment für die Ausführung eines Angriffs auf Issy einzutreten. Man hörte nämlich den Abmarsch von Truppen und bemerkte Zeichen einiger Unordnung bei diesem Zurückgehen. Ein Theil der 1sten und der 2ten Brigade benutzte diesen Augenblick und griff den Feind an. Die Franzosen flohen in solcher Verwirrung nach Vaugirard zurück, daß es möglich gewesen wäre, in Paris einzudringen, wenn man in diesem Moment mehr Kräfte disponibel gehabt hätte.

Das erste Armee = Corps nahm nunmehr in der Nacht vom 2ten zum 3ten Juli folgende Stellung ein: der rechte Flügel auf dem Windmühlenberge von Clamard; das Centrum auf dem Schloßberge bei Meudon; der linke Flügel in Moulineau. Sevres blieb weiter rückwärts besetzt. Die Avantgarde hatte sich in Issy postirt, und hinter diesem Dorfe blieb die Reserve-Kavallerie zur Unterstützung der vorgeschobenen Truppen aufgestellt

Während die so eben bezeichneten Vortheile im Laufe des 2ten Juli von der linken Flügel-Kolonne des Heeres erfochten wurden, hatte die rechte Flügel-Kolonne ihren Marsch auf Versailles fortgesetzt, ohne vom Feinde darin gehindert zu werden. Die Reserve-Kavallerie des Corps deckte bei dieser Bewegung die rechte Flanke und marschirte über St. Cyr, Versailles links lassend.

Die Avantgarde des dritten Armee-Corps besetzt Chatillon am Abend des 8ten Juli.

Die aus der 9ten Brigade formirte Avantgarde des Generals v. Thielemann kam erst spät am Abend auf den Höhen von Chatillon an. Der Feind verließ diesen Ort nach einer kurzen Kanonade, und ließ nur 4 Escadrons zur Beobachtung zwischen Chatillon und dem Montrouge zurück.

Nachdem Chatillon durch die 9te Brigade besetzt worden war, detaschirte der General v. Borcke noch vorwärts dieses Ortes bis gegen den Punkt vor, wo die Straße nach Orleans und die von Versailles nach Paris sich schneiden.

Die 10te und 11te Brigade des dritten Armee-Corps bivouakirten vorwärts Velisy, die 12te Brigade bei Chatenay und Sceaux; die Reserve-Kavallerie nahm ihre Bivouaks um Plessis-Piquet. Der General v. Thielemann nahm sein Hauptquartier in Villacoublay.

Das zur Reserve bestimmte vierte Armee-Corps war auf der Chaussee nach Versailles gefolgt. Ein Landwehr-Bataillon der 15ten Brigade wurde zur Besetzung von St. Germain und ein zweites Bataillon zur Besetzung von Poissy detaschirt. Die Avantgarde, unter Befehl des

Prinzen Wilhelm v. Preußen, war aus der ganzen Reserve-Kavallerie des Corps und der Brigade des Obersten
v. Hiller gebildet worden. Das Gros des Corps bestand aus
der 13ten und 15ten Brigade nebst der Reserve-Artillerie.

Als eine besondere Kolonne hinter dem Gros folgte
die 14te Brigade, welcher 3 Kavallerie-Regimenter unter
dem Obersten Grafen Dohna beigegeben waren.

Sobald das vierte Corps bei Versailles angekommen war, ließ der General Graf Bülow v. Dennewitz
folgende Anordnungen ausführen. Die 16te Brigade
erhielt den Befehl vor Versailles bei Montreuil einen
Bivouak zu beziehen. Ein Bataillon sollte auf dem
Wege, welcher durch den Bois des Fausses Reposes über
Villedavray nach Sevres führt, vorgeschoben, und ein anderes Bataillon da, wo sich der von Montreuil längs des
Parkes von Clagny führende Weg mit der Chaussee
kreuzt, welche von Rocquencourt auf St. Cloud führt,
aufgestellt werden. Beiden Bataillons wurden Kavallerie-
Piquets zum Patrouilliren überwiesen.

Die Reserve-Kavallerie erhielt ihr Lager gleichfalls
vorwärts Versailles und links von Montreuil angewiesen.
Die übrige Kavallerie bivouakirte in der Stadt, auf dem
Boulevard de l'Imperatrice.

Die 15te Brigade nahm die übrigen freien Plätze
in Versailles ein, und besetzte die Barrieren. Die 13te
Brigade erhielt ihren Bivouak bei Viroflay angewiesen.
Ein Bataillon wurde auf der Straße nach Sevres vorgeschoben, welchem gleichfalls ein Kavallerie-Piquet zugetheilt worden war. Die Reserve-Artillerie lagerte hinter
Versailles, die Stadt vor der Front, und den Weg nach
diesem Orte links behaltend.

Die 14te Brigade erhielt ihren Bivouak unweit
Rocquencourt bei Chenay bei Air angewiesen. Den ein-

zelnen Corps und Brigaden der Armee wurde befohlen, in dem waldigen und durchschnittenen Terrain und bei der Nähe des Feindes die nöthigen Sicherheits= und Vorsichtsmaaßregeln in sich anzuordnen. Außerdem wur= den noch von der Avantgarde des vierten Corps die Orte Buc und Loges besetzt. Ein Offizier und 50 Pferde er= hielten die Weisung, in der Richtung gegen Chartres zu patrouilliren. Die Avantgarde schickte ferner 2 Es= cadrons nach Garches, welche einen Posten in Ruel auf der Chaussee von Neuilly nach St. Germain entsendeten, einen andern Posten bei Suresnes, einen dritten bei dem Schlosse von Busanval und einen vierten bei dem Schlosse Foullieuse, zu stehen hatten. Diese Posten sollten unter= einander communiciren und ihre Patrouillen gegen den Mont Valerien und Neuilly vorschicken, wodurch die Verbindung mit der linken Flügel=Kolonne des ersten Armee=Corps und den Truppen des Majors v. Colomb hergestellt wurde.

Das Hauptquartier des Feldmarschalls Fürsten Blücher war am 2ten Juli in Versailles, wo sich auch das Haupt= quartier des vierten Corps befand.

Dieser speziellen Darstellung der Ereignisse und An= ordnungen bei dem preußischen Heere am 2ten Juli wird nun noch dasjenige hinzuzufügen sein, was der Herzog v. Wellington bei dem englischen Heere eintreten ließ, damit auf diese Weise eine allgemeine Uebersicht der Er= eignisse bis zum 3ten Juli auf der Seite der alliirten Heere gewonnen werden kann.

Ueber einige Anordnungen beim englischen Heere am 2ten Juli.

Die am gestrigen Tage eingenommene Stellung der Engländer bei St. Denis, Aubervilliers, le Bourget und

Blanc menil blieb besetzt, ohne jedoch vom Feinde angegriffen zu werden. Als der Bau der Brücken bei Argenteuil und Chatou beendigt war, rückten noch während der Nacht vom 2ten zum 3ten Juli englische Truppen über die Seine und stellten sich bei Suresnes, Auieres und Courbevoye auf. Die Dörfer Garenne, Chatou und Villeneuve wurden besetzt. Die unmittelbare Verbindung der beiden Kriegsheere war hierdurch bewirkt worden. Schon früher (den 28sten Juni) waren sechs Wagen mit Unterhändlern von Fouché an den Herzog v. Wellington gesandt worden, um Bedingungen im Sinne Fouché's zu erlangen.

Am heutigen Tage, den 2ten Juli, ließ der Marschall Davoust dem Herzoge v. Wellington durch den General Lamotte anzeigen, daß die französische Armee Ludwig XVIII., unter Beibehaltung der dreifarbigen Cokarde und auf die Zusicherung der völligen Vergessenheit alles Vorgefallenen, sich unterwerfen wolle. Man verwies den General Lamotte an den König Ludwig XVIII. selbst; von dem Fürsten Blücher und dem Herzoge v. Wellington aber wurde jede Unterhandlung abgelehnt, bevor nicht Paris besetzt sei, und die französische Armee sich bis hinter die Loire zurückgezogen habe.

Das Hauptquartier des Herzogs v. Wellington blieb am heutigen Tage in Gonesse.

Die Franzosen verändern in der Nacht vom 2ten zum 3ten Juli ihre Aufstellung.

Den verbündeten Heeren gegenüber nahm die feindliche Armee nach Mitternacht vom 2ten zum 3ten Juli folgende Stellung ein. Der linke Flügel reichte bis zur Straße von Orleans; die Fortsetzung ihrer Linie zog sich gegen Vaugirard, diesen Ort stark besetzt haltend, bis an die Seine, an welche sich der rechte Flügel lehnte.

Das Corps des Generals Vandamme lagerte zwischen den Barrieren de l'Ecole militaire und de l'Enfer, so wie vorwärts gegen Vaugirard. Andere Truppentheile bivouakirten jenseits der Seine im Boulogner Walde. Mehrere Abtheilungen hatten längs des Ufers der Seine Posto gefaßt, und thaten von Zeit zu Zeit einige Schüsse auf die diesseits ausgestellten preußischen Posten. Der übrige Theil der feindlichen Streitkräfte stand in den Verschanzungen auf dem rechten Ufer der Seine, um die Engländer zu beobachten.

Wenn man die Ereignisse des heutigen Tages noch einmal überblickt, so ist nicht in Abrede zu stellen, daß, wenn die Franzosen die Defileen von Sevres, die Parks und überhaupt das ganze coupirte Terrain besser und stärker besetzt und vertheidigt hätten, der Kampf für die Preußen viel blutiger geworden, und der Sieg nur mit größerem Menschenverlust zu erringen gewesen wäre. Der Mangel an Thätigkeit und an guter Leitung im feindlichen Heere ist nicht zu verkennen.

Je weniger die Franzosen eigentlich gehandelt haben, desto gewagter sind dagegen ihre jetzigen Behauptungen. Sie glauben, wenn sie 20,000 Mann gegen die Engländer hätten stehen lassen, mit ihren übrigen Streitkräften im Stande gewesen zu sein, die Preußen erfolgreich anzugreifen. Dieser Entschluß wäre aber jetzt zu spät gekommen, indem die Engländer, durch dies Manöver gewiß nicht getäuscht, ruhig bei Aubervilliers stehen geblieben sein würden. Ueberdies war die unmittelbare Verbindung über Argenteuil hergestellt, wodurch ein jedes Debouchiren des Feindes über Neuilly bald verhindert werden konnte. Es durfte also weniger von einem Offensiv=Verfahren, sondern nur von beſſern und zweckmäßigeren Vertheidigungs=Maaßregeln, als die wirklich getroffenen, die Rede ſein, und hierüber iſt bereits geurtheilt worden.

Kehren wir indeß nach dieſen Bemerkungen wieder zu den Operationen des preußiſchen Heeres zurück, ſo traf der Feldmarſchall Fürſt Blücher für den 3ten Juli folgende Anordnungen.

Das erſte Armee=Corps blieb bis auf weitere Ordre bei Meudon und die Avantgarde bei Iſſy ſtehen. Das Seiten=Detaſchement links ſollte durch Kavallerie ver= ſtärkt werden, und gegen den Mont Valerien und die Brücke von Neuilly vorpouſſiren, um zu ſehen, was ſich vom Feinde noch dieſſeits der Seine befinde, und wo möglich dahin wirken, den Feind, in Verbindung mit den Engländern, ganz vom dieſſeitigen Ufer zu vertreiben.

Das dritte Armee=Corps ſollte gleichfalls ſeine Auf= ſtellung behalten, und mit der Avantgarde ſich in Chatillon und Bagneux feſtſetzen. Ein Detaſchement wird nach Bourg la Reine entſendet und Patrouillen nach Chevilly und Villejuif geſchickt. Das vierte Armee=Corps blieb bei Verſailles zur weitern Diſpoſition des Feldmarſchalls.

Der Major v. Czetteritz wurde mit ſeinem Huſaren= Regiment beordert, bei Corbeil oder wo er ſonſt eine Brücke fände, über die Seine zu gehen, und als Parthei= gänger in dem Raume zwiſchen der Marne und Seine zu ſtreifen. Man verband mit dieſer Entſendung den Zweck, das Anrücken feindlicher Verſtärkungen ſo wie auch die Annäherung des Feldmarſchalls Fürſten Wrede zu beobach= ten. Der Major v. Czetteritz ſollte ſich mit dem Oberſt= lieutenant v. Kamecke, der mit dem Regiment Königin Dragoner gegen Chauteau=Thierry entſendet war, in Verbin= dung ſetzen.

Das zu frühe Zurückkommen dieſes letztern Detaſche=

ments behinderte jedoch, wie dies schon früher bemerkt ist, die Ausführung desjenigen Theils dieser Anordnung, welcher auf das Regiment Königin Dragoner unter dem Oberstlieutenant v. Kamecke Bezug nahm.

Das vierte Armee-Corps wurde noch angewiesen, kleinere Detaschements gegen Rambouillet, Dourdan und Longjumeau vorzuschicken.

Auf französischer Seite hatte der Marschall Davoust, nachdem durch die Fortschritte des preußischen Heeres am 2ten Juli die Lage der Verhältnisse sich sehr ungünstig für die Franzosen gestellt hatte, einen Kriegsrath zusammenberufen, in welchem, mit einer Mehrheit von 48 Stimmen gegen 2, die Vertheidigung von Paris unter den jetzigen Umständen für unausführbar erklärt wurde. Man beschloß jedoch, noch einen Angriff auf die preußischen Truppen zu unternehmen, um dadurch ihre Maaßregeln zu prüfen, so wie sich die Ueberzeugung zu verschaffen, ob es nicht möglich sei, den Feind wieder zurückzuwerfen.

Gefecht bei Issy am 3ten Juli.

Es war des Morgens um 3 Uhr, als der General Vandamme in zwei Kolonnen von Vaugirard zum Angriff gegen Issy vorrückte.

Von preußischer Seite hatte man, so viel es die Zeit erlaubte, das Dorf Issy in Vertheidigungsstand gesetzt. Diese Maaßregel war aber auch kaum ausgeführt, als das Gefecht schon mit einer lebhaften Kanonade begann. Der Feind zeigte auch auf seinem rechten Flügel zwischen Vaugirard und der Seine eine überlegene Masse Kavallerie, deren Front durch eine Batterie flankirt wurde, die er auf dem rechten Ufer der Seine bei Auteuil vortheilhaft aufgestellt hatte. Das Dorf Issy wurde hierauf von der feindlichen Infanterie mit vieler Heftigkeit angegriffen. Der Feind führte 20 Geschütze gegen die Front des Dorfes auf. Die preußischen Truppen, obgleich durch einige Barrikaden geschützt, erlitten einen ziemlich bedeutenden Verlust, indem das Dorf dem Kartätschen= feuer ausgesetzt, und die Straßen desselben enfilirt wurden. Das 12te, 24ste Infanterie= und das 2te westphälische Landwehr=Regiment schlugen sich hier mit der größten Auszeichnung. Eine halbe preußische 12pfündige Bat= terie unterstützte die Vertheidiger wirksam. Nachdem der Feind gleichfalls viel Leute verloren hatte, zog er sich zu= rück. Es währte jedoch nicht lange, so rückten die Fran= zosen beträchtlich verstärkt wieder vor. Die 2te Brigade wurde hierauf zur Verstärkung der 1sten beordert, so wie dem ganzen preußischen ersten Armee=Corps der Befehl ertheilt, zu den Waffen zu treten.

Der General v. Zieten bat den Feldmarschall Fürsten Blücher um eine Unterstützung von 2 Brigaden des vier= ten Corps, und ersuchte den General v. Thielemann, daß er, den vom Ober=Commando bereits früher gegebenen Bestimmungen gemäß, von Chatillon vorrücken und den Feind in seiner linken Flanke bedrohen möchte.

Während deß hatten die Franzosen ihren zweiten Angriff auf Issy ausgeführt, waren indeß gleichfalls wieder zurückgeworfen worden. Der Feind setzte hierauf sein Feuer mit Paßkugeln und Kartätschen fort, und versuchte noch einige, jedoch weniger allgemeine Angriffe auf Issy, ohne ein glücklicheres Resultat zu erzwingen.

Die Franzosen überzeugten sich vielmehr, daß es ihnen nicht einmal gelingen würde, die Avantgarde zurück zuwerfen, ohne ein ausgedehnteres Gefecht zu wagen, in dessen Verfolg die Vorstädte von Paris sehr leicht mit Sturm erobert werden konnten.

In diesem Fall würde es aber nicht möglich gewesen

sein, Unordnungen und solche Maaßregeln zu vermeiden, denen nur eine Capitulation vorbeugen konnte. Nachdem daher die eigentlich mit vieler Erbitterung geführten An= griffe der Franzosen auf Issy und die tapfere und kräftige Vertheidigung der Preußen beinahe 4 Stunden gewährt hatte, zog sich der Feind gegen Paris zurück. Die preu= ßischen Tirailleurs folgten sogleich und kamen bis nahe an die Barrieren der Hauptstadt.

Von französischer Seite wird ein Waffenstillstand nachgesucht.

Das Feuer der Franzosen hörte aber auch auf ein= mal auf (7 Uhr Morgens), und es kam der französische General Revest herüber gesprengt, um im Namen des Generals Vandamme die Capitulation von Paris vorzu= stellen und um einen schleunigen Waffenstillstand zu bitten.

Der Feldmarschall Fürst Blücher, der auf den Höhen von Meudon den Gang des Gefechts bei Issy beobachtet hatte, und an welchen der französische General Revest mit seinem Antrag um einen Waffenstillstand sich wandte, verlangte jedoch von dem die französische Armee comman= direnden Marschall Davoust, einen mit größern Voll= machten versehenen Unterhändler, die auch von dem Feld= marschall bezeichnet wurden, ehe er auf die gemachten Vorschläge eingehen könne, und bestimmte zugleich das Schloß von St. Cloud zur Abschließung der Unterhand= lungen, so wie er auch nach diesem Orte sein Haupt= quartier verlegte.

Gleichzeitig mit dem Gefecht bei Issy hatte auch das linke Flügel=Detaschement des ersten Armee=Corps unter dem Hauptmann v. Krensky ein ziemlich lebhaftes Gefecht in der Richtung von St. Cloud gegen Neuilly, in Folge dessen der Feind gegen die Brücke von Neuilly zurückge=
wor=

worfen und ganz von dem linken Ufer der Seine ver=
trieben wurde. Die Nachricht von den eingeleiteten
Unterhandlungen beendigte indeß auch hier die Feindselig=
keiten, jedoch etwas später als bei Iffy, indem man sich
von den gegenüberliegenden Ufern der Seine noch fort=
während beschoß.

Durch ein zufälliges Zusammentreffen der Verhält=
niffe hat auf diefe Weife daffelbe Corps, welches den
15ten Juni den Krieg durch die Gefechte an der Sambre
eröffnete, auch am 3ten Juli durch die Gefechte bei Iffy
und Neuilly den Krieg beendigt. Der Gefchichte bleibt
es jedoch vorbehalten, die Großthaten aufzuzeichnen, durch
welche es möglich wurde, die Beendigung des Feldzugs
in 19 Tagen herbeizuführen

Indem es ferner zur Gefchichte gehört, auch die
näheren Bedingungen anzuführen, unter denen die Haupt=
ftadt Frankreichs in die Hände des vereinigten preußifchen
und englifchen Heeres fiel, wird dies am besten gefchehen,
wenn man die wefentlichen Punkte, die von den beiden
alliirten Feldherren verlangt wurden, kennen lernt.

Der Fürft Blücher hatte gleich nach dem ihm ge=
machten Anerbieten der Uebergabe von Paris den Herzog
v. Wellington einladen laffen, nach St. Clôud zu kom=
men, um den Unterhandlungen beizuwohnen.

Nachdem der Herzog v. Wellington eingetroffen war,
wurde die in den Beilagen enthaltene Convention abgefchlof=
fen, mit welcher der Krieg im freien Felde endigte. Man hatte
von preußifcher Seite den Generalmajor Freiherrn v. Müff=
-ling, von englifcher Seite den Oberften Hervey und von
franzöfifcher Seite den Minifter der auswärtigen Ange=
legenheiten Baron Bignon, den Präfekten von Paris
Bondy und den Chef des Generalftabes Grafen Guille=
minot zu Führung der Unterhandlungen gewählt.

II.   11

Von französischer Seite war bereits ein Plan zur Convention entworfen worden, welcher jedoch beseitigt wurde.

· Obgleich die beiden Feldmarschälle die Mittel in Händen hatten, eine Capitulation zu diktiren, so war es doch ihre Absicht, mit der größten Schonung zu verfahren, wenn nur die vier folgenden Hauptzwecke erreicht wurden:

1) Die französische Armee in eine solche Lage zu versetzen, daß sie keinen Einfluß auf das französische Gouvernement ausüben konnte;

2) das Gouvernement in der Gewalt der Alliirten zu behalten, und keine Verlegung desselben von Paris zu gestatten;

3) die französische Armee in eine solche Lage zu versetzen, daß sie uns militairisch nicht mehr gefährlich werden konnte, und

4) daß nichts eingegangen wurde, wodurch die Souveraine in ihren künftigen Maaßregeln genirt werden konnten.

Da anfänglich die französischen Bevollmächtigen das Zurückgehen der feindlichen Armee über die Loire verweigerten, so erklärten die Feldmarschälle, daß sie den Waffenstillstand nur unter der Bedingung eingehen könnten, wenn die französische Armee sofort hinter die Loire sich begebe. ·

Da es hiernach von der feindlichen Armee abhing, sich aufzustellen, wo sie wollte, sie jedoch auch erwarten mußte, daß sie unverzüglich angegriffen werden würde, ihre Lage aber nicht von der Art war, daß sie eine Schlacht annehmen konnte, so beseitigte dies den streitigen Punkt.

Die Commissarien des französischen Gouvernements verlangten auch, daß diese Capitulation im Namen aller allürten Armeen abgeschlossen werden möchte, was jedoch nur dem höheren Ermessen der Monarchen anheimgestellt bleiben konnte.

Diese Uebereinkunft bleibt von historischem Interesse, indem man nicht allein bei verschiedenen Veranlassungen auf einzelne Artikel derselben sich später berief, sondern auch weil die Bestimmungen derselben bis zum definitiven Friedensschluß, welcher erst den 20sten November 1815 erfolgte, in Wirksamkeit blieben, und daher die Ereignisse dieses Zeitraums bedingten.

Die Ratifikationen der Uebereinkunft wurden am 4ten Juli früh um 5 Uhr auf der Brücke von Neuilly ausgewechselt, so wie auch an diesem Tage die Ausführung der Convention begann.

Es war bei der Capitulation übersehen worden, im achten Artikel die Uebergabe des Forts Vincennes mit zu bestimmen. Man hatte den Umstand gegen sich, daß in der Convention von 1814 diese ebenfalls nicht festgesetzt und auch den Alliirten nicht übergeben worden, und war daher in der Nothwendigkeit, es bis zum Frieden zu blokiren, um so mehr, da eine große Masse von Waffen= und Pulver=Vorräthen u. s. w. bei der Räumung von Paris ganz gegen den dritten Artikel der Capitulation hierher geflüchtet waren. Es wurden später eine Anzahl Gewehre herausgegeben, womit die Alliirten sich begnügten.

Der Feldmarschall Fürst Blücher war Willens, Vincennes sogleich angreifen zu lassen. Die höhere Bestimmung der Monarchen ließ jedoch dies Vorhaben unausgeführt.

Auf die bezeichnete Weise waren jedoch durch die Convention die wesentlichsten Bedingungen, die Uebergabe der Hauptstadt und der Abmarsch der feindlichen Armee hinter die Loire, welchen sie schon am 4ten Juli beginnen, und in 8 Tagen beendigt haben sollte, vollkommen erreicht worden.

Die Hauptstadt Frankreichs fiel demnach nach Ablauf eines Jahres zum zweiten Male in die Hände der Sieger. Die Verhältnisse geboten strengere Maaßregeln als früher, die auch noch in viel größerem Umfange durch eine Capitulation, welche die Noth abdrang, gerechtfertigt wurden.

Außer dem Nachtheil, die theilweise Zerstörung der Hauptstadt herbeizuführen, konnte die feindliche Armee bei einem längeren Aufenthalt in Paris auch einer wirklichen Gefangenschaft nicht entgehen.

Die späteren Schritte, die das französische Gouvernement in Betreff der Armee als nothwendig erkannte, gehören nicht mehr zu dem Bereich dieser Darstellung.

Bei einem Rückblick auf den kurzen aber sehr thatenreichen Feldzug, dessen eigentliche Beendigung hier anzunehmen ist, darf man ohne Vorurtheil behaupten, daß die Kriegsgeschichte bis jetzt noch kein Beispiel eines so in sich vollendeten Kampfes, in welchem ein so hoher Grad von geistiger und moralischer Kraft von allen Theilen entwickelt wurde, aufzuzeigen hat.

Die früheren glänzenden Feldzüge Napoleons zeigen gewöhnlich nur sein Uebergewicht, aber weniger Gegenkraft seiner Feinde.

In der kurzen Zeit von 19 Tagen wurde eins der schönsten Heere, die Frankreich je besessen, von einem kühnen und ausgezeichneten Feldherrn angeführt, nicht allein fast vernichtet und die Hälfte von Frankreich erobert, sondern auch durch die Ueberwindung der Hauptstadt der Krieg selbst beendigt.

Die moralische Kraft des preußischen Heers, durch welche es möglich wurde, den zweiten Tag nach der verlornen Schlacht bei Ligny eine neue große Schlacht zu kämpfen und darin zu siegen, wird als ein ewiges und großes Denkmal der Nachwelt überliefert werden müssen. Die großartige und stets denkwürdige Tapferkeit der Engländer in der Schlacht bei Belle=Alliance hielt den gewaltigen Stoß des französischen Heeres und seines kühnen Führers ab.

Beide Heere vereint errangen den größten und entscheidendsten Sieg der neuern Geschichte.

Durch die kräftige und rastlose Verfolgung der Preußen wurde die französische Armee gesprengt, und der schnelle Marsch gegen Paris zerriß die Intriguen der Politik und der einzelnen Partheien in Frankreich.

In der Hauptstadt, gleichsam unter den Augen Frankreichs, wollte das von Neuem sich sammelnde französische Heer das Unglück seiner Waffen aufhalten und den Kampf wieder herstellen. Aber die kühne Umgehung von Paris und das Festsetzen des preußischen Heeres auf der Rückzugslinie der Franzosen beendigte den Krieg.

So, gleich einem großen Kunstwerk, war in wenigen kräftigen Zügen der Nachwelt ein Werk hinterlassen, welches die Feldherren und ihre Heere charakterisirt und den künftigen Geschlechtern zur Nacheiferung dienen wird.

Für Preußen insbesondere zeigt die Geschichte der vergangenen Tage, daß der heldenmüthige Geist seines Volkes und seines Heeres im Unglück des Vaterlandes erwuchs. In der Brust der Edlen war der Glaube nicht untergegangen, daß die tyrannische Entwürdigung des Volks durch einen Einzelnen endlich ihr Ziel finden würde.

Der heldenmüthige Kampf in den Jahren 1813 und 1814 zeigte die großartige Erfüllung dieser Ansicht. Wogegen in der glücklichen Beendigung dieses Feldzugs die Wiedervergeltung, welche die Geschichte den heiligen Satzungen des Rechts und des Wahren stets gewähret, wieder zu finden sein dürfte.

Anhang.

166

Der heldenmüthige Kampf in den Jahren 1813 und 1814 zeigte die großartige Erfüllung dieser Ansicht. Wogegen in der glücklichen Beendigung dieses Feldzugs die Wiedervergeltung, welche die Geschichte den heiligen Satzungen des Rechts und des Wahren stets gewähret, wieder zu finden sein dürfte.

Anhang.

Bezeichnet man nun noch die Thatsachen, welche die Ausführung der Capitulation von Paris, so wie die Maaßregeln, welche die Verfolgung der feindlichen Armee bis zur Loire bezweckten, und weiht man zuletzt noch einige Augenblicke dem Geschicke des Mannes, welcher der gefährlichste Feind der Freiheit Europas war, so würden, nachdem die Darstellung der eigentlichen Kriegs-Ereignisse im freien Felde beendigt ist, doch zum geschicht-lichen Ueberblick dieses neuen Abschnittes auch jene That-sachen gehören, weshalb auch der hier folgende Anhang seine Stelle gefunden hat.

Die Anordnungen des Feldmarschalls Fürsten Blücher waren bis zum 3ten Juli angegeben, und wurden auch sämmtlich, wie sie bezeichnet sind, ausgeführt.

Bei der Armee des Herzogs v. Wellington bezog das Reserve-Corps das Lager zwischen Bonneuil und Arnonville.

Den 4ten Juli befahl der Feldmarschall Fürst Blücher, daß, obgleich bereits in der Nacht vom 3ten zum 4ten Juli die Capitulation von Paris abgeschlossen sei und die franzö-sische Armee hinter die Loire marschiren würde, die nöthigen Sicherheitsmaaßregeln dessen ungeachtet nach wie vor beob-achtet bleiben müßten. Alle Detaschements, und besonders diejenigen, welche auf der Straße von Orleans vorgeschickt worden waren, sollten so schnell als möglich von dem ab-geschlossenen Waffenstand in Kenntniß gesetzt und ange-

wiesen werden, die Straßen von Paris nach Fontaine=
bleau und nach Orleans nicht zu beunruhigen, weil die
französischen Truppen auf diesen nach der Loire marschir=
ten. Uebrigens blieben die preußischen Corps in ihrer
alten Aufstellung.

Die englischen Truppen besetzten heute, der Ueber=
einkunft zufolge, St. Denis, St. Ouen, Clichy und
Neuilly. Der Herzog v. Wellington verlegte sein Haupt=
quartier nach Neuilly.

Rückzug der französischen Armee hinter die Loire.

Das französische Heer, vom Marschall Davoust be=
fehligt, begann heute (4ten Juli) Paris zu verlassen, und
gegen die Loire sich in Marsch zu setzen.

Den 5ten Juli blieben das preußische und das eng=
lische Heer in ihren eingenommenen Stellungen unverän=
dert stehen. Am Mittage besetzten die Engländer den
Montmartre, und die französische National=Garde über=
nahm den Dienst in Paris.

Die Anfangs zum 6ten Juli bestimmte Besetzung
der Hauptstadt wurde nach Auslegung der Convention
von französischer Seite dahin abgeändert, daß an dem=
selben Tage nur die Barrieren auf dem linken Ufer der
Seine übergeben wurden, und der Einmarsch in die Haupt=
stadt erst am folgenden Tage eintrat.

Der Generallieutenant v. Zieten ließ den 6ten Juli,
Nachmittags um 2 Uhr, durch drei Bataillons Infan=
terie, eine Escadron Kavallerie und eine 6pfündige Fuß=
batterie 11 Barrieren der Hauptstadt und das Pulver=
Magazin von Grenelles militärisch besetzen. Der Dienst
und die damit verbundene Patrouillirung wurden den Ver=
hältnissen gemäß angeordnet.

Am heutigen Tage wurden noch sämmtliche Pioniere

der Armee nach Sevres und St. Cloud beordert, um hier die Brücken über die Seine wieder herzustellen.

Den 7ten Juli befahl der Feldmarschall Fürst Blücher dem ersten Armee=Corps, seinen Einmarsch in Paris auszuführen, und die Besetzung der später nachzuweisenden Theile der Hauptstadt zu übernehmen. Das dritte und vierte Armee=Corps sollten dagegen noch in ihren Positionen stehen bleiben, bis die feindliche Armee die gehörige Entfernung gewonnen hätte, um alsdann gleichfalls nach Paris und zu ihrer weiteren Bestimmung abzumarschiren.

Kleine Beobachtungs=Detaschements wurden dem Feinde in gehörigen Entfernungen nachgeschickt, um seinen Marsch im Auge zu behalten.

Es brach auch noch am heutigen Tage von jedem Armee=Corps ein Kavallerie=Regiment auf, um im Rücken der Armee die Ordnung herzustellen. Das Kavallerie= Regiment des ersten Armee=Corps marschirte nach Compiègne, das des dritten Corps nach Senlis und das des vierten Corps nach St. Germain.

Der Feldmarschall Fürst Blücher fand auch nothwendig, bei der Aufregung und den vielfachen Partheiungen, welche in der Hauptstadt bestanden, und wechselseitig nach Macht und Gewalt strebten, seinen Truppen zu befehlen, sämmtliche Franzosen mit Ernst und Zurückhaltung zu behandeln, aber jede muthwillige Beleidigung zu vermeiden. Er erwartete, daß die Armee, welche so ruhmvoll gefochten, jetzt sich nicht durch Uebermuth entehren, sondern sich auch als Sieger menschlich und bescheiden betragen würde.

Der Generallieutenant v. Zieten hatte den 7ten Juli um 11 Uhr des Morgens sein Corps zum Einzuge in Paris versammelt, welcher in folgender Marschordnung statt fand: Zuerst die 3te Brigade, dann die Reserve=

Kavallerie, darauf folgte die Reserve=Artillerie, dann die
2te Brigade, die 1ste Brigade, und zuletzt die 4te Bri=
gade. Der Marsch ging zur Barriere de l'Ecole militaire
hinein, längs des Quais die Seine aufwärts und die
Tuilerien vorbei.

**Die Preußen besetzen (den 7ten Juli) Paris, und
folgen dem Feinde gegen die Loire mit dem drit=
ten und vierten Armee-Corps.**

Die militairische Besetzung von Paris wurde hierauf so ausgeführt, daß die 1ste Brigade sämmtliche Brük=
ken und Inseln der Seine von Pont neuf bis Pont du
Jardin du Roi, und das Arrondissement № 9 besetzte;
die 2te Brigade das Palais Luxemburg; die 3te Bri=
gade Champ de Mars und das Hotel des Invalides nebst
den Brücken von Pont neuf bis Pont des Invalides;
die 4te Brigade Place de la concorde, Tuilerien und Louvre
einzunehmen und zu besetzen den Auftrag erhielten.

Die Reserve=Kavallerie und Artillerie stellten sich auf
den Champs Elisées, der Train und die Bagage auf dem
Champ de Mars auf.

Der Feldmarschall ernannte den Obersten v. Pfuhl
zum Commandanten von Paris, und ersuchte den Herzog
von Wellington, gleichfalls einen Officier zu bestimmen,
welcher den Befehl in Paris führe. Der Herzog schlug
den preußischer Seits in seinem Hauptquartier angestell-
ten Generalmajor Freiherrn v. Müffling zum Gouverneur
der Hauptstadt vor.

Der Feldmarschall Fürst Blücher nahm sein Hauptquartier bis zur Zeit des Abmarsches seiner Armee in
St. Cloud. Der Herzog von Wellington verlegte dage=
gen das seine heute nach Paris. In der Aufstellung
der englischen Armee traten keine Veränderungen ein.

Den 8ten Juli rückte das dritte preußische Armee=
Corps unter dem Generallieutenant Freiherrn v. Thiele=
mann in Paris ein, und poussirte seine Avantgarde, aus
einer Kavallerie=Brigade und dem Füsilier=Bataillon des
Leib=Infanterie=Regiments bestehend, bis nach Villejuif
auf der Straße nach Fontainebleau vor.

Ein Theil der englischen Armee bezog ein Lager im
Boulogner Walde; die übrigen Truppen erhielten um St.
Denis und weiter rückwärts Quartiere angewiesen.

Am heutigen Nachmittage um 3 Uhr hielt der Kö=
nig von Frankreich, Ludwig XVIII., nachdem er in Ar=
nonville die Nacht zugebracht hatte, von St. Denis kom=
mend, seinen Einzug in Paris.

Den 9ten Juli erhielt der Generallieutenant Freiherr
v. Thielemann den Befehl, nachdem sein Corps einen Tag
in Paris zugebracht hatte, auf der Straße von Fontaine=
bleau weiter zu marschiren, und zwischen Juvissy und Cor=
beil Cantonnirungen zu beziehen. Das dritte Armee=Corps
führte diesen Befehl in der Art aus, daß die 9te Bri=
gade in Corbeil, Essonne und Gegend die Quartiere an=
gewiesen erhielt; die 10te Brigade nach Morsan, Oran=
gis, Couronnes, Bouduffle, Fleury le Plessis, le Comte,
Lisses Morsang; die 11te Brigade nach Villemoison, Epi=
nay, St. Michel, St. Genevieve; die 12te Brigade nach
Lonjumeau, Chilly, Morangis, Ballinvilliers, Montchery,
Linas und Champlan; die Reserve=Kavallerie nach Me=
necy, Echarcon, Fontenay, Ormoy, Villeroy, le Coudray
Monceaux, St. Fargaux; die Reserve=Artillerie nach Sa=
vigny, Viry, Gringy, Ris, und das Hauptquartier nach
Savigny verlegt wurden.

Am heutigen Tage (9ten Juli) hielt auch das vierte
preußische Armee=Corps seinen Einzug in Paris. Die
Avantgarde unter Befehl des Prinzen Wilhelm von Preu=

ßen, an der Tête ein Kavallerie-Regiment; dann die Brigade des Obersten v. Hiller und die ganze Reserve-Kavallerie befanden sich an der Spitze der Kolonne.

Das Gros, aus der 13ten, 14ten 15ten, Brigade
und der Reserve-Artillerie bestehend, folgte.

Die Vorder-Detaschements der Avantgarde unter
dem Major v. Colomb, aus dem 8ten Husaren-Regiment
bestehend, rückten bis Rambouillet vor, und poussirten ihre
Beobachtungs-Detaschements bis Chartres.   Das 12te
pommersche Landwehr-Kavallerie-Regiment unter dem Major v. Blankenburg, rückte gegen Angerville vor, und
beobachtete in dieser Richtung den Abmarsch des Feindes,
indem es der von den Feinden genommenen Direktion über
die Loire folgte.

In Versailles blieb ein Bataillon zur Besatzung,
so wie St. Germain durch ein Detaschement von zwei
Bataillons und einer Abtheilung Kavallerie festgehalten
wurde.

Von Seiten der englischen Armee wurde heute die
Besetzung der beiden Barrieren von Pantin und St.
Denis durch ein Bataillon Infanterie und zwei Compagnien Husaren von den braunschweigschen Truppen übernommen.

Den 10ten Juli setzte das 3te Armee-Corps seinen
Marsch in der Art fort, daß es am Abend dieses Tages
zwischen la Ferté Aleps und Perthes Cantonnirungen bezog.

Die ganze Reserve-Kavallerie des dritten Corps
wurde in den Richtungen gegen die Loire vorpoussirt.

Die 1ste Kavallerie-Brigade beobachtete die Straße,
welche über Pithiviers nach Orleans führt, so wie beide
Straßen, welche von Etampes kommen, und die eine über
Angerville, die andere über Autruy und Faronville nach

Orleans führen; die letztere jedoch nur durch kleine Seiten-Detaschements.

Die 2te Kavallerie-Brigade marschirte nach Nemours und Gegend, und beobachtete die Straßen, welche über Montargis und über Gironville nach der Loire gehen. Das Hauptquartier des Generallieutenants Freiherrn v. Thielemann war in Corbeil.

Den 11ten Juli bezog das dritte preußische Armee-Corps zwischen Fontainebleau, Nemours und Malesherbes Cantonnirungen. Das Hauptquartier des Generals v. Thielemann kam nach Fontainebleau.

Der Feldmarschall Fürst Blücher befahl, in diesen Quartieren vorläufig stehen zu bleiben, und nur solche Anordnungen zu treffen, daß man die Maaßregeln des Feindes zu beobachten im Stande sei, und auch bei einem Vorrücken der Franzosen sich in der Lage befinde, ihnen conzentrirt entgegenrücken zu können.

Es war ferner die Absicht des Feldmarschalls, daß die Avantgarde des dritten Corps bis Pithiviers und Neuville, so wie Detaschements gegen Orleans und Gien vorrücken sollten. Die Verbindung mit der Avantgarde der baierschen Armee unter dem Feldmarschall Fürsten Wrede sollte in der Richtung gegen Gien ausgeführt werden.

Der Generallieutenant Freiherr v. Thielemann kam diesen Anordnungen in der Art nach, daß die 1ste Brigade der Reserve-Kavallerie die Straßen über Marigny, so wie über Ambert und Artenay nach Orleans beobachtete, und starke Patrouillen nach Orleans poussirte. Die Cantonnirungen dieser Kavallerie-Brigade waren vorwärts Pithiviers. Ebenso wurden durch die 2te Brigade der Reserve-Kavallerie die Straßen, welche über Chatenay nach Chateauneuf gegen die Loire führen, so wie die auf

Sien führenden Wege beobachtet. Die Brigade canton=
nirte in Beaumont und Gegend.

Zur Unterstützung dieser vorgeschobenen Kavallerie
wurde die 9te Infanterie=Brigade als Avantgarde nach
Pithiviers und den rückwärts liegenden Dörfern verlegt.

Die 10te Brigade erhielt ihre Quartiere bis Ne=
mours und Gegend. Sie ließ durch ihre Brigade=Ka=
vallerie die Verbindung mit der 2ten Kavallerie=Brigade
unterhalten, und Montargis durch einen Posten besetzen.

Die 11te Brigade cantonnirte bis Fontainebleau und
Gegend; die 12te Brigade bis Malesherbes und Gegend.
Sie unterhielt die Verbindung mit der 1sten Kavallerie=
Brigade.

Die Reserve=Artillerie cantonnirte rückwärts Fon=
tainebleau in Chailly, Fleury, St. Martin, Perthes, Vil=
lers und St. Sauveur.

Der Generallieutenant v. Thielemann befahl noch,
daß beim unvermutheten starken Vordringen des Feindes
die 1ste Kavallerie=Brigade auf die 9te Brigade, diese
auf die 12te Brigade; die 2te Kavallerie=Brigade auf die
10te, und diese auf die 11te Brigade sich zurückziehen sollten.

Die Meldungen der 1sten Kavallerie=Brigade wur=
den über Pithiviers, Malesherbes und Fontainebleau be=
stimmt, und die wichtigen Nachrichten sogleich dem Gene=
ral v. Borcke mitgetheilt. Die Meldungen der 2ten Ka=
vallerie=Brigade über Nemours nach Fontainebleau soll=
ten zugleich an den General v. Hobe nach Mareau gehen.
Die 1ste Kavallerie=Brigade hatte die Verbindung mit
dem vierten Armee=Corps, dessen Vorder=Detaschements
gegen Rambouillet und Chartres vorgeschoben waren,
aufzusuchen, und der 2ten Kavallerie=Brigade wurde auf=
gegeben, die Verbindung mit der baierschen Armee an=
zuknüpfen.

Das

Das vierte preußische Armee-Corps blieb während des 9ten, 10ten und 11ten Juli in Paris. Nur die Avantgarde und die Reserve-Kavallerie des vierten Armee-Corps setzte sich schon am 11ten Juli nach Versailles und Gegend in Marsch.

Das Gros des Corps erhielt den Befehl, den 12ten Juli nach Versailles zu folgen und später Cantonnirungen zwischen Versailles, Rambouillet und Houdan zu beziehen. Die Avantgarde sollte bis Chateau d'un und Detaschements bis Blois, Vendome und Alençon geschickt werden. Vom Corps selbst gehen Detaschements nach Evreux.

Die 4 Regimenter der Reserve-Kavallerie des zweiten Armee-Corps, welche unter den Befehl des Generalmajors v. Katzeler gestellt wurden, erhielten auf dem rechten Flügel der Armee in Poissy, Pontoise, Meulan und Mantes ihre Quartiere.

Der General Graf Bülow von Dennewitz ließ den 11ten Juli die Avantgarde, aus der Brigade des Obersten v. Hiller und der Reserve-Kavallerie des vierten Corps zusammengesetzt, unter dem General v. Sydow aufbrechen und bis Versailles marschiren.

Den 12ten Juli rückte die Avantgarde unter dem Obersten v. Hiller bis Rambouillet und die diesseits liegenden Dörfer. Der Major v. Colomb, welcher bisher hier gestanden, marschirte mit dem ihm untergebenen Regimente nach Maintenon, und zog das Füsilier-Bataillon des 15ten Regiments an sich. Die Spitze dieses Detaschements wurde bis Chartres poussirt, und die Patrouillen durften den Feind nicht aus dem Auge verlieren. Das Detaschement des Majors v. Blankenburg, aus dem 1sten pommerschen Kavallerie-Regiment und einer Escadron des neumärkischen Landwehr-Kavallerie-Regiments bestehend,

II.   12

blieb in Angerville, hielt die Verbindung mit dem dritten Armee-Corps, und pouſſirte gleichfalls gegen den Feind.

Die Reſerve-Kavallerie bezog ihre Marſchquartiere den 12ten Juli hinter der Avantgarde zwiſchen le Tremblan, Bazoches, St. Renn, les Eſſarts, Maincourt, Levy, Coigneres, Maurepas, Jouars. Ein Detaſchement wurde nach Montfort pouſſirt.

Das Gros des Corps brach den 12ten Juli um 5 Uhr des Morgens von Paris auf. Die 13te Brigade erhielt Quartiere um Jouy, die 14te um St. Cyr, die 15te in Verſailles, die Reſerve-Artillerie in Villiſy. Das Hauptquartier des Generals Grafen Bülow von Dennewitz kam nach Verſailles.

Den 13ten Juli rückte die Avantgarde und die Reſerve-Kavallerie des vierten Armee-Corps unter Befehl des Generalmajors v. Sydow auf der Straße nach Chartres vor.

Das Vorder-Detaſchement unter dem Major v. Colomb erreichte Chartres und pouſſirte auf der Straße nach Chateau d'un vor. Die Infanterie der Avantgarde unter dem Oberſten v. Hiller bezog Quartiere vorwärts Maintenon. Die Reſerve-Kavallerie des vierten Corps cantonnirte um Rambouillet. Das Gros des Corps blieb in den geſtrigen Quartieren.

Den 14ten Juli marſchirte der Major v. Colomb auf der Straße nach Chateau d'un bis Bonneval und Huſſay. Die Infanterie der Avantgarde unter dem Oberſten v. Hiller war in und vorwärts Chartres. Die Reſerve-Kavallerie blieb am heutigen Tage in der Gegend von Rambouillet, dagegen bezog die 13te Brigade die Cantonnirungen in Rambouillet und Gegend. Die 14te Brigade nahm ihre Quartiere in Houdan und Gegend, die 15te Brigade in und um Verſailles; die Reſerve-Kavallerie kam nach Trappes.

Der General Graf Bülow von Dennewitz blieb mit seinem Hauptquartier in Versailles.

Das Gros des Corps behielt von jetzt ab die bezeichnetren Quartiere, und nur das Detaschement des Majors v. Colomb rückte bis Vendome vor, und sendete seine Vorder-Abtheilungen nach Blois, Mans und Tours. Die Infanterie der Avantgarde unter dem Obersten v. Hiller kam nach Chateau d'un; die Reserve-Kavallerie erhielt Quartiere in und um Chartres angewiesen.

Das Detaschement des Majors v. Blankenburg blieb in Angerville und patrouillirte bis Orleans, so wie es die Verbindung mit dem dritten Armee-Corps aufrecht erhielt.

Das vierte Armee-Corps beobachtete demnach die Straßen gegen Orleans, Tours und Blois, und deckte seine Flanke gegen Mans, Alençon und Evreur; die 4 Regimenter der Reserve-Kavallerie des zweiten Armee-Corps lagen in den schon früher bezeichneten Quartieren von Poissy, die Seine herunterwärts bis Mantes.

Das Hauptquartier des Feldmarschalls Fürsten Blücher blieb in St. Cloud, so wie das erste Armee-Corps fortwährend zur Besetzung von Paris verwendet wurde.

Stand der Verhältnisse am 18ten Juli.

Die preußische Armee hatte demnach die von Paris aus in den verschiedenen Richtungen gegen die Loire führenden Straßen besetzt, und behielt hinter dieser Linie das erste Armee-Corps zur Reserve.

Der Feldmarschall Fürst Wrede war ferner gleich nach Abschließung der Capitulation von Paris durch den Fürsten Blücher aufgefordert worden, zwischen Marne und Seine sich aufzustellen, und seine Avantgarde gegen Gien an die Loire zu poussiren. Hierdurch wurde die erste Einwirkung der übrigen verbündeten Armeen auf die gegen Paris unternommenen Operationen herbeigeführt.

Die englische Armee blieb während dieser Bewegungen in ihrer alten Aufstellung, und war dadurch der Communikation im Rücken der Heere förderlich.

Als auf diese Weise die Aufstellung der Armee, welche für jetzt die Operationen bedingten, ausgeführt worden, war es die Absicht der Feldherren, die höhere Entscheidung der Monarchen und das Herankommen der übrigen Heere abzuwarten.

Bei dem allmähligen Vorrücken des dritten und des vierten Corps gegen die Loire hatte der Feldmarschall Fürst Blücher befohlen, daß alle französische Truppen diesseits der Loire aufgefordert werden sollten, hinter den Fluß zurückzugehen, weil jedes Verbleiben diesseits ein Bruch der Convention sei.

An allen Orten sollten die Einwohner und National-Garden sogleich entwaffnet nnd sämmtliche Gewehre nach St. Germain geschickt werden. Man beabsichtigte, hier ein Waffen-Depots anzulegen, welches auch zur Ausführung kam. Die Pulverfabrik in Essonne wurde sogleich besetzt und ihr Zustand untersucht.

Um die Straßen vom Feinde zu reinigen, und überhaupt Sicherheit in dem eingenommenen Landesstrich gegen die Loire zu erhalten, wurden mobile Kolonnen, aus einem Bataillon Infanterie und einer Escadron Kavallerie bestehend, entsendet. Kleinere Kolonnen, aus einer Compagnie Infanterie und 50 Mann Kavallerie zusammengesetzt, reinigten die Seiten-Communikationen. Ueberhaupt wurde Alles vom Feinde, was sich nicht einschließen und belagern ließ, hinter die Loire verwiesen.

Diese Maaßregeln wurden preußischer Seits mit Erfolg durchgeführt.

Man wußte von der feindlichen Armee, daß der Marschall Davouſt ſein Hauptquartier in la Source und der General Vandamme das ſeinige in St. Marçeau dieſſeits der Brücke hatten. Bei Gien ſollte der Feind ſich noch dieſſeits der Loire befinden, und in der Stärke von 15,000 Mann in der Nähe dieſes Ortes aufgeſtellt ſein.

Mit den von preußiſcher Seite getroffenen Maaßregeln zur Ausführung der Convention von Paris ſchließen ſich die unmittelbar mit dieſem Ereigniß in Berührung ſtehenden Thatſachen. Später können erſt diejenigen Anordnungen bezeichnet werden, welche für das Feſtſetzen der preußiſchen Armee im weſtlichen Frankreich nöthig befunden wurden.

Ueber die letzten freien Schritte Napoleons zur Herbeiführung ſeines Geſchicks.

Verfolgt man nun noch zuletzt das Schickſal des Mannes, deſſen Wiederauftreten dieſen Krieg veranlaßt hatte, ſo iſt bereits früher bemerkt, daß Napoleon den 29ſten Juni von Malmaiſon nach Rocheſort abreiſete. Nach andern Häfen, wo er hätte zu entkommen hoffen dürfen, war ihm der Weg theils durch die verbündeten Heere, theils durch die Vendeer verſperrt. Vielleicht hatte auch Fouché, der über Napoleons Auslieferung mit dem Herzoge v. Wellington unterhandelte, ihm den Weg nach Rocheſort nur offen gelaſſen, um ihn dort deſto ſicherer den Engländern zu überliefern.

Napoleon kam den 3ten Juli in Rocheſort an. Dort lagen die beiden Fregatten die Saale und Meduſa, welche auf Befehl der proviſoriſchen Regierung für ihn ausgerüſtet waren. Erſt den 8ten Juli des Abends begab er ſich an Bord der Saale.

Seit Anfang des Monats Juli, sobald man die wahrscheinlichen Folgen der Schlacht bei Belle-Alliance erkannte, wurde die ganze westliche Küste von Frankreich von englischen Schiffen beobachtet, um jeder Möglichkeit, Napoleon aus irgend einem Hafen in dieser Richtung entkommen zu sehen, vorzubeugen.

Der Admiral Lord Keith, welcher Oberbefehlshaber der Flotte des Kanals war, hatte die unter seinem Befehl stehenden Schiffs-Abtheilungen so aufgestellt, daß eine Linie von Kreuzern von verschiedener Gattung auf der Höhe der wichtigsten Häfen zwischen Brest und Bayonne sich befand. Außerdem wurde noch der Raum von der Insel Quessant bis zum Cap Finisterre durch Kreuzer beobachtet. Die Befehlshaber dieser Abtheilungen hatten die strengste Ordre, kein Fahrzeug undurchsucht vorüber zu lassen. Nicht weniger als 30 Schiffe von verschiedener Gattung bildeten diese Blokade.

Dieser Anordnung zufolge kreuzte das britische Linien-schiff, der Bellerophon, auf der Höhe von Rochefort mit dem gelegentlichen Beistande des Slaney, der Phöbe und anderer kleiner Schiffe, die zuweilen gegenwärtig, zuweilen abgeschickt waren, wie es der Dienst gerade erforderte.

Die letzten Befehle, welche der Kapitain Maitland, Commandant des Bellerophon, erhielt, bezogen sich besonders auf die Beobachtung der französischen Fregatten in den Rheden von Aix bei Rochefort. In der Anlage ist ein Schreiben des Admirals Hotham, welcher einen Theil des großen Blokade-Geschwaders befehligte, vom 8ten Juli datirt, beigefügt, wonach anzunehmen sein dürfte, daß man von Paris aus über die Absicht Napoleons, sich einzuschiffen, wohl unterrichtet war, und auch die Richtung kannte, die er zur Ausführung seines Entschlusses genommen hatte.

Napoleon beschloß, auch nach seiner Einschiffung eine Zeit lang auf der Rhede der Insel Aix zu bleiben und die englischen Kreuzer zu beobachten. Noch einmal hoffte er auf die Gunst seines Glückssterns, der ihn im Jahre 1799 bei seiner Rückkehr aus Aegypten glücklich durch die englischen Geschwader nach Frejus geführt, und vor vier Monaten in der Bay von St. Juan hatte landen lassen. Aber vergebens! So oft er das Fernglas auf das brittische Geschwader richtete, überzeugte er sich von der Unmöglichkeit zu entkommen. Daß er von der Landseite her ebenfalls genau beobachtet werde, konnte ihm nicht unbekannt sein.

Am 9ten Juli stieg Napoleon auf der Insel Aix aus, und begann von hier aus Unterhandlungen, welche ihm eine freie Ueberfahrt nach Amerika gewähren sollten. Es scheint, daß Napoleon nur beabsichtigte, Zeit zu gewinnen und die Wachsamkeit der Engländer zu täuschen, indem er gleichzeitig mit diesen Unterhandlungen das Heranschaffen von zwei halbgedeckten Fahrzeugen, welche zu seinem Entkommen bestimmt waren, von la Rochelle ausführen ließ.

In der Nacht vom 11ten zum 12ten Juli vernahm Napoleon von seinem Bruder Joseph die Auflösung der Kammern und den Einzug Ludwigs XVIII. in Paris. Bis zu diesem Augenblicke hatte er öfter die Hoffnung geäußert, daß die Kammern ihn zurückrufen würden. Am 12ten Juli stieg er abermals auf der Insel Aix aus, wohin auch in der folgenden Nacht die beiden Fahrzeuge von Rochelle gebracht wurden. Napoleon wollte sich darauf einschiffen und an Bord einer dänischen Corvette begeben, die im Einverständnisse mit ihm in einer Entfernung von 30 bis 40 Stunden ihn erwartet hätte. Da man jedoch bei Besichtigung der Schiffe die Fahrt

in der offenen See unsicher fand, so wurde dieser Plan
aufgegeben.

Es war auch um diese Zeit, als Napoleon die
wiederholte Aufforderung von der französischen Armee
hinter der Loire erhielt, sich an ihre Spitze zu stellen.
Diese Vorschläge wurden jedoch zurückgewiesen.

Die Zeit der kühnen Entschlüsse schien bei ihm vor=
über zu sein.

Napoleons Lage hatte sich demnach so beengt, daß
ihm nur die Wahl blieb, seine Person entweder der Ge=
sammtheit der Verbündeten, oder irgend einem Einzelnen
derselben zu übergeben.

Die erste Maaßregel würde schwierig gewesen sein, wo=
fern Napoleon sich nicht früher dazu entschlossen hätte, was
er jedoch unterließ, weil er zur See zu entkommen hoffte.

Nach mehreren Unterhandlungen, an denen der Ge=
neral Savary, Herzog v. Rovigo, der Graf Las Cases
und Andere Theil genommen, und deren Inhalt jetzt noch
verschieden erzählt wird, faßte Napoleon den Entschluß,
sich den Engländern zu ergeben.

Am 13ten Juli zeigte der General Bertrand dem
Admiral Hotham, welcher das brittische Geschwader vor
Rochefort befehligte, an, daß Napoleon sich unter den
Schutz der englischen Gesetze stelle, und als Privatmann
in England zu leben wünsche.

Zugleich übersandte Napoleon folgendes Schreiben
an den Prinz=Regenten:

„Königliche Hoheit!"

„Den Partheien, welche mein Vaterland zerrissen,
„und der Feindschaft der größten Mächte Europa's
„Preis gegeben, habe ich meine politische Laufbahn
„beendigt, und komme wie Themistokles, mich bei dem

„brittifchen Volke heimathlich niederzulaffen. Ich ftelle
„mich unter den Schutz feiner Gefetze, den ich von
„Ew. Königlichen Hoheit, als dem mächtigften, ftandhaf=
„teften und großmüthigften meiner Feinde, nachfuche."

   Rochefort,   „Buonaparte."

den 13ten Juli 1815.

  Es ift hier noch zu bemerken, daß an demfelben Tage
(den 13ten Juli), an welchem Napoleon feinen Entfchluß,
fich den Engländern zu ergeben, bekannt machte, der Lord
Caftlereagh dem Admiral Hotham in einem Briefe aus
Paris vom 13ten Juli die Zweckmäßigkeit darthat, mit
einem Theil feiner Macht die zwei franzöfifchen Fre=
gatten auf den Rheden der Infel Air anzugreifen. Zu=
vor jedoch follte der franzöfifche Commandant benach=
richtigt werden, daß die Engländer dies Unternehmen in
der Eigenfchaft als Verbündete des Königs von Frank=
reich ausführten, und der Commandant daher verantwort=
lich fei, im Fall man von den Batterien auf die Eng=
länder feuern würde.

  Den 15ten Juli Morgens begab fich Napoleon in=
deß fchon an Bord des englifchen Schiffes Bellerophon,
wodurch alle getroffene Maaßregeln zur Habhaftwerdung
feiner Perfon von felbft endigten.

  Es war alfo nur ein Monat, feitdem Napoleon die
Feindfeligkeiten an der niederländifchen Grenze angefangen
hatte, verfloffen, als er den letzten freien Entfchluß feines
Lebens ausführte, und fich in die Gewalt der Engländer
begab. Er, der Blüchers und Wellingtons Heere bereits
vernichtet zu haben glaubte, war ein Gefangener, und feine
Gegner, die er befiegt zu haben fich rühmte, hatten ihn ver=
nichtet, und den größten Theil Frankreichs bereits erobert.

  Auf dem Felfen von Helena, wohin fein Gefchick
ihn fpäter führte, wird Napoleon dem inneren Vorwurf

nicht entgangen sein, daß er seiner Handlungsweise nach der Schlacht bei Belle-Alliance und dem schwachen und unschlüssigen Benehmen bis zu seiner Gefangenschaft sein eigenes Loos verdankte.

Abgesehen davon, daß in dem Gemüth desjenigen, der in den gewaltigsten Krisen des Geschicks sein eigenes Leben daran setzt diese aufzuhalten, oder, wenn dies unmöglich wird, ruhmvoll unterzugehen, andere Entschlüsse entstehen mußten, so würde Napoleon, selbst wenn er sich nur zur Armee hinter der Loire begeben hätte, gewiß bessere Bedingungen für seine künftige Existenz erhalten haben, als diejenigen waren, die er allein durch sein Benehmen herbeiführte.

Es kann nur als eine Schwäche angesehen werden, daß er jetzt auf einmal der Großmuth Anderer vertrauen wollte, da er doch selbst nie diese übte, wo es seinen Vortheil galt.

Durch die Ereignisse des Feldzugs von 1815 wurde demnach Napoleon nicht allein von seiner wieder errungenen Höhe völlig herabgestürzt, und in das Privatleben zurückgeschleudert, aus welchem er sich auf eine so merkwürdige, fast beispiellose Weise erhoben hatte, sondern auch für die Geschichte erscheint er von jetzt ab todt, indem der Schatten, den er von Helena durch seine Schriften nach der übrigen Welt herüberzuwerfen suchte, mehr der Erinnerung seines vergangenen Lebens, und der Art und Weise dasselbe zu beurtheilen, angehörte.

Während seiner früheren unbegrenzten Macht konnte er jedoch das Urtheil der Mitwelt nicht bestimmen; um so weniger wird dasselbe jetzt sich nach seinen Behauptungen fügen, da die Thatsachen nunmehr der Geschichte anheim gefallen sind.

Zweite Abtheilung.

Siebenter Abschnitt.

Allgemeiner Aufbruch der Oberrhein-Armee und gleichzeitiges Vorrücken des russischen Heeres. — Der Fürst Wrede rückt mit dem 4ten Corps der Oberrhein-Armee als Avantgarde des Heeres gegen die Saar vor. — Vorpostengefecht bei Landau und bei Dahn am 20sten Juni. — Gefecht bei Saarbrück und Saargemünd am 23sten Juni. — Das Corps des Kronprinzen von Würtemberg (3tes) passirt den 22sten und 23sten Juni den Rhein und rückt gegen den General Rapp vor. — Fortsetzung der Bewegungen des 4ten Corps der Oberrhein-Armee vom 24sten bis 26sten Juni. — Fortsetzung der Bewegungen des 3ten Armee-Corps der Oberrhein-Armee vom 24sten bis 26sten Juni. — Fortsetzung der Bewegungen des 4ten Armee-Corps der Oberrhein-Armee vom 28sten bis 29sten Juni. — Fortsetzung der Bewegungen des 3ten Corps der Oberrhein-Armee vom 26sten bis 29sten Juni. — Gefecht bei Surburg am 26sten Juni. — Gefecht bei Selz am 26sten Juni. — Gefecht bei Straßburg am 28sten Juni. — Uebersicht der Märsche und Gefechte, welche die linke Flügel-Kolonne der Oberrhein-Armee, aus den drei österreichischen Corps bestehend, bis zum 29sten Juni ausführte. — Gefecht bei Chavanes am 28sten Juni. — Gefecht bei Montbelliard am 2ten Juli. — Weiteres Vorrücken des 4ten Armee-Corps bis zum 10ten Juli. — Fernere Bestimmung des 3ten Corps unter dem Kronprinzen von Würtemberg, des 2ten österreichischen und österreichischen Reserve-Corps bis zum 10ten Juli. — Vorrücken des 4ten russischen Corps bis zum 10ten Juli. — Ueberblick des russischen Heeres am 10ten Juli. — Vorrücken der Armee von Ober-Italien unter dem General Baron Frimont. — Vorrücken der linken Flügel-Kolonne der Armee von Ober-Italien unter dem Feldmarschall-Lieutenant Grafen Bubna. — Fortsetzung der Operationen des Generals Baron Frimont. — Fortsetzung der Bewegungen des 1sten österreichischen Corps. — Fortsetzung der Bewegungen der linken Flügel-Kolonne der Armee von Ober-Italien unter dem Feldmarschall-Lieutenant Grafen Bubna. — Detaschirung des piemontesischen Corps unter dem Generallieutenant Grafen Latour gegen Grenoble. — Die Armee von Ober-Italien besetzt Lyon am 14ten Juli. — Ueber einige Verhältnisse im Innern Frankreichs während der dreimonatlichen Friedens-Unterhandlungen. — Ueber die Festsetzung der preußischen Armee in Frankreich. — Bezeichnung der Distrikte, welche den übrigen alliirten Armeen in Frankreich zur Besetzung überwiesen wurden.

Allgemeiner Aufbruch der Oberrhein-Armee und gleichzeitiges Vorrücken des russischen Heeres.

Als am 15ten Juni Napoleon durch seinen Einfall in die Niederlande den Kampf begann, der schon am 18ten Juni durch den Sieg bei Belle-Alliance seine Entscheidung finden sollte, waren die übrigen Heere der Alliirten theils noch nicht in die ihnen angewiesene Aufstellung eingerückt, theils befanden sie sich noch in den schon früher bezeichneten Kantonnirungen längs der französischen Grenze. Die Armee des Oberrheins erwartete das gegen den Mittelrhein im Marsch begriffene russische Heer, um vereint mit demselben die Operationen in das Innere von Frankreich zu beginnen. Nur das 4te Corps der Oberrhein-Armee, unter dem Feldmarschall Fürsten Wrede war schon aufgebrochen, und befand sich seit dem 19ten Juni im Marsch, um sich in der Richtung von Mannheim, als Avantgarde, dem russischen Heere voraus, gegen die Saar zu dirigiren. Durch diese Bewegung bezweckte man zugleich die Lücke zwischen dem norddeutschen Corps und der Oberrhein-Armee einigermaßen auszufüllen.

Eben so war auf dem äußersten linken Flügel des diesseitigen Kriegstheaters die Zusammenziehung der Armee von Ober-Italien gegen das südliche Frankreich noch nicht beendigt, und noch weiter zurück waren diejenigen Corps, die als Reserven der Oberrhein-Armee und der von Ober-Italien folgen sollten.

Die Nachricht des erfochtenen großen Sieges über Napoleon wurde jetzt aber das Zeichen zum allgemeinen Aufbruch sämmtlicher Heere, der, nicht allein durch den Kriegesruf veranlaßt, jetzt auch durch den Siegesruf die Beschleunigung der Bewegungen verlangte.

Das Hauptquartier der verbündeten Monarchen, mit

Ausnahme des Königs von Preußen, der von Berlin erwartet wurde, befand sich noch in Heidelberg.

Der Feldmarschall Fürst Schwarzenberg, der sich
gleichfalls an diesem Orte aufhielt, bestimmte, daß der
linke Flügel der Oberrhein-Armee, aus dem 1sten und 2ten
österreichischen Corps nebst dem Reserve-Corps bestehend,
unter Oberbefehl des Erzherzogs Ferdinand, zwischen Basel
und Rheinfelden den Rhein passiren sollte.

Der rechte Flügel der Oberrhein-Armee, aus dem 3ten
und 4ten Corps zusammengesetzt, wurde angewiesen, zwischen Germersheim und Mannheim den Uebergang zu vollführen.

Die Disposition des Feldmarschalls Fürsten Schwarzenberg sagte ferner: daß der Uebergang der rechten Flügel-
Kolonne der Oberrhein-Armee durch die russische Armee
des Feldmarschalls Grafen Barclay de Tolly unterstützt
werden sollte, welche den 1sten Juli bei Kaiserslautern conzentrirt sein würde. Als Operations-Objekt des rechten,
und auch zweier Corps des linken Flügels der Oberrhein-
Armee, wurde die Erreichung von Nancy angegeben.
Der Zweck der ganzen Bewegung sollte die schnelle Conzentrirung der Armee vom Oberrhein mit der russischen bei
Nancy sein.

Die Hindernisse, welche der Feind dieser Operation
entgegenstellen konnte, bezeichnet der Feldmarschall Fürst
Schwarzenberg außer den Festungen Belfort, Hüningen,
Breisach, Schlettstädt, Straßburg, Landau, Pfalzburg,
Bitsch, Metz und Thionville, in dem Corps des Generals
Rapp bei Weissenburg und in dem Corps des Generals
Lecourbe bei Basel.

Dieser, im Einverständniß mit dem General-Feldmar-
schall Grafen Barclay de Tolly angenommene Operations-
Entwurf scheint unter den damaligen Umständen nicht ganz

im Verhältniß zu den geringen Widerstandsmitteln des Feindes entworfen zu sein. Vielleicht glaubte man noch auf andere Hindernisse zwischen der obern Marne und obern Maas stoßen zu können. Wenn man dagegen nur den General Rapp mit einigen 20000 Mann und den General Lecourbe mit 10= bis 15000 Mann gegen sich wußte, so konnte man mit der Masse seiner Truppen in den kürzesten Richtungen die Invasion in Frankreich vollführen. Der Uebergang bei Basel scheint namentlich für das 2te österreichische Corps unter dem Prinzen von Hohenzollern zu weit oberhalb gewählt zu sein, indem dies Corps in der Nähe von Straßburg den Rhein passiren konnte, wozu die Mittel früher herbeizuschaffen hinlängliche Zeit vorhanden war.

Bei der späteren Durchführung der ursprünglichen Disposition ging man von derselben ab und rückte ohne Aufenthalt in das Innere von Frankreich vor. Jedoch war damals schon die Zeit vorüber, durch welche es der Oberrhein=Armee möglich geworden wäre, mit den Operationen der preußischen und englischen Armee noch in Verbindung zu treten.

Um jedoch die Thatsachen zur Begründung dieser Ansicht in ihrer Zeitfolge anzuführen, ist es nothwendig, zuerst die Bewegungen des 4ten Corps der Oberrhein=Armee, welches durch die baierschen Truppen unter dem Feldmarschall Fürsten Wrede gebildet wurde, zu verfolgen, und dann das Vorrücken der übrigen Corps der Oberrhein=Armee, je nachdem sie in die allgemeinen Verhältnisse eingreifen, anzuführen.

Nach den Bestimmungen des Feldmarschalls Fürsten Schwarzenberg sollte das 4te Corps seinen Marsch auf Saargemünd bewirken, um entweder gegen den General Rapp, wenn er noch im Rheinthale stände, zu marschiren, oder sein weiteres Vorrücken auf Nancy fortsetzen.

Dem

Dem Fürsten Wrede wurde bei dieser Operation noch das Truppen=Corps des Generals Grafen Lambert, welches der russischen Armee voran eilte, zugetheilt, um durch dasselbe die unmittelbare Verbindung mit dem zur Blücherschen Armee gehörigen norddeutschen Corps unter dem General Grafen Kleist aufsuchen zu lassen. Die Abtheilung des Generals Grafen Lambert bestand aus dem Achtirskischen und dem weißreussischen Husaren=Regiment, dem Kosacken=Regiment Bihalow des 1sten, dem Kosacken=Regiment Kutainikow des 6ten, 6 Kanonen der reitenden Batterie № 4, 12 Bataillons Infanterie oder der 9ten Infanterie=Division, 3 Batterien, als der schweren № 9, den leichten № 17 und 18, der Pionier=Compagnie des Capitains Gosliakow, zusammen 12 Bataillons, 12 Escadrons, 42 Kanonen, 2 Kosacken=Regimentern und einer Pionier=Compagnie.

Die Details der Bewegungen des Corps unter dem Feldmarschall Fürsten Wrede wurden in folgender Art ausgeführt.

Der Fürst Wrede rückt mit dem 4ten Corps der Oberrhein=Armee, als Avantgarde des Heeres, gegen die Saar vor.

Den 19ten Juni passirten die zu dem Corps des Fürsten Wrede gehörigen Truppen bei Manheim und Oppenheim den Rhein, und rückten auf den verschiedenen Straßen gegen die Saar, bis auf die Höhe von Alzey und Türkheim, vor.

Den 20sten Juni setzte die Armee des Fürsten Wrede ihren Marsch fort, und erreichte Landstuhl, Ottersberg, Alseborn und Hochspeyer. Die Truppen des Generals Lambert standen jenseits Gelheim.

II.   13

Vorposten=Gefechte bei Landau und bei Dahn am 20sten Juni.

Gegen die beim Vorrücken der baierschen Armee auf der linken Flanke liegen gebliebene Festung Landau war eine Vorposten=Linie von der 2ten Infanterie= und 3ten Kavallerie=Division aufgestellt worden. Die französische Besatzung griff die baierschen Truppen mit Uebermacht, jedoch ohne bedeutenden Erfolg an. Der Feind wurde genöthigt, noch ehe die baierschen Reserven herankommen konnten, das Anweiler Thal wieder zu verlassen und sich gegen Landau zurückzuziehen. Eine bei Dahn postirte Schützen=Compagnie des 11ten baierschen National=Feldbataillons Ingolstadt wurde durch überlegene feindliche Reiterei und Infanterie angegriffen, und nach standhafter Gegenwehr zum Rückzuge gezwungen. Diese Bewegung wurde jedoch mit möglichster Ordnung auf die Unterstützungsposten ausgeführt, welche hierauf am Abend des heutigen Tages wieder vorrückten und die frühere Stellung besetzten. Der Verlust der Baiern bestand in 15 Mann an Todten.

Den 21sten Juni erreichten die Truppen des Feldmarschalls Fürsten Wrede die Umgegend von Homburg, Neunkirchen und Vogelbach. Es wurde eine Brigade der 3ten Infanterie=Division in der Stellung von Anweiler bis Edesheim zurückgelassen, und die 2te Brigade dieser Division blieb an der Queich stehen.

Am heutigen Tage erhielt der Feldmarschall Fürst Wrede die Nachricht von dem Siege bei Belle=Alliance. Er beschloß sofort, sein Corps den folgenden Tag gegen die Saar zu conzentriren und seinen Bewegungen eine noch größere Beschleunigung zu geben.

Den 22sten Juni marschirte demnach die baiersche Armee auf dem linken Ufer der Blies in der Richtung von Homburg gegen die Saar. Eine Division beſetzt Zweibrücken, ſo wie die an der Queich und in der Stellung bei Anweiler gegen Landau zurückgelaſſene baier⸗ ſche Diviſion von den aus Mainz vorrückenden Truppen abgelöſet wurde, welche die Beobachtung und ſpäter die Einſchließung von Landau übernahmen.

Den 23ſten Juni rückte der Feldmarſchall Fürſt Wrede in zwei Kolonnen gegen die Uebergänge über die Saar bei Saarbrück und Saargemünd, um ſich dieſer Punkte zu bemächtigen.

Gefecht bei Saarbrück und Saargemünd am 23ſten Juni.

Die rechte Flügel⸗Kolonne, aus der 2ten Infanterie⸗ Diviſion (Graf Beckers) beſtehend, marſchirte auf Saar⸗ brück, um dort den Uebergang zu forciren. Im Fall jedoch der Feind zu großen Widerſtand leiſtete, ſollte hier nur ein Schein⸗Angriff ſtattfinden. Der Generallieute⸗ nant Graf Beckers griff Saarbrück an. Der feindliche General Meriage leiſtete einigen Widerſtand; als die Baiern ſich jedoch der Vorſtädte bemächtigten, zogen ſich die Franzoſen zurück, wobei 4 Offiziere und 70 Mann zu Gefangenen gemacht wurden. Die Baiern verloren 3 Offiziere und 50 bis 60 Mann an Verwundeten und Todten. Dem Feinde ſollen 100 Mann außer Gefecht geſetzt worden ſein.

Der General Graf Beckers ließ die Stadt Saar⸗ brück beſetzen, ſeine Truppen auf den Höhen gegen For⸗ bach aufmarſchiren und Detaſchements auf der Straße nach Metz bis gegen St. Avold, und rechts die Saar herunter bis Saarlouis vorpouſſiren.

Die linke Flügel⸗Kolonne, aus der 1ſten baierſchen Kavallerie⸗ und 1ſten Infanterie⸗Diviſion beſtehend, mar⸗

schirte gegen Saargemünd. Erst vorwärts Höhnkirchen
stieß man auf bewaffnete feindliche Haufen, von denen
nach einem kleinen Gefecht viele zu Gefangenen gemacht
wurden. Bei der Stadt Saargemünd wurde das Gefecht etwas heftiger, und es zeigte sich, daß auf dem rechten Ufer der Saar ein Brückenkopf erbaut war, der jedoch
auch nur von bewaffneten Bewohnern, die sich hier zu
einer Art von Landsturm vereinigt hatten, vertheidigt wurde.

Während der Feind mit Kanonen beschossen wurde,
machte das 4te leichte Bataillon einen Angriff, und bemächtigte sich des Brückenkopfs. Die Franzosen zogen
sich hierauf in solcher Verwirrung zurück, daß sie nicht
einmal die Brücke zerstörten. Die Flüchtlinge wurden
theils auseinander gesprengt, theils gefangen.

Hierauf marschirte die 1ste baiersche Infanterie-Division (Ragliovich) durch die Stadt, und lagerte auf den
dortigen Höhen und auf den Straßen gegen Bouquenom
und Lüneville.

Die 1ste Kavallerie-Division (Prinz Carl v. Baiern)
marschirte noch bis Saaralben, und machte mehrere Gefangene.

Die 3te baiersche Infanterie-Division (Lamotte),
welche, wie wir früher gesehen haben, gegen Landau zurück
blieb, erreichte heute Pirmasenz.

Die 4te baiersche Infanterie-Division (Zollern) rückte
bis in die Umgegend von Bitsch. Der Generallieutenant
Baron v. Zollern ließ den französischen Commandanten,
General Kreußer, welcher die Festung mit 800 Nationalgarden vertheidigte, zur Uebergabe auffordern. Der Commandant wies jedoch jede Unterhandlung zurück. Auf
dem rechten Flügel der Truppen des Feldmarschalls Fürsten
Wrede war das russische Corps des Grafen Lambert bis

Ottweiler marschirt. Die russische Infanterie=Division Udom erreichte Ramstein.

Betrachtet man das Vorrücken der Truppenmasse des Feldmarschalls Fürsten Wrede, welche wenigstens auf 50 bis 60000 Mann angenommen werden muß, so kann man mit der Richtung gegen die Saar von Manheim aus nur einverstanden sein. Auch wurden die ersten Mär=sche schnell und mit Erfolg ausgeführt.

Vom 24sten Juni an begann das 4te Corps lang=sam zu operiren, und eine Richtung mehr links von der früheren einzuschlagen, wodurch die Möglichkeit, an den Operationen des preußischen und englischen Heeres gegen Paris Antheil zu nehmen, im Fall beide Armeen auf einen größern Widerstand gestoßen wären, jedenfalls auf längere Zeit ausgesetzt bleiben mußte.

Bei einem weniger entscheidenden Siege, oder im Fall Napoleon nur eine hinlängliche Armee bei Laon sam=melte, würde der Aufenthalt in den Operationen der Ober=rhein=Armee, den wir auch bei den übrigen Corps verfol=gen werden, nur nachtheilig eingewirkt haben.

Das Corps des Kronprinzen von Würtemberg (3tes) passirt den 22sten und 23sten Juni den Rhein und rückt gegen den General Rapp vor.

Der Kronprinz von Würtemberg, welcher das Com=mando des 3ten Corps der Oberrhein-Armee führte, sollte nach den Bestimmungen des Fürsten Schwarzenberg den 23sten oder 24sten Juni den Rhein passiren.

Als jedoch am 21sten Juni die Nachricht von dem Siege bei Belle=Alliance einging, wurden sogleich die Befehle zum Sammeln des Corps ertheilt.

Den 22sten Juni besetzte das Corps des Kronprinzen von Würtemberg die auf dem linken Ufer des Rheins befindlichen Verschanzungen um Germersheim, und ließ durch den Feldmarschall=Lieutenant Grafen Wallmoden (10 Bataillons und 4 Escadrons) die Festung Landau und die Queich=Linie beobachten. Der übrige Theil des Corps sammelte sich zwischen Philippsburg und Bruchsal.

Den 23sten Juni passirte das 3te Armee=Corps den Rhein, und überschritt den Queich ohne Widerstand. Der feindliche Posten in Belheim zog sich nach Rheinzabern zurück. Der Kronprinz ließ diesen Ort durch ein hessi= sches Infanterie=Regiment, welchem ein würtembergsches zur Unterstützung folgte, angreifen. Die Franzosen wur= den herausgeworfen und zogen sich nach dem Bienenwalde zurück.

Mit dem 24sten Juni beginnen die Bewegungen, welche das 3te und 4te Corps der Oberrhein=Armee aus= führten, um den feindlichen General Rapp, welcher im Rheinthale stehen geblieben war, einzuschließen und wo möglich zu einem entscheidenden Gefecht zu zwingen.

Demgemäß wurde der Kronprinz von Würtemberg angewiesen, mit dem 3ten Armee=Corps gegen Weißen= burg und Hagenau vorzurücken und die Truppen des Grafen Wallmoden auf dem linken Flügel längs des Rheins unter seinem Oberbefehl operiren zu lassen, wodurch alsdann die Front der feindlichen Aufstellung angegriffen wurde.

Dem 4ten Armee=Corps unter dem Fürsten Wrede wurde überlassen, über Bitsch und Pfalzburg die Weißen= burger Linien in den Rücken zu nehmen, und dadurch zum Gelingen dieser Operation mitzuwirken.

Fortsetzung der Bewegungen des 4ten Armee=Corps der Oberrhein=Armee vom 24sten bis 28sten Juni.

Der Feldmarschall Fürst Wrede führte diese Bewe= gung gegen Rücken und Flanke des Generals Rapp so

aus, daß er am 24ſten Juni die Diviſion des Generals
Ragliovich nach Bouquenom dirigirte. Die Kavallerie-
Diviſion des Prinzen Carl rückte gegen Pfalzburg, be-
obachtete dieſen Ort und ſchickte Detaſchements auf der
Straße rechts gegen Lüneville.

Die 2te, 3te und 4te Diviſion und die Reſerven
wurden gegen Saargemünd herangezogen.

Der Feldmarſchall Fürſt Wrede behielt ſein Hauptquartier an dieſem Orte. Nur die ruſſiſchen Truppen
unter dem Grafen Lambert wurden nach Saarbrück herangezogen, und die Kavallerie bis St. Avold entſendet.
Beim Paſſiren durch Saarbrück ſollte der Graf Lambert
die bei ihm befindlichen Koſacken-Pulks, ferner ein Huſaren-
Regiment nebſt zwei Kanonen an den Generallieutenant
v. Czernitſchef überweiſen. Dies Detaſchement ſollte noch
durch 2 Escadrons baierſcher Chevaurlegers und 2 Escadrons kaiſerlich öſterreichiſcher Huſaren verſtärkt werden,
und wurde beſtimmt rechts die Kommunikation mit dem
norddeutſchen Corps des Generals der Infanterie Grafen
Kleiſt zu eröffnen, und links, ſo weit als möglich, ſich
der großen Pariſer Straße zu nähern.

Der Feldmarſchall Fürſt Wrede erhielt heute auch
ein Schreiben des franzöſiſchen Generals Merlage, welches
anzeigte, daß Napoleon dem Throne von Frankreich ent-
ſagt habe, daß in Paris eine proviſoriſche Regierung ernannt ſei, welche eine Deputation an die verbündeten
Monarchen abgeſendet hätte, weshalb auch der feindliche
General um einen Waffenſtillſtand bat. Dieſes Anſuchen
wurde jedoch abgelehnt.

Den 25ſten Juni ſetzten die Truppen des 4ten Corps
ihre Bewegungen in der Art fort, daß das Streifcorps
des Generallieutenants Czernitſchef von Bouzonville nach
Kedange vorrückte. Kleine Detaſchements wurden auf das

linke Mosel=Ufer geschickt, um die Kommunikation zwischen Metz und Longwy zu unterbrechen.

Der Generallieutenant Graf Lambert erhielt die Weisung, bis Foligné auf der Straße nach Metz vorzugehen und Partheien gegen Metz zu detaschiren. Die 2te baiersche Infanterie=Division sollte St. Avold und Forbach jedes mit einer Brigade besetzt halten, um die Russen vorwärts gegen Metz, so wie die Truppen rechts gegen Saarlouis zu unterstützen.

Auf den Straßen von Saargemünd gegen Nancy waren die 2te baiersche Kavallerie=Division bei Morhange und die 1ste und 4te Infanterie=Division bei Dieuze und rückwärts dieses Ortes aufgestellt. Die 1ste Kavallerie=Division unter dem Prinzen Carl von Baiern rückte bis Moyenvic vor, und beobachtete die Straße nach Lüneville. Die baierschen Reserven standen unweit Saargemünd, und das Hauptquartier des Fürsten Wrede kam heute nach Petelange.

Man erkennt aus den dargestellten Bewegungen, daß der Feldmarschall Fürst Wrede zwischen dem Wunsche, mit seinem Corps rasch vorzurücken, und der Bewegung gegen die linke Flanke des Generals Rapp wahrscheinlich geschwankt haben mag. Die Folge davon scheint, daß der Fürst Wrede die auf der Straße gegen Metz vorgeschickten Truppen anhalten ließ, um nicht zu weit vorzukommen, und gleichzeitig die Straße auf Lüneville besetzt hielt, um benachrichtigt zu sein, wenn der General Rapp sie zu seinem Rückzug über Pfalzburg benutzen würde. Die Maße der baierschen Truppen wurde aber zwischen der Straße auf Lüneville und der auf Metz in der Richtung auf Nancy dirigirt, um dort auf jeden eintretenden Fall gefaßt zu bleiben.

**Fortsetzung der Bewegungen des 3ten Armee-Corps
der Oberrhein-Armee vom 24sten bis 26sten Juni.**

Verfolgt man indeß die Bewegungen bei dem 3ten
Armee-Corps während des 24sten und 25sten Juni, so
sieht man dasselbe am erstern Tage bis Bergzabern vorrücken. Der General v. Jett stieß auf den Feind, welcher
5 Bataillons Infanterie, 2 Escadrons Kavallerie und 6
Stück Geschütze zeigte. Auf einem andern Punkt bei
Nieder-Ottersbach hatte der Feind 6 Escadrons und 2 Bataillons aufgestellt, welche der Kronprinz von Würtemberg
angreifen und zurückwerfen ließ. Die Masse des 3ten
Armee-Corps lagerte zwischen Bergzabern und Billigheim,
wohin das Hauptquartier des Kronprinzen von Würtemberg am heutigen Tage verlegt wurde.

Die Truppen unter dem Generallieutenant Grafen
Wallmoden rückten bis Rheinzabern; die Avantgarde erreichte Jockrim, ohne auf den Feind zu stoßen. Der
Graf Wallmoden hatte 2 Eskadrons, 3 Bataillons und
2 Kanonen auf dem linken Ufer der Queich zur Beobachtung von Landau zurückgelassen, zu welchen auch noch
die aus Mainz vorgerückten Truppen stießen.

Den 25sten Juni rückte das 3te Armee-Corps unter
dem Kronprinzen von Würtemberg in zwei Kolonnen gegen die Weissenburger Linien vor. Die erste Kolonne
sammelte sich bei Bergzabern, die zweite, unter dem Befehl des Prinzen von Hessen-Homburg, rückte über Nieder-
Ottersbach vor. Der Feldmarschall-Lieutenant Graf Wallmoden erhielt den Befehl, Lauterburg zu nehmen.

Die Franzosen verließen in der Nacht vom 25sten
zum 26sten Juni Weissenburg und die verschanzten Linien.
Ihr Rückzug ging nach dem Hagenauer Forst. Das
große Dorf Surburg wurde von ihnen besetzt.

Der Kronprinz von Würtemberg ließ sein Corps

(25. Juni) auf der Straße nach Hagenau weiter vorrücken. Die Avantgarde erreichte Ingelsheim; das Gros rückte bis Weissenburg und Umgegend, das Hauptquartier des Kronprinzen kam nach Weissenburg.

Die Truppen des Generals Grafen Wallmoden besetzten (25. Juni) Lauterburg, nachdem es vom Feinde verlassen war.

Das Hauptquartier der Monarchen war von Heidelberg nach Manheim verlegt, und verblieb hier bis zum 27. Juni.

Fortsetzung der Bewegungen des 4ten Corps der Oberrhein-Armee vom 26sten bis 29sten Juni.

Geht man indeß zu den Bewegungen des Feldmarschalls Fürsten Wrede zurück, so bleibt noch zu erwähnen, daß, wenn derselbe als Hauptobjekt seiner Operationen sofort den Angriff des französischen Corps unter dem General Rapp angewiesen erhalten hätte, er gewiß auch schon den 24sten Juni seitwärts Pfalzburg über Saverne gegen Brumath sich dirigirt haben würde. An demselben Tage, an welchem die Franzosen gegen den Hagenauer Forst zurückgingen (26. Juni), konnte er in ihrem Rücken erscheinen, wodurch dies Corps nicht allein von Straßburg abgeschnitten, sondern ihm auch jede Rückzugsrichtung genommen worden wäre.

Das Benehmen des französischen Generals Grafen Rapp scheint gewagt. Bei der großen gegen ihn entwickelten Uebermacht war es gefährlich, so lange im Rheinthale zu bleiben. Er mußte sich entweder, ehe die Baiern ihn umgangen hatten, gegen Metz oder gegen Pfalzburg zurückziehen, oder sich zeitig genug nach Straßburg hineinwerfen. Nur durch die geringe Uebereinstimmung in den Bewegungen des 3ten und 4ten Armee-Corps der Oberrhein-Armee entkam das Corps des Generals Grafen Rapp ohne bedeutenden Verlust.

Den 26sten Juni befahl der Feldmarschall Fürst Wrede, daß das Streifcorps des Generallieutenants Czernitschef seine Bewegung zur Verbindung mit Luxemburg fortsetzen sollte. Dem Generallieutenant Grafen Lambert wurde aufgetragen, so wie gestern Detaschements gegen Metz zu entsenden. Die 1ste baiersche Kavallerie-Division rückte bis Moyenvic. Die 1ste Infanterie-Division folgte gleichfalls dahin. Kavallerie-Detaschements rückten bis Einville und Lüneville. Die 2te baiersche Kavallerie-Division stand vorwärts Chateau-Salins auf der Straße nach Nancy.

Die 2te baiersche Infanterie-Division besetzte Foligné und St. Avold; die 3te und 4te Infanterie-Division und die Reserven befanden sich zwischen Petelange und Morhange. In letzterem Orte war das Hauptquartier des Feldmarschalls Fürsten Wrede.

Die Festung Bitsch wurde von Truppen der 4ten baierschen Division und die Festung Saarlouis von dem Detaschement des Obersten v. Löwenstern und von einem russischen Infanterie-Regimente eingeschlossen.

Den 27sten Juni blieb der rechte Flügel des 4ten Corps, durch die russischen Truppen des Generals Czernitschef und Grafen Lambert gebildet, in der früheren Aufstellung auf den Straßen gegen Metz und Thionville stehen, und nur die russische Infanterie-Division des Generals Udom wurde in die Stelle der 2ten baierschen Division nach St. Avold und Forbach zum Festhalten der Straße auf Metz beordert.

Das ganze baiersche Corps machte heute (27. Juni) eine Bewegung links, so daß die Truppen des Generals Beckers sich gegen Chateau-Salins auf der Straße nach Nancy bewegten. Die 1ste Infanterie-Division (Raglovich) rückte auf der Straße nach Lüneville bis Einville, und ließ die kleine Festung Marsalle einschließen, während die erste Kavallerie-Division unter dem Prinzen Carl von Baiern Detaschements rückwärts nach Pfalzburg und seitwärts nach Raon le Tappe und St. Diey sendete.

Die 2te baiersche Kavallerie-Division hatte dagegen schon ihre Vorder-Detaschements in Nancy.

Die 3te und 4te Division und die Reserven folgten in der Richtung von Morhange und Chateau-Salins.

...Diese neue Veränderung in der Marschdirektion der baierschen Truppen wurde durch die von dem Kronprinzen von Würtemberg eingetroffenen Nachrichten vom 25sten Juni Morgens veranlaßt, wonach der französische General Graf Rapp die Weissenburger Linien verlassen, und nach Hagenau zurückgegangen war. Der Feind konnte daher den 26sten Juni bei Molsheim angelangt sein, um entweder die Straße über St. Diey oder die über Epinal zu gewinnen, oder er konnte auch in der Gegend von Pfalzburg eintreffen, um die Straße auf Lüneville sich zu öffnen.

Der Feldmarschall Fürst Wrede fand es daher nothwendig, seiner Armee während des 27sten und 28sten Juni eine solche Richtung zu geben, daß die dem Feinde zugeschriebenen Absichten unausführbar wurden.

Demgemäß blieb auch am 28sten Juni der rechte Flügel des 4ten Armee-Corps, aus den russischen Truppen bestehend, in seiner alten Aufstellung.

Die 1ste baiersche Infanterie- und 1ste Kavallerie-Division marschirten dagegen nach Lüneville, so daß die Infanterie ihren Bivouak auf den Höhen hinter der Stadt, die Meurthe vor der Front lassend, nahm, und die Brücken nebst Zugängen zur Stadt von der Straße von Pfalzburg nach St. Diey stark besetzte.

Die 1ste Kavallerie-Division schickte starke Abtheilungen links gegen Saarburg und Pfalzburg und rechts gegen Bacarat und St. Diey.

Die 3te Infanterie-Division blieb in der Gegend von Chateau-Salins, während die 2te und 4te nebst den Reserven sich bei Nancy aufstellten. Die schwere Kavallerie-Brigade der Reserve deckte die Gegend nach Metz, und die 2te leichte Kavallerie-Division beobachtete die Straßen auf Toul und Neufchateau und detaschirte über St. Nicolas in der Richtung auf Lüneville.

Der Feldmarschall Fürst Wrede glaubte durch die bezeichnete Aufstellung seiner Truppen dem feindlichen Corps des Generals Grafen Rapp die Uebergänge über die Meurthe und Mosel auf jedem bedrohten Punkte zeitig genug abschneiden zu können, und im Fall der Feind es wollte, unter ungünstigen Umständen für ihn demselben eine Schlacht zu liefern im Stande sein.

Das Hauptquartier des Fürsten Wrede kam am heutigen Tage nach Nancy.

Fortsetzung der Bewegungen des 3ten Corps der Oberrhein-Armee vom 26sten bis 30sten Juni.

Gleichzeitig mit den Bewegungen des 4ten Corps setzte der Kronprinz von Würtemberg sein Vorrücken mit dem 3ten Corps in der Art fort, daß er den 26sten Juni sich über Soulz gegen Surburg dem Hagenauer Forste näherte, während die linke Flügel-Kolonne des Generals Grafen Wallmoden gegen Selz marschirte.

Gefecht bei Surburg den 26sten Juni.

Die Avantgarde des 3ten Corps stieß jenseits Soulz auf den Feind. Dieser zog sich rasch auf Surburg zurück und wurde hier von der würtembergschen Reiterei des Generals v. Jett mit Erfolg angegriffen. Der Kronprinz von Würtemberg ordnete an, daß ein Wald, der rechts an der Straße liegt und vom Feinde nur schwach besetzt war, durch das österreichische Infanterie-Regiment Reuß-Greiz angegriffen wurde. Das 1ste Bataillon des genannten Regiments rückte hierauf in geschlossener Kolonne gegen Surburg vor, eroberte das Dorf und warf den Feind auf sein Gros jenseits des Sur-Baches zurück.

Die Franzosen zogen sich bis in den Hagenauer Forst, durch welchen die große Straße nach Straßburg führt, zurück. Hier besetzten etwa 6 feindliche Bataillons und 2 Batterien den Rand des Hagenauer Forstes und unterhielten hier bis zur einbrechenden Nacht ein ununterbrochenes Artillerie- und Tirailleur-Feuer. Der Kronprinz von Würtemberg erwähnt mit vielem Lobe des österreichischen Infanterie-Regiments Reuß-Greiz, welches 3 Offiziere und 73 Mann an Todten und Verwundeten verlor. Die Würtemberger hatten einen Verlust von 4 Offizieren und 50 Mann an Todten und Verwundeten.

Gefecht bei Selz den 26sten Juni.

Die linke Flügel-Kolonne des Generals Grafen Wallmoden folgte dem Feinde von Lauterburg aus auf der Rhein-Straße. Die feindlichen Truppen unter dem General Rothenburg waren ungefähr 6000 Mann Infanterie und ein Regiment Kavallerie stark. Die Avantgarde des Generals Grafen Wallmoden, von dem Generalmajor v. Wrede geführt, bestand aus 2 Escadrons Knesewich Dragoner, 2 Kanonen und den Bataillons Reuß, Isenburg und Frankfurth. Man fand den Feind diesseits von Selz aufgestellt, wo er sich zu behaupten suchte.

Der General Graf Wallmoden befahl den Infanterie-Bataillons Isenburg und Reuß vorzurücken und den Feind in der Front anzugreifen, während das Frankfurther Bataillon in die linke Flanke der Franzosen dirigirt wurde. Das Bataillon Isenburg drängte den Feind bis zu einem rückwärts liegenden Verhaue, und später bis nach dem Dorfe Selz zurück. Die Franzosen besetzten die Häuser diesseits des Baches und behaupteten sich hier so lange, bis das Frankfurther Bataillon zur Unterstützung heranrückte, worauf sie sich über die Brücke zurückzogen und dieselbe zerstörten. Der General Graf Wallmoden beschränkte sich auf die Behauptung des linken Ufers der Selz, weil ihm der Feind an Truppen und Geschütz überlegen war. In der Nacht zogen sich die Franzosen freiwillig gegen Beinheim zurück.

Die Division des Generals Grafen Wallmoden verlor in diesem Gefecht 7 Offiziere und 250 Mann an Verwundeten und 40 Mann an Todten.

Das Gros des 3ten Armee-Corps befand sich in der Nacht vom 26sten zum 27sten Juni zwischen Soultz und Surburg. Der Kronprinz von Würtemberg nahm sein Hauptquartier in Soultz.

Den 27sten Juni rückte der Kronprinz von Würtemberg mit seinem Corps gegen den Hagenauer Forst vor. Die Brücke über das Flüßchen Sur wurde durch würtembergsche Pioniere hergestellt. Die Avantgarde fand, daß der Feind das beschwerliche Defilée, welches in einer Strecke von 2 Stunden durch den Hagenauer Forst führt, verlassen und sich bis auf die Höhen vor Hagenau zurückgezogen hatte.

Der Feind nahm auch hier kein Gefecht an, sondern erwartete nur die Entwickelung der würtembergschen Truppen, und verließ alsdann seine Stellung, so wie die Stadt Hagenau.

Das feindliche Corps zog sich hinter das Defilée von Brümath zurück. Die würtembergschen Jäger, welche den Befehl erhielten abzusitzen, nöthigten den Feind, die Brücke über den Zornbach und das Defilée von Brümath zu verlassen.

Die Avantgarde des 3ten Corps lagerte hierauf hinter Brümath, das Gros des Corps bei Nieder-Schäffelsheim. Detaschements wurden nach Momenheim und Bischweiler entsendet, und über letztern Ort die Verbindung mit dem Grafen Wallmoden erhalten.

Das Hauptquartier des Kronprinzen von Würtemberg war in Hagenau.

Der Feldmarschall-Lieutenant Graf Wallmoden ließ am heutigen Tage (27. Juni) die Brücke über die Selz herstellen, und marschirte mit seiner Division, ohne vom Feinde Widerstand zu erfahren, nach Drusenheim.

Am heutigen Tage wurde auch das Hauptquartier des Kaisers von Rußland und des Kaisers von Oesterreich, so wie das des Feldmarschalls Fürsten Schwarzenberg von Manheim nach Speyer verlegt, woselbst am Nachmittage auch der König von Preußen, von Hanau kommend, eintraf.

In der Nacht vom 27sten zum 28sten Juni hatte der französische General Graf Rapp mit seinen Truppen die Stellung hinter Brümath verlassen und zog sich bis in die vortheilhafte Stellung hinter dem Suffelbach, nahe an Straßburg, zurück. Hier besetzte er die schwer zugänglichen Anhöhen von Lampertsheim, lehnte seinen rechten Flügel an die Ill und ließ Batterien auf der Ruprechtsau auffahren. Das verschanzte Dorf Hönheim, so wie die Dörfer Reichstädt und Suffelweichersheim waren stark besetzt. Der linke Flügel des Feindes stand auf den Höhen von Mundelsheim und Lampertsheim.

Das hier aufgestellte französische Truppencorps war 24 Bataillons Infanterie und 4 Regimenter Kavallerie, zusammen nahe an 24000 Mann stark, wobei sich eine zahlreiche Artillerie befand.

Als die vorgeschickten Detaschements dem Kronprinzen von Würtemberg meldeten, daß das feindliche Corps hinter dem

dem Suffelbache aufgestellt sei, und nachdem die feindliche
Stellung recognoscirt war, ließ der Kronprinz drei Kolonnen zum Angriff bilden.

Die rechte Flügel-Kolonne bestand aus den österreichschen Truppen unter dem Feldmarschall-Lieutenant Palombini. Die mittlere Kolonne wurde von dem Prinzen Philipp vom Hessen-Homburg geführt und bestand aus den
Hessendarmstädtschen Truppen. Die linke Flügel-Kolonne
bildeten die Würtemberger unter dem General Grafen Franquemont.

Mit Einschluß der Division des Generallieutenants
Grafen Wallmoden, welche, wie wir später sehen werden,
ebenfalls zum Angriff bestimmt wurde und gleichsam die
4te Kolonne ausmachte, konnte man die Truppenmasse unter Befehl des Kronprinzen von Würtemberg über 40,000
Mann annehmen.

Das 3te Armee-Corps brach den 20sten Juni um
12 Uhr Mittags gegen die feindliche Stellung auf. Die
rechte Flügel-Kolonne erhielt den Befehl, von Lampertsheim sich gegen Pfaulgriesheim nach Ober-Hausberg zu
dirigiren, und so den linken Flügel des Feindes zu werfen.
Die mittlere Kolonne unter dem Prinzen von Hessen-Homburg nebst dem Prinzen Emil von Hessen-Darmstadt blieben auf der großen Straße gerade von Lampertsheim gegen
die Suffel, um den Feind aus den hier nahe liegenden
Dörfern und Weinbergen zu vertreiben.

Die zu der linken Flügel-Kolonne gehörige würtembergsche Kavallerie sollte sich in der Ebene zwischen Reichs-
städt und Lampertsheim aufstellen, während die würtembergsche Infanterie auf dem linken Flügel gegen die Dörfer
Reichstädt und Suffelweichersheim vorrücken sollte.

Der Feldmarschall Graf Wallmoden wurde angewiesen, gleichzeitig mit den Bewegungen des 3ten Armee-

II.   14

Corps von Drusenheim über Veltenhofen und Wanzenau
vorzubringen.

Gefecht bei Straßburg am 28ßten Juni.

Es war 3 Uhr Nachmittags, als die Hessen das Dorf
Lampertsheim angriffen. Das Gefecht wurde von beiden
Theilen mit großer Lebhaftigkeit geführt. Das Terrain ist
wegen des durchschnittenen Charakters und der hier befind=
lichen Weinberge dem Vertheidiger günstig. Zwei kleine
Bäche, die sich zwischen den Dörfern Lampertsheim und
Mundelsheim vereinigen, gewährten dem Feinde, sobald er
geworfen wurde, eine gute Aufstellung. Der Prinz Emil
von Hessen=Darmstadt führte seine Truppen mit Tapferkeit
und Einsicht gegen Lampertsheim vor. Er trieb mit den
Tirailleurs der 1sten Brigade und einer Batterie die feind=
lichen Tirailleurs bis in das genannte Dorf zurück, und
nachdem er es mit Granaten hatte bewerfen lassen, eroberte
er, unterstützt durch das 2te Bataillon Leibgarde und die
Garde=Füsiliere, Lampertsheim, jedoch erst nach einem hart=
näckigen Widerstande.

Die Franzosen hatten indeß das weiter rückwärts lie=
gende Dorf Mundelsheim gleichfalls stark besetzt. Der
Prinz Philipp von Hessen=Homburg ließ nun auch den
Angriff gegen dies Dorf und die dabei liegenden Wein=
berge beginnen. Die vorrückenden beiden Kolonnen wur=
den jedoch von den Franzosen in die linke Flanke genom=
men und zum Rückzuge genöthigt. Die wiederholten Ver=
suche, des Dorfes Mundelsheim und der steilen Weinberge
sich zu bemächtigen, blieben fruchtlos. Das Gefecht wurde
hier sehr hartnäckig. Die hessischen Tirailleurs zogen sich
rechts, um einen bequemern Uebergang über die Suffel,
und einen leichtern Weg gegen die jenseitigen Höhen auf=
zufinden. Allein auch der Feind verlängerte seinen linken

Flügel und entwickelte auf den hier befindlichen Höhen gegen 10,000 Mann Infanterie.

Das Gefecht konnte demnach im Centro, wo keine weiteren Reserven zur Fortsetzung des Angriffs vorhanden waren, auch nicht entschieden werden.

Verfolgen wir dagegen den Angriff der beiden Flügel-Kolonnen des Kronprinzen von Würtemberg, so sehen wir die des rechten Flügels unter dem Feldmarschall-Lieutenant Palombini mit dem Angriff auf Pfaulgriesheim beschäftigt. Die Oesterreicher bemächtigten sich dieses nur schwach vertheidigten Punktes, fanden jedoch später bei der Umgehung des feindlichen linken Flügels bedeutende Terrainhindernisse, wozu besonders die sehr steilen Ufer der Suffel gehörten. Diese Kolonne führte jedoch ihr Vorrücken im stärksten feindlichen Feuer gegen Nieder-Hausbergen aus. Als die Oesterreicher den dortigen Bergrücken gewannen, und sich dem Feinde in der linken Flanke zeigten, zog sich dieser gegen Straßburg zurück.

Die linke Flügel-Kolonne unter dem Befehl des Generals Grafen Franquemont, bei welcher sich jedoch der Kronprinz von Würtemberg selbst aufhielt, war gleichzeitig gegen Reichstädt vorgerückt. Dies Dorf wurde durch die Brigade des Generals v. Hügel, welcher die Fußbatterie № 1. zugetheilt war, angegriffen. Die Brigaden v. Hohenlohe und Misami folgten als Unterstützung nach. Die Franzosen räumten das Dorf Reichstädt, noch ehe die würtembergschen Truppen herankamen, weil sie wahrscheinlich befürchteten abgeschnitten zu werden, indem dies Dorf auf dem linken Ufer der Suffel liegt. Die würtembergischen Truppen richteten hierauf ihre Angriffsdirektion auf Suffelweichersheim, welches auf dem rechten Ufer des so genanten Flüßchens liegt. Dies Dorf sowohl, als die Höhen, auf deren Abhange es gelegen, waren mit feindlicher Infanterie ſtark beſetzt. Die in zwei Kolonnen vorrückenden Würtemberger wurden mit einem lebhaften Feuer empfangen. Der General v. Hügel verlor jedoch keinen Augenblick, die Suffel zu durchwaten, und im erſten Anlauf ſich des Dorfes zu bemächtigen. Der Feind behielt jedoch die Anhöhen und wurde ſehr bald ſo verſtärkt, daß die würtembergſchen Truppen ſich nur mit Mühe auf dem rechten Ufer der Suffel erhalten konnten.

Die Franzoſen unterließen nicht, ihr Geſchütz vortheilhaft zu placiren, während die Artillerie der Würtemberger nicht in die Gefechtslinie gebracht werden konnte, ſondern aus großer Entfernung vom linken Ufer der Suffel das Gefecht unterſtützen mußte, indem bis jetzt noch kein prakticabler Uebergang für die Geſchütze eingerichtet war.

Der General v. Hügel unterhielt demungeachtet das Gefecht mehr als 4 Stunden mit abwechſelndem Erfolge. Der Feind wollte das Dorf Suffelweichersheim nicht aufgeben, und den Würtembergern gelang es nicht, ſich des Dorfes ganz zu bemächtigen.

Die würtembergſche Kavallerie, welche, wie ſchon früher bemerkt, auf der Ebene zwiſchen Reichſtädt und Lampertsheim entwickelt war, rückte jetzt im heftigſten Kanonenfeuer auf beiden Seiten der großen Straße von Brůmath über die ſteinerne Brücke der Suffel, links von dem Dorfe Suffelweichersheim, vor. Der Major und Flügeladjutant Graf Grävenitz machte einen entſchloſſenen Angriff auf die hinter der Brücke ſtehende Batterie von 6 Kanonen. Er eroberte dieſe, hieb die feindliche Infanterie, welche ſie zu decken beſtimmt war, zuſammen, und jagte ein feindliches Dragoner-Regiment in die Flucht.

Dieſes kühne Unternehmen entſchied das Gefecht um ſo beſtimmter, als der Kronprinz von Würtemberg auch in dieſem Augenblick die Kavallerie-Brigaden v. Jett und

Moltke persönlich heranführte. Eine 12pfündige Batterie besetzte gleichzeitig die vom Feinde verlassene Höhe, und trug durch ihr wirksames Feuer gleichfalls zu dem nun beginnenden Rückzuge der Franzosen bei.

Die Entscheidung des Gefechts auf dem linken Flügel trat zu derselben Zeit ein, als auch die rechte Flügel-Kolonne unter dem Feldmarschall-Lieutenant Palombini ihre Umgehung ausgeführt hatte, und den Feind gleichfalls zum Rückzuge nöthigte. Es war 8 Uhr Abends als die Franzosen sich gegen Straßburg zurückzogen.

Auf dem äußersten linken Flügel hatte das Land-scharfschützen-Regiment № 11. mit Auszeichnung gefochten. Es hatte den Feind bis in das Dorf Hönheim zurückge-drängt, und seine ganze Munition in dem lebhaften Ge-fecht verschossen. Da dies Regiment durch das Feuer großen Verlust erlitt, so mußte es noch spät am Abend durch das 1ste Bataillon 4ten Regiments abgelöst werden. Das Kanonen- und Tirailleur-Feuer dauerte auf dem lin-ken Flügel, besonders bei Hönheim, bis zum Einbruch der Nacht fort.

Der General Graf Wallmoden kam mit seiner Kolonne auf der Rheinstraße nur bis Wanzenau. Diese Truppen wurden von den Auen her vom Feinde beschossen, welches auf ihr Zurückbleiben Einfluß gehabt haben mag.

Der Verlust des 3ten Armee-Corps in diesem Ge-fecht betrug 49 Offiziere, 1247 Mann an Todten und Blessirten. Der Verlust des Feindes mag eben so stark gewesen sein. Die Würtemberger eroberten noch 6 Ka-nonen und 2 Fahnen.

Betrachtet man die Führung des Gefechts auf feind-licher Seite, so kann man nur annehmen, daß der General Graf Rapp der Waffenehre wegen dies Gefecht ange-nommen hat, welches er, sobald er die Absicht hatte, sich in Straßburg einzuschließen, sehr leicht vermeiden konnte.

Die Angriffsmaaßregeln des Kronprinzen von Würtemberg scheinen in ihrer Ausführung durch das Terrain Hindernisse gefunden zu haben, indem sie sonst weniger isolirt eingegriffen und sich gegenseitig mehr unterstützt hätten. Die zweckmäßige allgemeine Leitung des Angriffs, die Tapferkeit der Truppen und die Benutzung der taktisch günstigen Momente entschieden den ruhmvollen Ausgang des Gefechts.

Uebersicht der Märsche und Gefechte, welche die linke Flügel-Kolonne der Oberrhein-Armee, aus den drei österreichschen Corps bestehend, bis zum 29sten Juni ausführte.

Nachdem die Operationen der rechten Flügel-Kolonne, aus dem 3ten und 4ten Armee-Corps bestehend, bis zu dem Resultat geführt wurden, welches das Gefecht bei Straßburg ergab, wird es nothwendig, die gleichzeitigen Bewegungen der linken Flügel-Kolonne der Oberrhein-Armee, aus drei österreichschen Armee-Corps zusammengesetzt, nachzuholen. Der große Bogen, den namentlich zwei dieser Corps, welche mit zur Operation gegen Nancy bestimmt waren, über Basel und Rheinfelden zu beschreiben hatten, machte ihre Mitwirkung bisher unmöglich.

Es scheint jedoch zweckmäßig, die Märsche und Gefechte dieser Truppen bis zum 29sten Juni jetzt gleichfalls zu bezeichnen, um alsdann einen allgemeinen Ueberblick sämmtlicher Ereignisse der Oberrhein-Armee bis zu diesem Zeitpunkt zu gewinnen, der es gestattet, die Verhältnisse im Großen zu den übrigen operirenden Armeen zu berühren.

Der von dem Feldmarschall Fürsten Schwarzenberg am 23sten Juni gegebenen allgemeinen Disposition gemäß, sollten sich die drei österreichschen Corps, Graf Colloredo, Prinz Hohenzollern und Erzherzog Ferdinand, den 25ften Juni in der Umgegend von Basel versammeln, und in der Nacht vom 25ften zum 26ften Juni bei Rheinfelden und Basel den Rhein passiren.

Das 1ste Armee-Corps (Graf Colloredo) marschirte gegen Belfort und Montbelliard.

Das zweite Armee-Corps (Prinz von Hohenzollern) und die österreichschen Reserven (Erzherzog Ferdinand) berennten Hüningen und marschirten gegen Colmar.

Der französische General Lecourbe leistete mit seinem schwachen Corps (den 26. Juni) in Burgfelden, Burglibre, Neudorf und Häsingen und auf der Bergebene vor Trois Maisons hartnäckigen Widerstand; allein er wurde durch Uebermacht zurückgeworfen, und die Festung Hüningen eingeschlossen.

Den 27ften Juni warf die Avantgarde des 1sten österreichschen Armee-Corps (Graf Colloredo), von dem Feldmarschall-Lieutenant Baron Lederer befehligt, eine feindliche Abtheilung von 3000 Mann, welche zu den Truppen des Generals Lecourbe gehörte, bis nach Donnemarie zurück. Das Gefecht war ziemlich heftig, und der beiderseitige Verlust nicht unbedeutend. Die Oesterreicher verloren an Todten und Verwundeten 7 Offiziere und 200 Mann. Dem Feinde wurde eine gleiche Anzahl außer Gefecht gesetzt.

Gefecht bei Chavannes am 28ften Juni.

Bei seinem weitern Vorrücken gegen Belfort fand das 1ste österreichsche Armee-Corps am 28ften Juni den Feind bei Chavannes, zwischen Donnemarie und Belfort, in der Stärke von ungefähr 8000 Mann Infanterie und 500 Mann Kavallerie aufgestellt.

Die Oesterreicher griffen die feindlichen Truppen leb=
haft und mit gutem Erfolge an und drängten sie bis nach
Chavannes zurück. Dieser Ort wurde hierauf nach einem
hartnäckigen Widerstande genommen, und auch die Orte
Colonge und Movilliers von österreichschen Truppen be=
setzt. Das Corps des Grafen Colloredo ver'or jedoch
4 Offiziere und 900 Mann an Todten und Verwundeten.

Das 2te österreichsche Armee=Corps (Prinz von Ho=
henzollern) und das österreichsche Reserve=Corps setzten
unter dem Oberbefehl des Erzherzogs Ferdinand, während
des 26sten, 27sten und 28sten Juni ihren Marsch gegen
Colmar fort. Das Städtchen Thann wurde besetzt und
Detaschements gegen den befestigten Punkt von St. Amarin
und gegen Remiremont vorgeschickt, theils um die auf der
linken Flanke liegen gebliebenen Defileen bis zur jenseiti=
gen Oeffnung zu gewinnen, theils um dem General Le=
courbe, wenn er bei Belfort stehen bliebe, in Flanke und
Rücken zu kommen.

Durch die angeführten Details bei den Corps der
linken Flügel=Kolonne der Oberrhein=Armee zeigte es sich,
daß auf die Mitwirkung dieser Truppen bisher nur in
sofern gerechnet werden konnte, als der General Lecourbe
durch sie zurückgedrängt, und der linke Flügel der Oberrhein=
Armee durch das Corps des Grafen Colloredo gesichert
wurde. Es scheint angemessen, an dieser Stelle die An=
sicht zu wiederholen, daß man unter den vorhandenen Um=
ständen leichter und schneller zum Zweck gekommen wäre,
wenn die beiden österreichschen Corps, welche zum Marsch
gegen Nancy bestimmt waren, auf dem kürzesten Wege
diese Aufgabe gelöst, und vielleicht ober= oder unterhalb
Straßburg den Rhein überschritten hätten.

Bei der großen Uebermacht, die jedes einzelne Corps,
sowohl gegen den General Rapp, als gegen den General

Lecourbe verwenden konnte, mußte es möglich werden, den Feind in nachtheilige Gefechte zu verwickeln. Es bedarf wohl keiner Erwähnung, daß gerade das Erscheinen der österreichschen Corps in der Richtung auf Straßburg auf die Operationen des Generals Rapp von bedeutendem Einfluß werden mußte.

Abgesehen von diesem mehr untergeordneten Vortheil, würde man auf jeden Fall mehr Zeit gewonnen haben, wenn man in der nächsten Richtung den Elsaß durchschnitten und sich beeilt hätte, sich der Marne zu nähern, um den Operationen der preußischen und englischen Armee die Hand zu reichen.

Ueberblickt man dagegen am 29sten Juni die Aufstellung der Oberrhein=Armee, so findet man dieselbe noch fast ganz im Rheinthale, während das preußische Heer vor Paris ankommt. Unter anderen Verhältnissen und bei einem weniger entschiedenen Siege über Napoleon, selbst wenn er nur an der Spitze der Armee geblieben, und nur durch größere Hülfsmittel, die hervorzurufen allerdings früher in seiner Gewalt stand, unterstützt worden wäre, hätten sich leicht Verhältnisse erzeugen können, welche es wünschen ließen, die Oberrhein=Armee dem gemeinsamen Operations=Bereich sich schneller nähern zu sehen.

Außer den Gefechten, welche zur Festsetzung des linken Flügels der Armee des Fürsten Schwarzenberg stattfanden, beginnt mit dem 29sten Juni das nur noch durch unbedeutende Kriegsvorfälle hin und wieder gestörte allgemeine Vorrücken gegen Paris. Es scheint von Interesse, diesen Bewegungen bis zum 10ten Juli, an welchem Tage die Monarchen in Paris eintrafen, zu folgen, um dadurch eines Theils den Charakter der noch vorkommenden Ereignisse selbst bezeichnen, als auch andern Theils die Aufstellung der verschiedenen Armeen zum Festsetzen in Frankreich nachweisen zu können.

Bevor jedoch die Darstellung des allgemeinen Vor= rückens gegen Paris beginnen kann, ist die Art und Weise der Feststellung des linken Flügels der Oberrhein=Armee zu berühren.

Das 1ste österreichsche Corps (Graf Colloredo) drängte nämlich den 29sten Juni den General Lecourbe bis Bel= fort zurück. Den 1sten Juli bemächtigte sich der öster= reichsche General v. Scheitherr der links von Belfort lie= genden Schanzen bei Bourgogne, welche für die Ein= schließung von Belfort auf dieser Seite wichtig waren.

Durch die Gefechte bei Besancourt und Chevremont (1. Juli) zwang der General Colloredo den Feind, sich hinter Belfort zurückzuziehen. Der General Lecourbe stellte seine Arrieregarde auf den Höhen von Vermont auf.

Den 2ten Juli rückte der zum 1sten österreichschen Corps gehörige General v. Scheitherr gegen Montbelliard vor.

Gefecht bei Montbelliard am 3ten Juli.

Die Franzosen hatten diese Stadt befestigt und mit Palissaden versehen. Das Schloß und der Ort waren besetzt. Die Oesterreicher griffen die Stadt an, placirten ihre Geschütze zweckmäßig, und nöthigten die Vertheidiger die Stadt zu verlassen und sich auf der Straße nach Be= toncourt zurückzuziehen. In Montbelliard wurden 7 Kano= nen erobert und einige Mund= und Schießvorräthe vor= gefunden.

Nach diesem Gefecht blieb es auf dem linken Flügel der Oberrhein=Armee, welchen das Corps des Generals Colloredo bildete, ziemlich ruhig. Ein Gesuch des Gene= rals Lecourbe zur Abschließung eines Waffenstillstandes wollte der Graf Colloredo nur dann bewilligen, wenn die Franzosen Belfort übergeben würden. Der General Lecourbe ging jedoch diesen Vorschlag nicht ein, vielmehr kam es am 8ten Juli zu einem heftigen Gefecht, in Folge dessen die Oesterreicher durch die Einnahme der Dörfer Perouse und Bavilliers die engere Einschließung der Festung Belfort gewannen, jedoch auch 25 Offiziere und 1000 Mann an Todten und Verwundeten verloren.

Dagegen wurde das allgemeine Vorrücken des größern Theils der Oberrhein-Armee und des russischen Heeres in folgender Art ausgeführt.

Weiteres Vorrücken des 4ten Armee-Corps bis zum 10ten Juli.

Die unter dem Feldmarschall Fürsten Wrede stehenden Truppen (das 4te Corps nebst den russischen Truppen unter dem Grafen Lambert und Tschernitschef, welche die Avantgarde des russischen und österreichschen Heeres bildeten), mußten in der Gegend von Nancy und Lüneville vier Tage stehen bleiben, um die nachrückenden Gros der Armeen zu erwarten. Durch diesen Aufenthalt ging der gewonnene Vorsprung größtentheils wieder verloren.

Der russische Generallieutenant Tschernitschef, welcher mit seinem Streifcorps schon am 1sten Juli aufgebrochen war, traf den 3ten bei Chalons sur Marne ein. Man versprach ihm, sich nicht zu widersetzen, und deshalb glaubte er, obgleich in dem Ort Franzosen sich befanden, einrücken zu können. Als man jedoch auf seine Avantgarde feuerte, sah er sich genöthigt, die russische Reiterei absitzen zu lassen, und die Thore zu erstürmen. Ein Theil der französischen Besatzung wurde niedergehauen. Der Divisions-General Rigault, 2 Obersten, 20 Offiziere und mehrere hundert Soldaten wurden zu Gefangenen gemacht, und 6 Kanonen nebſt 6 Pulverwagen erobert. Das Geſchütz war jenſeits der Brücke längs der Marne aufgeſtellt, und ſollte den Uebergang über dieſen Fluß vertheidigen.

Den 5ten Juli erreichte auch das Gros der baieriſchen Armee Chalons, wohin auch der Fürſt Wrede ſein Hauptquartier verlegte.

Den 6ten Juli blieb das Corps in der Gegend von Chalons ſtehen. Die Vorder-Detaſchements eröffneten heute über Epernay die Verbindung mit dem preußiſchen Heere.

Am Morgen des 7ten Juli traf die Nachricht von der Kapitulation von Paris und dem Zurückziehen der franzöſiſchen Armee hinter die Loire von dem Feldmarſchall Fürſten Blücher ein, welcher jedoch die Aufforderung an den Feldmarſchall Fürſten Wrede beigefügt war, ſich gegen die Loire zu bewegen und auf Gien vorzupouſſiren.

Bei dem weitern Vorrücken ſtieß der Generallieutenant Tſchernitſchef am 8ten Juli zwiſchen St. Prix und Montmirail auf eine Abtheilung feindlicher Truppen. Er griff dieſelben an, und warf ſie über den Morin gegen die Seine zurück.

Auch die baierſchen Truppen fanden in dem Schloß von Chateau-Thierry mehrere Geſchütze und Munition, welche der Feind bei ſeinem Zurückgehen ſtehen ließ.

Den 10ten Juli ſtand die baierſche Armee zwiſchen der Seine und Marne, und das Hauptquartier des Fürſten Wrede war in la Ferté ſous Jouarre.

Fernere Beſtimmungen des 3ten Corps unter dem Kronprinzen von Würtemberg, des 3ten öſterreichſchen und des öſterreichiſchen Reſerve-Corps bis zum 10ten Juli.

Während deſſen war das 3te Corps der Oberrhein-Armee unter dem Kronprinzen von Würtemberg, welches wir am 29ſten Juni mit der Einſchließung von Straßburg beauftragt verließen, dieſer Anordnung nachgekommen. Der Theil des Dorfes Suffelweichersheim, welcher jenſeits des Suffel-Baches liegt, wurde niedergebrannt, um dadurch ein Feſtſetzen des Feindes zu verhindern. Eben ſo wurde Straßburg von der andern Seite gleichfalls näher beobachtet und auch Detaſchements entſendet, um mit dem gegen Schlettſtädt vorrückenden 2ten öſterreichſchen Corps unter dem Prinzen von Hohenzollern die Verbindung zu eröffnen.

Vom 29ſten Juni bis 4ten Juli blieb das Corps des Kronprinzen von Würtemberg vor Straßburg ſtehen und wurde alsdann im Laufe dieſes Tages vom Corps des Prinzen von Hohenzollern abgelöſt.

Das 2te öſterreichſche Corps war nämlich mit dem Reſerve-Corps den 30ſten Juni in der Umgegend von Colmar eingetroffen, nachdem ſchon einen Tag früher die öſterreichſche Diviſion des Feldmarſchall-Lieutenants Mazzuchelly, welche die Feſtung Neu-Breiſach einſchloß, einen Ausfall der Garniſon gegen das Dorf Wolfgantzheim zurückgeſchlagen hatte.

Das Corps des Prinzen von Hohenzollern wendete ſich hierauf gegen Straßburg, um hier die bisher eingenommene Stellung des Corps des Kronprinzen von Würtemberg zu übernehmen. Die Avantgarde des Reſerve-Corps unter dem Feldmarſchall-Lieutenant Stutterheim marſchirte dagegen auf Remiremont und das Gros des Corps nach St. Marie aux mines.

Den 4ten Juli langte der Prinz von Hohenzollern vor Straßburg an, und die öſterreichſche Reſerve unter dem Erzherzog Ferdinand erreichte Raon l'Etape.

Das 3te Armee-Corps unter dem Kronprinzen von Würtemberg marſchirte dagegen heute (4. Juli) noch bis in die Umgegend von Molsheim.

Der Kronprinz von Würtemberg detaschirte am Morgen des heutigen Tages (4. Juli) den General Palombini mit 2 Escadrons Husaren Kronprinz von Würtemberg, 2 Bataillons des Infanterie-Regiments Reuß-Greiß, 1 Bataillon des Infanterie-Regiments Vogelsang, einer halben 6pfündigen und einer 12pfündigen Batterie, 2 österreichschen und 6 würtembergschen Haubitzen nach Pfalzburg ab, um diese Festung in der Nacht vom 5ten zum 6ten Juli zu beschießen und im Weigerungsfalle der Uebergabe am 6ten Juli des Morgens das Geschütz wieder zurückzuziehen.

Die russischen Truppen vom Corps des Generals v. Rajewsky, welche, wie wir später sehen werden, die Einschließung von den Baiern übernommen hatten, marschirten bei Ankunft des Generals Palombini ihrem Corps nach.

In der Nacht vom 5ten zum 6ten Juli wurde die Festung Pfalzburg mit vieler Wirkung beschossen, und mehrere Magazine und Gebäude angezündet; da jedoch der Commandant keine Unterhandlungen anknüpfte, so marschirte der General Palombini am 6ten nach Saarburg, und ließ den Generalmajor Luxem mit 2 Bataillons Reuß-Greiß, einer halben Escadron Husaren und einer halben Batterie vor Pfalzburg stehen.

Der Kronprinz von Würtemberg erreichte den 7ten Juli Lüneville. Die Division Palombini erhielt vom Feldmarschall Fürsten Schwarzenberg den Befehl, nach Straßburg zurückzumarschiren, um das Einschließungscorps zu verstärken. Den 10ten Juli erreichte das österreichsche Reserve-Corps über Neufchateau Doulevant, und der Kronprinz von Würtemberg Mirecourt, wohin das Hauptquartier des Prinzen verlegt wurde.

Vorrücken des 4ten russischen Corps bis zum 10ten Juli.

Das 4te russische Armee=Corps unter dem General Rajewsky, welches durch seine vorgeschickte Avantgarde das Hauptquartier der verbündeten Monarchen deckte, hatte den 27sten Juni bei Manheim den Rhein passirt, und war bis Berghausen marschirt.

Den 28sten Juni marschirte dies Corps in die Gegend von Kandel. Den 29sten erreichte dasselbe die Gegend von Ingelsheim, während die Monarchen ihr Hauptquartier den 27sten in Speyer, den 28sten in Rheinzabern und den 29sten in Weissenburg hatten.

Den 30sten Juni rückte die Avantgarde des 4ten russischen Corps bis Brumpt. Das Gros erreichte die Gegend von Kaltenhausen.

Die Monarchen und der Fürst Schwarzenberg nahmen ihr Hauptquartier in Hagenau.

Die Bevollmächtigten der provisorischen französischen Regierung trafen heute aus Laon mit Pässen des Feldmarschalls Fürsten Blücher in Hagenau ein. Es wurden von Seiten der Alliirten gleichfalls Bevollmächtigte ernannt, welche sich zwar über die Vorfälle in Paris und über die Anträge der französischen Abgeordneten unterrichten sollten, wogegen jede Unterhandlung, welche den Frieden und die Gewährung eines Waffenstillstandes betraf, für jetzt abzulehnen sei. —

Die Avantgarde des 4ten russischen Armee-Corps marschirte bis Dettweiler, das Gros des Corps bis in die Umgegend von Wilsheim. Die Monarchen und der Fürst Schwarzenberg nahmen ihr Hauptquartier in Savern oder Zabern.

Den 2ten Juli legte das Hauptquartier der verbündeten Monarchen und das 4te russische Armee=Corps einen

beschwerlichen Marsch zurück, indem sie die Festung Pfalz=
burg auf fast unwegsamer Straße umgehen mußten.

Die Garnison dieser Festung bestand aus 1500 Natio=
nal=Garden, einer Compagnie Artillerie und 31 Stück Ge=
schützen. Der Commandant war der General Barthelemy.
Schon am gestrigen Tage und heute mit Tagesanbruch
wurde die Festung von den russischen Truppen auf folgende
Art eingeschlossen.

In dem Dorfe les Quatrevents stand eine Abtheilung
Infanterie mit Kavallerie und einigen Kanonen, welche
die große Straße deckten und den Weg auf Pfalzburg
beobachteten. Man stellte Posten in den waldigen Bergen
aus, die angewiesen waren, die Kolonnen sogleich zu be=
nachrichtigen, wenn der Feind angreifen würde. Einige
Bataillons wurden bei der Mühle in dem Thale von
Roßig placirt, welches der Hauptpunkt zur Vertheidigung
dieses Thals ist. Von hier wurden Vorposten gegen Pfalz=
burg, so wie gegen das kleine Fort Lutzelstein (la Petite
Pierrée) ausgestellt, und die Brücke von Krausthal besetzt.
Bei den Dörfern Pfalzweiler und Mittelbrunn wurden
gleichfalls Abtheilungen von Infanterie und Kavallerie
placirt, welche die Straße und Festung auch von dieser
Seite beobachteten. Das Hauptquartier der Monarchen
und des Fürsten Schwarzenberg kam nach Saarburg.
Die 3te russische Husaren=Division, welche als Avant=
garde bis Häming vorgegangen war, sendete Abtheilungen
gegen Blamont und Marsall. Die Infanterie=Division
des Generals Zwielenief kam nach der Gegend von Ried=
nig, und die Division Olsusiew nach Pfalzweiler und Mit=
telbrunn; auch wurde durch sie Pfalzburg beobachtet. Die
Ablösung durch Truppen des 3ten Corps der Oberrhein=
Armee und der spätere Versuch zur Einnahme von Pfalz=
burg ist bereits erwähnt.

Es

Es ist ferner hier noch anzuführen, daß in diesen Gegenden des obern Elsaß, in den Vogesen, in der Franche-Comté und in Burgund sich die Einwohner bewaffnet hatten, und Streifpartheien, welche von Offizieren der Linie geführt wurden, bildeten. Man benutzte hier die gebirgigen Gegenden, die vielen haltbaren Punkte und Festungen, um einen Partheigängerkrieg mit den Einwohnern zu organisiren.

Mehrere Unternehmungen, vorzüglich gegen einzelne Individuen, oder gegen kleine Abtheilungen ausgeführt, wobei man nicht nach Kriegsgebrauch verfuhr, erzeugten Erbitterung und führten zu Repressalien.

Als am Nachmittage des 4ten Juli das Hauptquartier der Monarchen sich noch in Saarburg befand, an welchem Ort dem 4ten russischen Corps und dem Hauptquartier ein Ruhetag gewährt worden war, ereignete sich ein Vorfall, der den unruhigen Zustand des Landes charakterisirt.

Die russische Husaren-Division Tschaplitz war bereits von Heming abmarschirt, um zum morgenden Marsch die Gegend zu besetzen und zu patrouilliren. In dem Walde jenseits Heming wurden die Quartiermacher des Hauptquartiers von einer Abtheilung von 400 Mann solcher Partheigänger angegriffen und außer dem Lieutenant Pierowsky vom Generalstabe noch mehrere Leute verwundet. Dieser Angriff war jedoch gegen den Willen ihres Führers, des Escadrons-Chefs Briece, unternommen, welcher die Absicht hatte, mit 1500 Mann in der Nacht vom 3ten zum 4ten Juli das Hauptquartier in Saarburg zu überfallen. Dies Unternehmen hätte gelingen können, weil zwischen Heming und Saarburg keine Truppen kantonnirten und die Stadt nur von 2 Bataillons besetzt war.

II.   15

Die so eben bezeichnete Gefahr bedrohte die Monarchen demnach in demselben Augenblicke, als ihnen auf einem andern Punkte des Kriegsschauplatzes durch die Kapitulation von Paris, welche gleichfalls in der Nacht vom 3ten zum 4ten Juli zu Stande kam, das Schicksal Frankreichs in die Hände gegeben wurde. Den 4ten Juli schloß das 4te russische Armee=Corps die Festung Marsal ein, und lagerte auf beiden Seiten von Vic und Moyenvic.

Das Hauptquartier der Monarchen und des Fürsten Schwarzenberg war im Städtchen Vic. Der heutige Marsch wurde durch bewaffnete Bauern und durch Partheigänger, welche die Wälder besetzt hielten und aus denselben häufig schossen, öfter beunruhigt.

Am Mittage des 5ten Juli hielten die Monarchen an der Spitze des 4ten Armee=Corps ihren Einzug in Nancy, woselbst sie auch ihr Hauptquartier nahmen.

Den 6ten Juli schloß der Chef des Generalstabes Graf Radetzky mit dem in der befestigten Stadt Toul commandirenden Offizier eine Uebereinkunft, wonach die Verbündeten versprachen, Toul nicht zu besetzen, und die Garnison dagegen, keinen Durchmarsch oder Einmarsch durch französische Truppen zu gestatten. Das Durchpassiren von Couriern, so wie der Handel mit Eßwaaren sollte gestattet werden. Es wurde noch bestimmt, daß bei den zweideutigen Gesinnungen, welche die Einwohner von Nancy zeigten, die russische 9te Infanterie=Division des Generals Udom als Besatzung in diesem Orte zurückbleiben sollte, theils um die gefährdete Verbindung zu sichern, theils aber auch die Stadt selbst in Ordnung zu halten.

Der russische General Orlow wurde mit einer starken Kavallerie=Abtheilung gleichfalls zurückgelassen, um gegen die feindlichen Partheigänger zu streifen.

Das Hauptquartier der Monarchen blieb den 6ten Juli in Nancy.

Das 4te russische Armee-Corps umging am 7ten Juli die von den französischen Truppen besetzte Stadt Toul. Die Partheigänger und bewaffneten Einwohner schossen, überall aus den Waldungen auf die Truppen, so daß mehrere Menschen verwundet wurden.

Um diesen Streifereien mit Strenge zu begegnen, wurden neun Einwohner aus den Dörfern Lagny, Pogney und Ecrouves in dem Augenblick ergriffen, als sie sich solche Mordanfälle zu Schulden kommen ließen, die durch den Krieg durchaus nicht gerechtfertigt wurden, und sofort erschossen.

Auf dem heutigen Marsche erhielt der König von dem Feldmarschall Fürsten Blücher durch den Rittmeister v. Fröhlich die Nachricht von der Kapitulation von Paris und von der Besetzung der Hauptstadt.

Die Monarchen faßten hierauf den Entschluß, den folgenden Tag mit geringer Begleitung nach Paris voraus zu gehen. Das Hauptquartier wurde dagegen heute noch in dem kleinen Städtchen Void genommen. Den 8ten Juli wurde dasselbe nach Ligny verlegt, während der Feldmarschall Fürst Schwarzenberg sich zum österreichschen Reserve-Corps nach Doulevent begab.

Ueberblick des russischen Heeres am 10ten Juli.

Die russische Armee war in der Art, wie es die Beilage nachweiset, bis zum 8ten Juli in Frankreich vorgerückt und jetzt mit dem Heere des Oberrheins auf gleicher Höhe. Das russische 4te Armee-Corps stand um Ligny, das 3te von Chalons rückwärts bis gegen Beauzée. Zwischen den Straßen, die das 3te und 4te Corps einnahmen, war das 5te bei Vilotte, St. Mihiel und Brabant le Roy ange-

langt. Das 7te Armee=Corps bezog mit einer Division in der Umgegend von Nancy, mit der andern in der Umgegend von Chalons Kantonnirungen, und blieb hier bis auf weitern Befehl stehen.

Das 2te und das 3te Reserve=Kavallerie=Corps waren noch etwas zurück. Das letztere erreichte am 8ten Juli Moyen Vic und Saarburg, und das erstere hatte Ruhetag in der Gegend von Petelange.

Das Hauptquartier des Feldmarschalls Grafen Barclay de Tolly war den 8ten Juli in Bar le duc.

Auf diese Weise war das Vorrücken der beiden Armeen auf die natürlichen Richtungen zurückgeführt worden, durch welche die von den Niederlanden aus geführte Operation vom Mittelrhein her am besten unterstützt werden konnte. Man war stark genug, seine Kommunikation zu sichern; die rückwärts liegenden Festungen einzuschließen und dennoch mit hinreichenden Truppen eine Schlacht anzunehmen. Dies würde unter schwierigen Umständen als das Ziel einer gut geleiteten Operation anzusehen sein. In dem vorliegenden Falle ist jedoch nicht zu verkennen, daß das große Uebergewicht der Kräfte die Vortheile zu sehr auf die Seite der Oberrhein= und der russischen Armee neigte, die eigentlich, nachdem Napoleons Heer vernichtet und gegen Paris geworfen war, fast keinen Gegner vor sich fanden. Die Bewegungen beider Armeen sind daher auch nur als ein allgemeiner Vormarsch gegen die Hauptstadt zu betrachten.

Den 10ten Juli erreichten die Souveraine, zuerst unter Bedeckung russischer Truppen, sodann baierscher Reiterei, und jenseits Meaux von englischer Reiterei begleitet, Bondy. Von hier aus begaben sich die Monarchen, wahrscheinlich um jeden Empfang zu vermeiden, noch am Abend nach Paris, wo sie spät um 9 Uhr eintrafen.

Es ist jetzt noch zu bemerken, daß im Rücken des russischen und oberrheinischen Kriegsheeres, eben so wie hinter dem preußischen und englischen Heere, besondere Corps zurückgelassen wurden, welche die Belagerung der auf der Kommunikation liegen gebliebenen Festungen übernahmen.

Von dem russischen Heere wurde das 6te Armee-Corps unter dem General Grafen Langeron zum Einschließen der Festungen verwendet, und das 7te russische Corps, welches anfänglich zurückgelassen worden war, rückte hierauf der Armee nach.

Von der Garnison von Mainz wurden die Festungen Landau und Bitsch eingeschlossen.

Die Oberrhein=Armee ließ unter dem Erzherzog Johann ein starkes Truppencorps zurück, welches die Belagerung der Festungen auf der Kommunikation der Oberrhein=Armee ausführen sollte.

Die Details dieser Unternehmungen werden später angeführt werden, wogegen es jetzt nothwendig wird, um die allgemeine Uebersicht der Kriegsereignisse zu gewinnen, die Operationen der Armee von Ober=Italien bis zu demselben Zeitpunkt zu führen, welcher, wegen der Einnahme von Paris durch sämmtliche Kriegsheere, als die Feindseligkeiten im offenen Felde beendigend anzusehen ist.

Vorrücken der Armee von Ober=Italien unter dem General Baron Frimont.

Die Armee von Ober=Italien hatte sich im Monat Juni unter dem General der Kavallerie Baron Frimont gesammelt. Mit Einschluß der piemontesischen Truppen, welche nach den früher mitgetheilten Uebersichten die Stärke von 15000 Mann haben sollten, und durch den General Latour befehligt wurden, konnte die Stärke des ganzen

Kriegsheeres, worüber gleichfalls die früheren Beilagen sich aussprechen, auf 60000 Mann angenommen werden.

Diese Armee sollte ihr Vordringen in zwei Kolonnen, von denen die stärkere aus 2 österreichschen Corps zusammengesetzt war, die schwächere unter dem Feldmarschall Grafen Bubna aus einem österreichschen Corps und den piemontesischen Truppen bestand, bewerkstelligen. — Die 1ste Kolonne erhielt die Weisung, durch Wallis gegen Lyon und die letztere von Piemont aus durch Savoyen in das südliche Frankreich vorzurücken.

Diesem Kriegsheere stand die französische Alpen=Armee unter dem Befehle des Marschalls Suchet in der Umgegend von Chambery und Grenoble entgegen.

Die feindlichen Truppen konnten 12 bis 13000 Mann stark sein, wobei jedoch zu bemerken ist, daß das Beobach=tungs=Corps am Var in der Umgegend von Antibes und Toulon unter dem Marschall Brune ungefähr 10000 Mann betragen konnte, und unbeschäftigt blieb, da die österreichsche Armee von Neapel unter dem Feldmarschall=Lieute=nant Baron Bianchi erst später eintreffen konnte.

Außerdem ist noch zu erwägen, daß man über die Stärke der französischen Truppen im Jahre 1815 hier sowohl, wie auf allen andern Punkten, nie recht ins Klare kommen kann, weil die dritten Bataillons der Regimenter bei vielen Corps herangezogen wurden, und außerdem noch die 4ten und 5ten Bataillons in den Depots disponibel blieben, so wie an vielen Orten noch National=Garden hinzugezogen waren.

Von Napoleon erhielt der Marschall Suchet den Befehl, seine Bewegungen den 14ten Juni anzufangen, und durch schnelle Märsche dem österreichschen Heere die Gebirgspässe im Walliser Lande und Savoyen zu ver=

sperren, und sie so von einem Vordringen in Frankreich abzuhalten.

In Savoyen glückte es den Franzosen, den Oesterreichern zuvorzukommen, indem die Kolonne des Generals Bubna nur durch blutige Gefechte sich der Eingänge nach Frankreich hinein wieder bemächtigen konnte.

Gleichzeitig drangen die Franzosen gegen Wallis vor.

Den 13ten Juni überschritten sie die Arve, umringten von hier aus Genf, und hatten die Absicht, sich der wichtigen Pässe von Meillerie und St. Maurice zu bemächtigen, und hier die österreichischen Kolonnen, welche aus dem Walliser Lande herabstiegen, aufzuhalten.

Als der Feldmarschall-Lieutenant von Radivojevich, welcher das 1ste Armee-Corps der Armee von Ober-Italien führte, von dem Vorrücken der französischen Truppen Nachricht erhielt, beschleunigte er den Marsch seiner Truppen über den Simplon. Die Avantgarde der Oesterreicher unter dem Feldmarschall-Lieutenant Grafen Creenville erreichte nach einem dreitägigen angestrengten Marsch St. Maurice, besetzte diesen Paß und rückte bis Monthey vor.

Am 21sten Juni passirten die Franzosen bei Effreur die Drance zu derselben Zeit, als der Generalmajor Bogdan, welcher die Spitze der österreichischen Avantgarde unter General Creenville befehligte, gegen Vauvrier vorzurücken im Begriff stand.

Es war der französische General Dessaix, welcher 4000 Mann von seiner Division in Evian zurückgelassen hatte, und mit 2000 Mann theils auf der Hauptstraße, theils über die Gebirge gegen Meillerie und St. Gingolph vorrückte. Der General Bogdan erkannte die Absicht des Feindes, und keine Unterstützung erwartend, rückte er dennoch mit seiner schwachen Abtheilung, aus 2 Compagnien des 7ten Jäger-Bataillons, 2 Compagnien Wal-

lachen und Illyriern und einigen Husaren bestehend, ohne
Artillerie dem Feinde muthig entgegen, besetzte die Straßen
von Meillerie, und stellte sich zwischen diesem Orte und
St. Gingolph auf.

Um 4 Uhr Nachmittags (21. Juni) begann die
französische Kolonne den Angriff auf Meillerie, den sie
durch ein starkes Kanonenfeuer unterstützte. Allein die
Tapferkeit der österreichschen Truppen, welche durch ihre
Führer einsichtsvoll geleitet wurden, machte alle Anstren=
gungen des Feindes vergeblich. Die Oesterreicher behaup=
teten Meillerie, drängten die Franzosen zurück und ver=
folgten sie bis Evian. Die Oesterreicher verloren 2 Offi=
ziere und 73 Mann an Todten und Verwundeten; der
Feind hatte wenigstens einen gleichen Verlust.

Vorrücken der linken Flügel=Kolonne der Armee von Ober=Italien unter dem Feldmarschall=Lieutenant Grafen Bubna.

Den 24sten und 25sten Juni passirte die 2te öster=
reichsche Kolonne unter dem Feldmarschall=Lieutenant Gra=
fen Bubna den Mont=Cenis. Der Feind hatte während
dessen eine Diversion aus der Dauphinée in der Rich=
tung von Briançon über den Mont Genèvre, also in der
linken Flanke der österreichschen Kolonne, auf der nach
Turin führenden Straße ausgeführt, und die Stellung von
Clavieres besetzt.

Am 22sten Juni griffen auch die Franzosen bei Se=
sane eine Abtheilung österreichscher Truppen unter dem
Obersten Obrion an, konnten sich jedoch dieses Postens
nicht bemächtigen. Die Franzosen rückten auch noch an
diesem Tage gegen Moutiers in Savoyen vor, und besetzten
das in Vertheidigungsstand gesetzte Conflans. Auch wurde

da, wo die Arlo in die Jsère mündet, ein Brückenkopf angelegt.

Der österreichsche General v. Trenk traf den 27sten Juni vor Conflans ein. Den 28sten Juni wurde der Angriff auf diesen Ort in zwei Kolonnen ausgeführt. Die 1ste Kolonne unter dem Generalmajor d'Andezene bemächtigte sich des befestigten Postens von Rauton, und verfolgte den Feind bis l'Hopital. Hier kam es zu einem hartnäckigen Gefecht, indem der Feind Verstärkungen erhielt und daher das Gefecht erneuerte. Die Fortschritte der Oesterreicher wurden zwar jetzt gehemmt, jedoch behaupteten sie den eroberten Ort.

Die Kolonne des Generalmajors v. Trenk griff den rechten Flügel sehr unerschrocken an, vertrieb den Feind von den Anhöhen, und bemächtigte sich zuletzt der Stadt Conflans nach einem hitzigen Gefechte.

Der Feind, obgleich er die Umgehung der 2ten österreichschen Kolonne verhindert hatte, entschloß sich, bis in den weiter rückwärts angelegten Brückenkopf zurückzugehen. Die Oesterreicher griffen jedoch auch diese Stellung stürmend an, und es gelang ihnen, nicht allein sich des Brückenkopfs, sondern auch der Brücke selbst zu bemächtigen.

Fortsetzung der Operationen des Generals Baron Frimont.

Die beiden österreichschen Corps unter dem unmittelbaren Befehl des commandirenden Generals Baron Frimont waren, nachdem die Spitze der Avantgarde das Gefecht bei Meillerie glücklich bestanden hatte, in forcirten Märschen aus dem Walliser Lande hervorgebrochen und über Thonon am linken Ufer des Genfer Sees bis zur Arve, welche sie am 27sten Juni erreichten, vorgerückt.

Die raschen Bewegungen und die angestrengten Mär=

fche, welche die Truppen unter dem General Frimont während zehn Tagen bei ungünstiger Witterung durch die beschwerlichen und höchsten Gebirge zurücklegten, verschafften ihnen gleich im Anfange der Feindseligkeiten ein Uebergewicht, welches der Feind durch seine Offensive sich vergeblich bemüht hatte, für sich zu erhalten.

Verfolgen wir jedoch die weiteren Operationen, so sieht man am 27sten Juni von der Avantgarde des Feldmarschall=Lieutenants Creenville eine Abtheilung links gegen Bonneville geschickt, um die Brücke über die Arve zu gewinnen. Die Franzosen hatten Bonneville stark besetzt. Die Lage des Orts in einem engen Thale bot ihnen viele Vortheile zu der Vertheidigung dar. Die Oesterreicher fanden bei ihrem Angriffe hartnäckigen Widerstand, und konnten sich dieses Ortes nicht bemächtigen. Da jedoch der österreichsche General Bogdan sich des Uebergangs bei Carrouge über die Arve bemächtigte, so wurden die Franzosen bei Bonneville genöthigt, sich gleichfalls zurückzuziehen und das Thal der Arve zu verlassen.

Die Avantgarde des Generals Creenville passirte hierauf die Stadt Genf, und vertrieb den Feind von den Anhöhen von Grand Saconex und aus St. Genis.

Das 1ste österreichsche Corps unter dem Feldmarschall=Lieutenant Radivojevich erreichte den 29sten Juni Genf. Man wollte schon früher das Regiment Esterhazy auf dem Genfer See einschiffen, um die verschanzten Stellungen auf dem Jura=Gebirge angreifen zu lassen. Allein der stürmische See vereitelte diese Absicht, und das Regiment mußte zu Lande einen weiten Umweg machen.

Um jedoch die rechte Flanke der Armee bei dem weitern Vorrücken längs der Rhone zu sichern, war es nothwendig, sich der Deboucheen des Jura=Gebirges zu bemächtigen, welche hier durch zwei enge Gebirgspässe, die eine steile Gebirgswand durchschneiden, gebildet werden. Der Feind hatte diese Punkte mit vieler Sorgfalt in Vertheidigungsstand gesetzt, so daß man bedeutende Schwierigkeiten beim Eröffnen derselben erwarten mußte.

Der General Baron v. Frimont beschloß, den entfernteren Gebirgspaß, les Rousses genannt, zu welchem die Straße längs dem Genfer See, dann über Trelex und St. Cergues führt, zu erobern, und von da den nächsten Weg über Gex nach St. Claude durch eine Umgehung zu eröffnen, während der Feind vor dem 2ten Gebirgspaß in der Front gleichfalls beschäftigt werden sollte.

Diese Unternehmung wurde am 1sten Juli in zwei Kolonnen ausgeführt. Der General v. Fölseis marschirte über Crassier, Trelex gegen St. Cergues, und der Feldmarschall=Lieutenant Radivojevich gegen Gex. Die Avantgarde der letztern Kolonne unter dem General Bogdan vertrieb den Feind bis hinter die Höhen von Gex, und drängte ihn in den Engpaß zurück. Der Feind besetzte die vordere Linie seiner Verschanzungen und schien sich hier behaupten zu wollen. Um jedoch die Franzosen zu beschäftigen, ließ der General Bogdan durch seine Infanterie die steilen Höhen in den Flanken des Feindes erklimmen. Als die Franzosen sich umgangen sahen, verließen sie die vorderen Schanzen und zogen sich in die Hauptstellung zurück, welche von ihnen behauptet wurde.

Die Truppen des Generals Fölseis trafen den 1sten Juli mit Tagesanbruch unweit der Verschanzungen des Passes les Rousses ein. Der Feind war auf einen Angriff nicht unvorbereitet.

Außer den Verstärkungen, welche die Franzosen an sich gezogen hatten, war auch das zur Vertheidigung vortheilhafte Terrain durch gute Vertheidigungs=Anlagen benutzt worden. Die Angriffe der Oesterreicher hatten daher

auch nicht den gewünschten Erfolg, und wurden zurück=
gewiesen.

Der General v. Fölseis sah sich daher genöthigt,
seine Reserven heranzuziehen, um, durch sie verstärkt, einen
neuen Angriff anordnen zu können. Die Franzosen,
welche diese Vorkehrungen bemerkten, eilten ihnen zuvor
zu kommen, und unternahmen aus ihren Verschanzungen
einen Ausfall, indem sie den Oesterreichern lebhaft entge=
gen rückten. Diese unrichtige Maaßregel des Feindes be=
nutzte der General Fölseis mit Entschlossenheit und Klug=
heit. Die Franzosen wurden von österreichscher Kavallerie
und von Geschützfeuer in die Flanke genommen und mit
bedeutendem Verlust zurückgeworfen.

Wahrscheinlich kam die österreichsche Infanterie mit
dem Feinde zugleich in seinen Verschanzungen an und
bemächtigte sich ihrer. Das Resultat wenigstens war,
daß die Franzosen ihre Stellung hinter les Rousses und
bei Morey nicht behaupten konnten, und auch den Paß
von la Fancile verlassen mußten. Die österreichsche Avant=
garde verfolgte den Feind, und erreichte noch am Abend
St. Claude auf der links führenden Straße und St. Lau=
rent bei Fortsetzung ihrer ursprünglichen Angriffsdirection.
Der Verlust an Todten und Verwundeten war auf beiden
Seiten ziemlich gleich, jedoch verlor der Feind beim Rück=
zuge noch viele Gefangene.

Während auf diese Weise der General Baron Fri=
mont durch sein 1stes Corps die Engpässe des Jura=
Gebirges öffnen ließ, wurde dem Reserve=Corps unter dem
Feldmarschall=Lieutenant Meerville der Auftrag, die Fran=
zosen in der Richtung der Rhone zurückzuwerfen. Der
Feind sperrte jedoch die Hauptstraße von Genf nach Lyon
durch das Festhalten des Forts l'Ecluse. Das österreich=
sche Reserve=Corps mußte daher die Straße auf dem

linken Ufer der Rhone einschlagen, und den Erfolg, den
die Umgehung des Corps unter dem Feldmarschall-Lieutenant Radivojevich haben würde, abwarten. Dies wurde
um so nothwendiger, als auch der Feind die schöne Brücke
über die Rhone bei Seyssel, durch welche man auf das
rechte Ufer der Rhone gelangen konnte, zerstört hatte.

Nachdem der General Radivojevich, wie früher schon
bezeichnet wurde, durch den Gebirgspaß les Rousses de-
bouchirte, verließ der Feind auch den 2ten Gebirgspaß bei
Mioux, wodurch es dem österreichschen Corps möglich
wurde, gegen das Thal der Rhone zu detaschiren.

Es waren die Divisionen Dessaix und Maransin,
welche durch einige Verstärkungen, die der Marschall Suchet herbeiführte, es möglich machten, dem Andringen der
beiden österreichschen Corps auf den verschiedenen Punkten
in Wallis und im Jura-Gebirge kräftigen Widerstand zu
leisten. Jetzt zog sich ein Theil dieser Truppen auf dem
rechten Ufer der Rhone gegen das Fort l'Ecluse, welches
in einer Felsen-Schlucht liegt, und die Straße nach Lyon
sperrt, zurück. Die Franzosen hatten auf dem Abhange
des Berges oberhalb des Forts noch eine selbstständige
Redoute erbaut, die jede Annäherung an das Fort auf
einem weiten Umkreise erschwerte, und die vorliegende Ebene
mit wirksamem Kanonenfeuer bestrich. Die steilen Abhänge
machten es auch unmöglich, diese Redoute mit Geschütz
erfolgreich anzugreifen.

Die österreichschen Truppen vom Corps des Generals
Radivojevich, welche gegen das Rhone-Thal vorrückten,
beeilten sich, die Einschließung des Forts l'Ecluse auszuführen. Das Regiment Esterhazy hatte die feindlichen
Posten aus Collonge und von den nächsten Höhen zurückgeworfen.

Es erhielt hierauf den Befehl, die vorwärts gelegene

Redoute mit Sturm zu nehmen. Nach geschehener Recognoscirung fand sich, daß das Werk vollkommen geschlossen, durch eine Gallerie gedeckt, und von einer dreifachen Reihe von Wolfsgruben umgeben war. In zwei Kolonnen wurde der Angriff ausgeführt. Es gelang dem österreichschen Regiment, obgleich der Feind sich tapfer vertheidigte, und die Beschwerlichkeit des Angriffs durch das feindliche Feuer sehr erhöht wurde, sich der Schanze zu bemächtigen. Man eroberte 4 Kanonen und einige Munitionsvorräthe. Die vom Feinde übrig gebliebene Besatzung wurde zu Gefangnen gemacht. Die Oesterreicher verloren jedoch auch 4 Offiziere und einige hundert Gemeine an Todten und Verwundeten. Das Fort l'Ecluse wurde hierauf eng eingeschlossen.

Das Reserve-Corps unter dem Feldmarschall-Lieutenant Meerville versuchte während dessen unterhalb l'Ecluse bei Perte du Rhône den Uebergang auf das rechte Ufer zu erzwingen. Die Rhone, welche bei Genf 213 Fuß breit ist, hat 2 Meilen unterhalb l'Ecluse kaum eine Breite von 15 bis 16 Fuß, und stürzt sich weiterhin mit einem jähen Fall und starkem Geräusch in einen Trichter, dessen Felsen einander so nahe stehen, daß an einer Stelle beide Ufer nur zwei Klaftern von einander entfernt sind. An dieser Stelle, wo sich der reißende Strom in Felsenklüften zu verlieren scheint, hatte der Feind einen Brückenkopf angelegt, um sich hier zu vertheidigen. Allein die Bewegung des 1sten österreichschen Armee-Corps unter dem Feldmarschall-Lieutenant Radivojevich nach Chatillon zwang den Feind, diesen Brückenkopf zu räumen. Der Feind sprengte jedoch die hier befindliche steinerne Bogenbrücke, ein Werk von vorzüglicher Schönheit. An der Stelle, wo eine andere Brücke erbaut werden sollte, war das Felsenbette so weit geöffnet, daß kein Balken lang und stark genug war, um einen Uebergang zu Stande zu bringen. Eine Jochbrücke schien nicht anwendbar, indem der unterste und sehr tiefe Theil des gespaltenen Felsengewölbes keinen haltbaren Grund darbot. Der Oberstlieutenant Winker des Pionier=Corps ließ einen aus Faschinen und Baum= stämmen mühsam verfertigten Rost erbauen, welcher über die tiefste Spaltung der Wölbung gelegt wurde, und einer auf mehreren Jochen ruhenden Brücke zum Grunde diente. Auch mußte die Zufahrt zu dieser Brücke eben so müh= sam in Stand gesetzt werden. Außerdem wurde bei Gresin noch eine Laufbrücke hergestellt.

Die Avantgarde des Reserve=Corps unter dem Feld= marschall=Lieutenant Grafen Hardegg passirte die Rhone zuerst, und fand den Feind bei Charix hinter Chatillon auf dem Wege nach Nantua in einer sehr vortheilhaften Po= sition aufgestellt. Der General Graf Hardegg ließ die Franzosen sogleich angreifen. Der linke Flügel seiner Trup= pen wurde durch das Landwehr=Bataillon Kerpen, die Mitte unter dem General v. Mumb durch 2 Bataillons Deutschmeister und 2 Compagnien Wallachen, und der rechte Flügel durch das Landwehr=Bataillon Erzherzog Ludwig gebildet. Das Gefecht wurde bald allgemein und heftig. Der Feind vertheidigte sich standhaft, mußte jedoch zuletzt weichen, und wurde nun bis über Nantua verfolgt. Die Oesterreicher verloren 150 Mann an Todten und viele Blessirte. Der Verlust des Feindes war noch größer.

Das Hauptquartier des die Armee von Ober=Italien commandirenden Generals Baron Frimont war den 29sten Juni in Genf und den 8ten Juli in Chatillon de Mi= chaille gewesen. Die von dem 1sten österreichischen Corps zurückgelassenen Truppen hatten in dieser Zwischenzeit die Beschießung des Forts l'Ecluse angefangen. Der Oberst v. Blumenfeld hatte nur 2 Kanonen und 2 Haubitzen zu seiner Disposition. Das Auffliegen eines Pulvermagazins und ein dadurch veranlaßter allgemeiner Brand wurde die Veranlassung, daß die feindliche Besatzung aus dem Platze entfloh und sich (9. Juli) den österreichschen Truppen ergab. Im Fort befanden sich 5 Kanonen und ein ziemlich bedeutender Munitions-Vorrath.

Fortsetzung der Bewegungen des 1sten österreichschen Corps.

Das 1ste österreichsche Armee-Corps unter dem Feldmarschall-Lieutenant Radivojevich war, wie schon bemerkt, gleichzeitig vorgerückt. Die Avantgarde unter dem General Bogdan hatte am 3ten Juli ein Gefecht bei Oyonnay, welcher Ort in der Richtung von St. Claude nach Bourg en Bresse liegt. Der französische Divisions-General Maransin hatte hier mit 2000 Mann eine vortheilhafte Aufstellung genommen. Der Feind wurde indeß in seiner linken Flanke umgangen und dadurch genöthigt, sich über Belignat nach Alex zurückzuziehen. Den 9ten Juli erreichte das Corps Bourg en Bresse.

Von hier wurde am 10ten Juli der Generalmajor v. Pflüger mit dem Regiment Erzherzog Ludwig, einer Fußbatterie und einiger Kavallerie gegen Maçon gesendet, um sich des dortigen Brückenkopfs zu bemächtigen. Es war Mitternacht vorüber, als diese Abtheilung bei St. Madelaine eintraf. Nach kurzem Ausruhen ließ der General v. Pflüger die Brückenschanze angreifen, und bemächtigte sich ihrer in Folge eines ziemlich heftigen Gefechts. Es wurden 4 Kanonen, eine Haubitze und 8 Munitionswagen dem Feinde abgenommen. Der General v. Pflüger besetzte die Stadt Maçon und beobachtete mit seinen Truppen das rechte Ufer der Saone.

Fort-

Fortſetzung der Bewegungen der linken Flügel-Kolonne der Armee von Ober-Italien unter dem Feldmarſchall-Lieutenant Grafen Bubna.

Gleichzeitig mit den Bewegungen des erſten öſter=reichſchen Corps und des Reſerve=Corps war indeß die linke Flügel-Kolonne des Heeres von Ober=Italien unter dem Feldmarſchall=Lieutenant Grafen Bubna den 7ten Juli in Echelles eingetroffen. Die Straße nach Lyon wurde durch das zwiſchen Chambery und Lyon liegende Fort de la Crotte geſperrt. Man würde nur mit viel Mühe und Zeitaufwand ſich einen Weg über die zur Seite befindlichen Berge haben bahnen können. Das Infanterie=Regiment Kerpen unter dem Oberſten Obrion ſchloß die=ſes Fort ein und forderte die Beſatzung zur Uebergabe auf. Auf eine unerwartete und durch nichts motivirte Weiſe ergab ſich die aus 5 Offizieren und 95 Mann be=ſtehende Beſatzung. Die Franzoſen hatten die Straßen verſchüttet und unwegſam gemacht; allein durch den Eifer der Thalbewohner, welche der General Graf Bubna durch die Zimmerleute ſeiner Truppen unterſtützen ließ, wurde die Straße in 24 Stunden völlig gangbar gemacht. In der Nacht zum 7ten Juli konnten die Truppen bereits durch den Engpaß marſchiren, und die Avantgarde unter dem General Brettſchneider rückte über Pont de Beau=voiſin bis les Abriets vor. Zu derſelben Zeit hatte der Generalmajor v. Trenk, vom See Bourget herkommend, längs des linken Ufers der Rhone St. Genis erreicht und eine Abtheilung zurückgelaſſen, welche das am rechten Ufer derſelben gelegene Schloß Pierre Chatel einſchloß.

Detaſchirung des piemonteſiſchen Corps unter dem Generallieutenant Grafen Latour gegen Grenoble.

Der Feldmarſchall=Lieutenant Graf Bubna ließ links von ſeinem öſterreichiſchen Corps die ſardiniſchen Truppen,

II.   16

welche er durch 1 Bataillon Kerpen, 1 Escadron Lichten=
stein und 1 Escadron Frimont Husaren verstärken ließ,
unter dem Generallieutenant Grafen Latour gegen Grenoble
vorrücken. Die Avantgarde unter dem General Giflenga
traf schon am 4ten Juli vor Grenoble ein. Das Gros
folgte nach. Am 6ten Juli wurden die Vorstädte ange=
griffen. Die Brigade des Generals d'Antezaine detaschirte
man rechts nach Voreppe, wodurch man die Verbindung
auf der Lyoner Straße mit Grenoble abzuschneiden bezweckte.

Man hatte sich während dessen der Vorstädte von
Grenoble bemächtigt, und schloß die Festung ein. Die
aus 8 Bataillons National=Garden bestehende Besatzung
verlangte indeß schon am 9ten Juli, unter der Bedingung
der freien Rückkehr nach ihrer Heimath, zu kapituliren.
Man fand in Grenoble 54 Stück Geschütze und 8 Mör=
ser, so wie auch beträchtliche Kriegsvorräthe. Die Festung
hätte bedeutenden Widerstand leisten können, wenn sonst Wille
und Kraft der Vertheidiger mit den günstigen Vertheidi=
gungs=Verhältnissen gleichen Schritt gehalten hätten.

In den so eben näher bezeichneten Richtungen war
das Vorrücken der verschiedenen Corps der Armee von
Ober=Italien bis zum 10ten Juli so weit vorgeschritten,
daß das 2te österreichische Corps, welches zur Kolonne des
Feldmarschall=Lieutenants Grafen Bubna gehörte, auf dem
linken Ufer der Rhône vorrückend, bis zu den Verschan=
zungen der Vorstadt von Lyon, la Guillotiere genannt,
gekommen war. Das österreichische Reserve=Corps unter
dem Feldmarschall=Lieutenant Meerville traf gleichfalls nach
einigen zwischen der Saone und der Rhone (10. Juli)
vorgefallenen leichten Vorposten=Gefechten jetzt bei Lyon
ein, während das 1ste Armee=Corps unter dem Feldmarschall=
Lieutenant Radivojevich im Begriff stand, bei Maçon die
Saone zu überschreiten.

Die Armee von Ober-Italien besetzt Lyon am 14ten Juli.

Am 11ten Juli wurde von französischer Seite das Gesuch um einen Waffenstillstand angebracht. Man gewährte dasselbe mit den Bedingungen, daß die Stadt Lyon nebst den verschanzten Lägern von den Franzosen geräumt würde, und der Marschall Suchet sich in eine Demarkations-Linie hinter die Loire zurückzuziehen verpflichtet sei.

Den 12ten Juli wurde der Vertrag unterzeichnet, und in demselben die Räumung von Lyon vom 14ten bis zum 17ten Juli festgesetzt.

Ueberblickt man die Fortsetzung der Operationen des Feldmarschalls Baron Frimont von Genf aus, so kann man sie gewiß nicht anders als zweckmäßig nennen. Anderer Seits darf man auch nicht übersehen, daß das Ueberschreiten der französischen Grenze erst mit dem 1sten Juli geschah, und daher schon der Verlust der Schlacht von Belle-Alliance und die Abdankung Napoleons seit mehreren Tagen bekannt war. Gewiß ist hierin ein Grund davon zu suchen, daß die größere Theilnahme der National-Garden und die bessere Benutzung der Hülfsquellen unterblieb. Der Marschall Suchet war daher auf seine beiden schwachen Divisionen beschränkt, um das übermächtige Vordringen der österreichschen Corps zu verhindern.

Es ist kaum zu zweifeln, daß, im Fall Napoleon in den Niederlanden glücklicher gewesen wäre, auch hier im südlichen Frankreich eine größere Masse von Streitkräften sich entwickelt haben würde, und daß die getroffenen Vertheidigungs-Maaßregeln, welche allerdings hier durch Terrain-Verhältnisse begünstigt waren, auch noch von größerem Erfolg sich gezeigt haben würden, wie es jetzt bei der Theilnahmlosigkeit der Nation und bei der geringen Anzahl von Linien-Truppen der Fall sein konnte.

Es ist hier noch nachzuholen, daß der sardinische General d'Osasca, der sich gegen Nizza gewendet hatte, dort schon mit dem Marschall Brune am 9ten Juli einen Waffenstillstand schloß, welcher auf dieser Seite die Feindseligkeiten endigte.

Nachdem die Stadt Lyon den Oesterreichern übergeben worden war, und auch der Marschall Suchet mit seinen Truppen sich hinter die Loire in Marsch gesetzt hatte, ließ der General Baron Frimont das 2te österreichische Corps unter dem Feldmarschall-Lieutenant Bubna in Lyon zurück, während das 1ste österreichische Armee-Corps unter dem Feldmarschall-Lieutenant Radivojevich gegen Chalons sur Saone vorrückte, um den dortigen Brückenkopf zu besetzen. Da jedoch noch eine feindliche Abtheilung vom Corps des Generals Lecourbe in Salins und zwischen Dole und Pourtaliers stand, auch Besançon noch nicht von verbündeten Truppen eingeschlossen war, so beschloß der commandirende General Baron Frimont diesen letztern Ort sofort einzuschließen, und die feindliche Abtheilung in Salins anzugreifen.

Die Brigade des Generalmajors v. Hecht und die Brigade des Generalmajors v. Trenk vom Reserve-Corps wurden über Lons le Saulnier gegen Salins detaschirt, während die Brigade des Generalmajors v. Fölseis vom 1sten Armee-Corps über Dole gegen Besançon vorrückte.

Der österreichische General Hecht traf mit 2 Brigaden in Salins ein, so wie der österreichische General Fölseis mit einer Brigade bei Dole. Da die Avantgarde des 1sten Corps sich gleichzeitig im Marsch auf Chalons sur Saone befand, so wurde durch diese vereinigten Bewegungen die noch zu Salins stehende französische Abtheilung des Generals Laplane für ihren Rückzug besorgt. Wenigstens fühlten sich diese Truppen bewogen, eine Ueber-

einkunft abzuschließen, der zufolge die Nationalgarden auf=
gelöst und nach ihrer Heimath entlassen werden sollten.
Sämmtliche Generale und Offiziere wurden als Kriegs=
gefangene über die Loire geschickt, und eins der beiden
Forts von Salins den österreichschen Truppen übergeben.

Während dessen war auch die Avantgarde des 1sten
Armee=Corps unter dem Feldmarschall=Lieutenant Grafen
Creenville bei Chalons sur Saone eingetroffen. Man
fand zwar den Brückenkopf noch vom Feinde besetzt; als
jedoch die Oesterreicher angreifen wollten, verließ der Feind
die Stadt, und nahm seinen Rückzug gegen die Loire.

Am 20sten Juli rückte das 1ste Armee=Corps von
Chalons sur Saone bis Autun vor. Die Avantgarde wurde
auf den Straßen gegen Nevers und Moulins aufgestellt.

Die österreichschen Truppen des oberrheinischen Heeres
besetzten durch Uebereinkunft Besançon und zu Dijon fand
die Vereinigung des Heeres von Ober=Italien mit dem des
Oberrheins statt.

Nachdem hierdurch die allgemeine Uebersicht der Be=
wegungen und Gefechte bei den sämmtlichen verbünde=
ten Armee=Corps geschlossen ist, so bleibt nur noch zu
erwähnen, welche Maaßregeln für einen Wiederausbruch
der Feindseligkeiten und überhaupt zur Sicherung des preußi=
schen Heers während der 3 Monate bis zum Abschluß des
definitiven Friedens getroffen wurden, und zuletzt, welche
Districte die verbündeten Armeen zur Besetzung von Frank=
reich zugetheilt erhielten.

Ueber einige Verhältnisse im Innern Frankreichs, während der dreimonatlichen Friedens-Unterhand-lungen.

Man wird die Stimmung des französischen Volkes,
als die letzte und eigentliche Basis für die Maaßregeln

zur Besetzung ihres Landes, im Ganzen nicht günstig für die Alliirten annehmen können. Die einzelnen Aufregungen, welche außerdem von Paris aus stets aufs Neue angefacht und zu Intriguen benutzt wurden, machten eine stete Aufmerksamkeit nothwendig.

Das französische Heer, welches um die Mitte des Monats Juli sich größtentheils hinter der Loire befand, wurde von einem bitteren Rachegefühl geleitet, und konnte auch in den Hoffnungen, welche die Zukunft darbot, wenig Ersatz für eine unangenehme Gegenwart erblicken. Das Geschick, welches den Marschall Ney, den General Labedoyere und, wenig milder, andere ausgezeichnete Militairs traf, war, obgleich an sich nothwendig, doch nicht geeignet, die übrigen Gemüther zu beruhigen. Mehrern der jetzigen Regierungsmitglieder, unter denen man Talleyrand als ersten Minister und, gewiß mit Befremden, Fouché erblickte, konnte man kein Vertrauen geben, da nur zu gewiß eine absichtliche Verkennung der Verhältnisse, und eine Benutzung der Aufregung im Volke für ihre eigenen Zwecke zu erwarten war.

Die erste Veranlassung, welche einiges Mißtrauen gegen die friedliche Stimmung der französischen Armee veranlaßte, war die Weigerung einiger französischen Abtheilungen, sich hinter die Loire zu begeben. Der französische General Lefebvre-Desnouettes warf zweimal die österreichschen Vorposten rechts von Gien zurück, ohne daß man jedoch andere Absichten als die der Fouragirung für seine Kavallerie annehmen konnte.

Ueber die Festsetzung der preußischen Armee in Frankreich.

Als den verschiedenen Armeen die ihnen angewiesenen Distrikte einzunehmen aufgegeben worden war, verlegte der Feldmarschall Fürst Blücher am 26sten Juli sein Hauptquartier von St. Cloud nach Rambouillet. Der Chef des Generalstabes General der Infanterie Graf von Gneisenau erhielt die Bestimmung, in Paris zu bleiben und den Friedens-Verhandlungen beizuwohnen. Der Generalmajor v. Grolman, bisheriger Generalquartiermeister, übernahm die Function als Chef des Generalstabes der Armee.

Das preußische Heer sah bei seiner militairischen Festsetzung in Frankreich als Basis seiner Aufstellung die Linie, welche die Seine von Paris bis zur Mündung bildet, an.

Die Orte St. Germain, Meulan, Mantes, Vernon und Rouen wurden recognoscirt, um sie als haltbare Punkte zu benutzen, so wie die Mittel zur schnellen Befestigung in Berathung genommen.

Vorwärts dieser Linie wollte man die reiche und fruchtbare Gegend von Chartres halten und hier die Armee im Fall des Wiederausbruchs der Feindseligkeiten zum Beginn neuer Operationen conzentriren.

In den letzten Tagen des Monats Juli wurde das 3te preußische Armee-Corps, welches in der Richtung auf Orleans gestanden, auf den rechten Flügel des 4ten Corps dislocirt und demnach das Hauptquartier des Generallieutenants Freiherrn v. Thielemann von Etampes nach le Mans verlegt.

Zwei Brigaden und die Reserve-Artillerie erhielten Kantonnirungen um le Mans und die 3te Brigade wurde um Laval verlegt.

Die Reserve-Kavallerie und die Infanterie-Brigade der Avantgarde wurden gegen die Loire in der Art vorpoussirt, daß die Kavallerie um la Fleches und die Infanterie um Beaugé zu liegen kam. Detaschements sollten den andern Heeres-Abtheilungen, die erforderlichen Signale und anderweitigen Benachrichtigungen verabredet und festgesetzt.

Man hielt auch in den neu übernommenen Districten strenge darauf, daß alle französische Truppen sich hinter die Loire zurückzogen. In diesen Provinzen wurden gleichfalls alle Einwohner und Nationalgarden entwaffnet. Die Waffen sandte man, wie dies schon früher geschehen war, in das zu St. Germain errichtete Depot.

In dem Bezirk des 1sten, 3ten und 4ten Armee-Corps wurden Magazine errichtet, und von dem 1sten Corps in Evreux, vom 3ten in Mortagne und vom 4ten in Chartres unterhalten.

Die Etappenstraße für das preußische Heer zur Verbindung mit den Belagerungs-Corps an der Sambre und Maas wurde von Avesnes auf Guise, St. Quentin, Noyon, Compiegne, Senlis, Gonesse und St. Germain festgesetzt. Von hier ging die Etappen-Straße für das 3te und 4te Armee-Corps auf Rambouillet und Chartres; für das 1ste und 6te Corps und für die Kavallerie des 2ten Armee-Corps auf Evreux.

Der Feldmarschall Fürst Blücher konnte auf diese Weise, wenn man das 6te Corps schon mit hinzurechnet, wogegen das in Paris befindliche Garde-Corps nicht mit in die Berechnung eingeschlossen ist, eine Masse von 100 bis 110,000 Mann auf jedem bedrohten Punkt konzentriren.

Die Kommunikation mit der Maas und dem Rhein wurde durch staffelweis aufgestellte Corps und durch die nach und nach eingenommenen haltbaren Orte und Festungen gesichert.

Die 1ste und 2te Brigade nebst einem Theil der Reserve-Kavallerie des 1sten Armee-Corps waren schon früher, sobald die Garden eingetroffen (22sten Juli) von Paris abmarschirt, um die Festung la Fère und die befestigte Stadt Laon einzuschließen, oder sich ihrer zu bemächtigen.

Die bezeichneten Truppentheile des 1sten Armee-Corps wurden unter dem General v. Pirch II. nach Laon geführt, während der Generallieutenant v. Röder mit den übrigen Truppen des Corps dem Gros des preußischen Heeres folgte und um Evreux Kantonnirungen bezog.

Die preußischen Garden blieben dagegen vom 22sten Juli ab zur Besetzung der Hauptstadt. Man hat sie später bei Berechnung der im Fall eines Wiederausbruchs der Feindseligkeiten disponiblen Kräfte mit eingeschlossen, da sie alsdann doch eine solche Bestimmung erhalten haben würden.

Den 27sten Juli schloß die 2te Brigade Laon enge ein; die 1ste Brigade blokirte la Fère, während einige Regimenter der Reserve-Kavallerie unter dem General v. Treskow die Einschließung beider Orte unterstützten.

Das Hauptquartier des Generallieutenants v. Zieten, der sich zu dieser Abtheilung seines Armee-Corps begab, war in St. Gobin.

Nachdem Laon bis zum 9ten August blokirt worden war, übergab der französische Kommandant diesen Ort den preußischen Truppen, welche den 10ten August denselben in Besitz nahmen. Das 1ste westpreußische Regiment wurde nebst einer Escadron Ulanen zur Besatzung bestimmt.

Den 21sten August marschirte die 2te Brigade und die Regimenter der Reserve-Kavallerie, mit Ausnahme des westphälischen Landwehr-Kavallerie-Regiments, nach der Normandie und vereinigte sich hier mit den schon früher angelangten Truppen des 1sten Armee-Corps.

Die 1ste Brigade dagegen und das westphälische

Landwehr-Kavallerie-Regiment blieben zur Einschließung von la Fère unter Befehl des Generals v. Steinmetz zurück.

Während dessen wurden 8 Regimenter rheinischer Landwehr nebst 2 Landwehr-Kavallerie-Regimentern nach St. Quentin und Umgegend beordert, und unter die Befehle des Generalmajors v. Jagow gestellt. Es ist schon früher erwähnt, daß man St. Quentin zu einem Stützpunkt für die Kommunikation der Armee gewählt hatte. Zur Sicherung dieses Ortes, so wie auch der Umgegend wurden nun diese 20,000 Mann Landwehren und die zurückgebliebenen Truppen des 1sten Armee-Corps bestimmt.

Durch diese Maaßregeln wollte man die Vollendung der Organisation der rheinischen Landwehren bewerkstelligen und dem Geist derselben, indem sie als Theilnehmer an dem Siege der preußischen Armee hinzugezogen wurden, einen vortheilhaften Eindruck zurücklassen.

Die zurückgebliebenen Truppentheile des 1sten Armee-Corps mit diesen 20,000 Mann Landwehren bildeten gleichsam das erste Echelon auf der Kommunikation zur Armee des Fürsten Blücher.

Das 2te preußische Armee-Corps, welches die Festungen an der Sambre, in den Ardennen und in dem daran anstoßenden Hochlande belagerte, hatte die Districte von Avesnes und das Departement der Aisne, mit Ausnahme der Districte von Soissons und Chateau-Thierry, für seinen Bedarf angewiesen erhalten. Das norddeutsche Bundes-Corps, von dem Generallieutenant v. Hacke befehligt, belagerte die Festungen an der Maas und hatte das Departement der Ardennen zur Disposition. Diese beiden Armee-Corps bildeten das zweite Echelon.

Das 5te Armee-Corps unter den Befehlen des Generals der Infanterie Grafen Yorck v. Wartenburg, in einer Stärke von 36,000 Mann nebst den Besatzungs= Truppen am Rhein, an der Weser, Elbe, Oder, in Posen u. s. w., so wie der sächsischen, der neu zu errichtenden posenschen und mehrerer alten Landwehr=Regimenter aus Ostpreußen, Westpreußen, der Neumark und Schlesien, konnte man als drittes Echelon annehmen.

Außerdem hatte man noch die Ersatz= und Garnison= Bataillons zur Disposition.

Ueberblickt man die Kriegsmaaßregeln der Preußen zu dieser Zeit im Großen, so konnte die Armee des Fürsten Blücher, wenn man die detaschirten Brigaden des 1sten Armee-Corps hinzurechnet, bei einer Wiedereröffnung der Feindseligkeiten in einer Stärke von 140 bis 150,000 Mann auftreten. Die Anordnungen waren sämmtlich so getroffen, daß dieses Heer binnen sehr kurzer Zeit entwe= der vorwärts der Seine gegen die Loire, oder auch für jeden andern Operationszweck conzentrirt werden konnte.

Auf der Kommunikation des preußischen Heeres, gleichsam als Reserven, waren in drei Staffeln, wie dies dargethan ist, gleichfalls 150,000 Mann aufgestellt.

Die sämmtlichen Streitkräfte, welche Preußen dem= nach, ohne seine Landwehren zweiten Aufgebots, deren Or= ganisation damals noch nicht ausgeführt war, entwickelte, betrugen also über 300,000 Mann, mit 6 bis 700 Feld= geschützen ausgerüstet.

Man kann bei der Betrachtung dieser großen Kriegs= rüstung ohne Anmaßung sagen, daß der Geist, welcher Preußen in den Kriegen von 1813 und 1814 erhob, in der Entwickelung seiner Kriegskräfte im Jahre 1815 das wirkliche Dasein gefunden habe.

Für eine künftige Kriegführung wird unter ähnlichen Verhältnissen die Etablirung des preußischen Kriegsheeres an der Seine stets von Wichtigkeit sein. Die speciellen

Maaßregeln hierbei sind es aber nicht allein, welche die Aufmerksamkeit in Anspruch nehmen, sondern die Anordnungen im Großen scheinen für entferntere Operationen, denen Preußen wegen seiner Lage immer ausgesetzt bleibt, ein lehrreiches Vorbild zu geben, welches zwar nach den besondern Verhältnissen zu modifiziren, jedoch wahrscheinlich immer nach ähnlichen Grundsätzen auszuführen sein dürfte.

Ueber die Maaßregeln, welche bei den übrigen alliirten Armeen in Rücksicht einer militairischen Festsetzung in Frankreich eingetreten sind, hat man keine zuverlässigen Nachrichten. Es bleibt daher nur noch von historischem Interesse, die Districte zu bezeichnen, welche den verschiedenen Heeren bis zum Abschluß des definitiven Friedens angewiesen wurden.

Bezeichnung der Districte, welche den übrigen alliirten Armeen in Frankreich zur Besetzung überwiesen wurden.

Die Armee des Herzogs v. Wellington erhielt die Departements: Seine inferieure, Eure, Seine und Oise am rechten Seine-Ufer, Lys-Nord, Seine und Marne am linken Seine-Ufer, Somme, Pas de Calais und Oise angewiesen.

Das Hauptquartier des Herzogs v. Wellington war in Paris.

Die kaiserlich-russische Armee wurde in die Departements Seine und Marne am rechten Seine-Ufer, Aisne, Ardennes, Marne, Meuse, Mosel, Meurthe, theilweise in haute Marne und Aube verlegt.

Das Hauptquartier des Feldmarschalls Grafen Barclay de Tolly war in Melun.

Der königlich-baierschen Armee wurden die Departements Loiret bis an die Loire, Yonne, Nievres, theil-

weise der Aube und Haute Marne und das ganze Departement des Vosges zugetheilt.

Das Hauptquartier des Feldmarschalls Fürsten Wrede
war zuerst in Montargis, später in Auxerre.

Die königlich-würtembergschen und großherzoglich-
hessen-darmstädtschen Truppen kantonnirten in den Departements Allier und Puy de Dôme.

Das Hauptquartier des Kronprinzen von Würtemberg
war in Nevers.

Die kaiserlich-österreichsche Hauptarmee erhielt die
Departements Loire, haute Loire, Cantal, Lozere, Gard,
Bouches du Rhone, basses Alpes und Var angewiesen.
Das Hauptquartier des Feldmarschalls Fürsten Schwar-
zenberg war in Fontainebleau.

Der österreichisch-italienischen Armee wurden die De-
partements Côte d'or, haute Saone, Saone und Loire,
Jura, Doubs, Rhone, Aisne, Montblanc, Isère, Ardeche,
Drome, hautes Alpes zugetheilt.

Das Hauptquartier des Generals der Kavallerie Baron
Frimont war in Dijon.

Die königlich-sächsischen und großherzoglich-baden-
schen Truppen erhielten die Departements haut Rhin und
bas Rhin zur Disposition.

Das Hauptquartier des Generals der Infanterie Erzherzogs Johann war in Basel.

Die österreichisch-neapolitanische Armee unter dem
Befehl des Feldmarschall-Lieutenants Baron Bianchi rückte
im Monat August über Nizza, ungefähr 32,000 Mann
stark, gleichfalls in Frankreich ein. Es wurden von ihr
folgende Kantonnements bezogen: die Division des Feldmarschall-Lieutenants Grafen Nugent in Nismes und der
Gegend von Toulon; die Division des Feldmarschall-Lieutenants Grafen Neiperg in Avignon und der Gegend von Orange.

Das Hauptquartier des Feldmarschall-Lieutenants Baron Bianchi war in Aix in der Provence.

Es ist zur Vervollständigung dieser Uebersicht noch zu bemerken, daß die Stadt Paris, überhaupt das Departement der Seine und das der Oise bis zum linken Ufer der Seine, gemeinschaftlich von preußischen, englischen und österreichschen Truppen besetzt wurde.

Obgleich im Innern der für die Armee bezeichneten Kantonnements später einige Veränderungen statt fanden, so blieben doch im Wesentlichen die getroffenen Anordnungen bis zum Abmarsch des größern Theils der Armee aus Frankreich bestehen, weshalb auch die eingetretenen Abweichungen keine weitere Ergänzung nöthig machen.

Dagegen würde der mit dem Einrücken in Frankreich begonnene und bis zum Abschluß des Friedens fortgesetzte Belagerungskrieg noch einer näheren Darstellung bedürfen. Die charakteristische Art, in welcher derselbe auf vielen Punkten geführt wurde, wird eines Theils in den besondern obwaltenden Verhältnissen, aber andern Theils auch in der Thätigkeit und Energie bei Führung desselben aufzusuchen sein, und daher schon in dieser Beziehung als einer besondern Beachtung werth erscheinen.

Achter Abschnitt.

Bezeichnung einiger allgemeinen Verhältnisse, unter denen die Belagerungen geführt wurden. — Einschließung von Maubeuge und Verwendung der übrigen Truppen des 2ten Corps zu gleichem Behuf. — Bombardement von Maubeuge in der Nacht vom 28sten zum 29sten Juni. — Beginn der Belagerungs-Arbeiten vor Maubeuge. — Uebergabe von Maubeuge den 12ten Juli. — Belagerung von Landrecy und Einnahme der Festung am 21sten Juli. — Bombardement von Marienburg und Einnahme dieser Festung am 28sten Juli. — Belagerung von Philippeville und Einnahme dieser Festung am 9ten August. — Belagerung von Rocroy und Einnahme dieser Festung am 16ten August. — Einschließung und Bezeichnung einiger zum Angriff auf Givet und Charlemont getroffenen Maaßregeln, und Uebergabe der beiden Givets und des Mont d'Haurs. — Einnahme der befestigten Stadt Sedan am 26sten Juni. — Einschließung der Festung Bouillon am 25sten Juni. — Einnahme von Charleville am 29sten Juni. — Belagerung von Mezieres und Einnahme der befestigten Stadt am 10ten August und der Citadelle am 3ten September. — Uebergabe der Citadelle von Sedan am 15ten September. — Einschließung der Festung Montmedy; Sturm auf Medy bis in der Nacht vom 14ten zum 15ten September und Uebergabe von Montmedy am 19ten September. — Ueber die Unternehmung gegen Longwy, und Einnahme dieser Festung am 14ten September. — Ueber die Einnahme von Valenciennes, le Quesnois und Condé. — Ueber die von den Russen eingeschlossenen Festungen Thionville, Metz, Verdun, Saarlouis und die befestigte Stadt Soissons. — Ueber die durch einen Theil der Garnison von Mainz unter dem General-Major Krauseneck ausgeführten Einschließungen der Festungen Landau und Bitsch. — Ueber die Einschließung von Straßburg. — Ueber die Festungen Lichtenberg, la petite Pierre und Pfalzbourg. — Einschließung der Festung Belfort. — Einnahme von Auxonne. — Ueber die Einschließungen der Festungen Schlettstädt und Neu-Breisach. — Belagerung der Festung Hüningen und Einnahme derselben am 26sten August. — Ueber die jetzigen Gränzen Frankreichs.

Bezeichnung einiger allgemeinen Verhältnisse, unter denen die Belagerungen geführt wurden.

Vielleicht könnte es auf den ersten Blick ungewöhnlich erscheinen, daß, nachdem der Feldzug unter den Mauern

II.   17

von Paris entschieden, und den Friedensunterhandlungen
bereits mehrere Monate gewidmet waren, dessen ungeachtet
der Belagerungskrieg fortgeführt wurde, durch welchen
man eine Festung nach der andern aus dem Festungs=
Gürtel losriß, welcher gegen eine feindliche Invasion auf
den Gränzen Frankreichs besteht.

Von preußischer Seite hatte man, wie dies schon
früher bemerkt wurde, gleich beim Vorrücken des Heeres
in Frankreich den militairisch nothwendigen Grundsatz auf=
gestellt, daß alle Festungen, welche sich sofort für die Alliirten
erklären, und ihre Thore der anrückenden Armee sogleich
öffnen würden, gemeinschaftlich besetzt werden sollten, und
eine befreundete Behandlung zu gewärtigen hätten; woge=
gen alle andere Festungen, welche aus irgend einem Grunde
diese Bedingungen verweigern, oder erst später eingehen
würden, nach dem Rechte, welches der Krieg gewährt,
behandelt, und mit Gewalt der Waffen eingenommen wer=
den sollten.

Diese Ansicht ist auch mit Beharrlichkeit und glück=
lichem Erfolge so weit durchgeführt worden, daß nur der
Charlemont bei Givet und die Festung la Fère in dem
dem preußischen Heere zugewiesenen Raume unbezwungen
blieben. Nur der eingetretene Friede machte auf preußi=
scher Seite den Belagerungen ein Ende, welche sonst auch
bei den genannten beiden Festungen wahrscheinlich zum
Ziele geführt haben würden.

Es ist wohl kaum nothwendig zu wiederholen, daß
die von dem Feldmarschall Fürsten Blücher ergriffenen
militairischen Maaßregeln nicht allein für die damalige
politische Lage Frankreichs nothwendig waren, sondern auch
für den Gewinn einer Operations=Basis des Heeres durch=
aus erforderlich wurden.

Die Eroberung der Festungen gab ferner der Be=

zwingung Frankreichs eine feste und dauerhafte Gestalt. Diese Ansicht auf feindlicher Seite zu erzeugen, war aber in moralischer und politischer Hinsicht sehr wichtig. Der Verlust der sogenannten Bollwerke des Reichs mußte auf die Stimmung der Franzosen mächtig einwirken, und auf den Gang der Friedens=Unterhandlungen einen bedeutenden Einfluß gewinnen.

Sämmtliche alliirte Heere hatten, wie dies schon gezeigt worden ist, beim Vorrücken in Frankreich einzelne Corps oder Abtheilungen zurückgelassen, um die in einem gewissen Bereich hinter ihnen liegen gebliebenen Festungen einzuschließen oder zu belagern.

Da die kleineren Abtheilungen zu irgend einem Hauptcorps in Betreff der Einschließungen und Belagerungen gezählt werden können, so sind eigentlich im Großen nur vier Belagerungs=Abtheilungen anzunehmen, und zwar

1) die Abtheilung des preußischen Heeres mit Einschluß des norddeutschen Bundescorps und eines Theils der Besatzungs=Truppen von Luxemburg,

2) die Abtheilung des englisch=niederländischen Heeres,

3) der russischen Armee, wozu noch die Besatzungs=Truppen von Mainz gezählt werden können, und

4) des österreichischen Heeres.

Es kann jedoch hier nicht die Absicht sein, im Speziellen die einzelnen Belagerungen, so wie die Art ihrer Führung zu bezeichnen, indem dies außer den Grenzen einer geschichtlichen Uebersicht liegt. Dagegen wird die einfache Darstellung der Thatsachen wohl gestatten, die besondern Verhältnisse anzuführen, welche auf vielen Punkten zu dem Gewinn eines nach den gewöhnlich aufgestellten Ansichten überraschenden und dabei so glorreichen Resultats beigetragen haben.

Ueberblickt man den Raum, in welchem die erste Belagerungs=Abtheilung ihre Unternehmungen ausführte, so finden wir ihn durch die Festungen an der Sambre, in den Ardennen, an der Maas bis Sedan, und rechts dieses Flusses bis zur Höhe von Longwy begränzt.

Der Prinz August von Preußen führte, wie zu seiner Zeit schon bemerkt wurde, den Oberbefehl über sämmtliche Belagerungen in den bezeichneten Gränzen. Es war noch bestimmt worden, daß das 2te preußische Armee-Corps die Unternehmungen gegen Maubeuge, Landrecy, Marienburg, Philippeville, Rocroy und Givet auszuführen habe. Das norddeutsche Corps unter dem Generallieutenant v. Hacke ward gegen die Festungen Mezieres, Sedan und Montmedy, und endlich ein Theil der Besatzung von Luxemburg unter dem Generallieutenant Prinzen von Hessen=Homburg zur Belagerung von Longwy bestimmt.

Der Feldmarschall Fürst Blücher hatte indeß dem Prinzen August überlassen, nach den lokalen Umständen und nach Verhältniß der Zeit und Mittel, diejenigen Unternehmungen zu bestimmen, welche ihm am vortheilhaftesten und zur Erreichung des Zwecks im Großen am geeignetsten erschienen.

Demgemäß entschloß sich der Prinz, die Festung Maubeuge, welche zunächst der Operations=Linie von den Niederlanden längs der Sambre in das Innere von Frankreich gelegen, und welche die größte und bedeutendste der Sambre=Festungen ist, zuerst anzugreifen.

Einschließung von Maubeuge und Verwendung der übrigen Truppen des 2ten Corps zu gleichem Behuf.

Schon in der frühern Erzählung des Feldzugs ist bemerkt worden, daß den 20sten Juni die erste Einschlie=

ßung der Festung Maubeuge durch den General-Major
v. Tippelskirch ausgeführt wurde.

Den 24sten Juni wurde diese Einschließung vervollständigt, indem die am 23sten eingetroffene 7te Brigade
mit ihrem Gros ein Lager bei Cerfontaine auf dem rechten Ufer der Sambre, eine kleine Stunde von Maubeuge
einnahm, während das Gros der 5ten Brigade ein Lager
bei Boussois auf dem linken Ufer der Sambre inne hatte.

In Betreff der übrigen Truppen des 2ten Corps ist
noch zu bemerken, daß die 6te Brigade unter dem Generalmajor v. Kraft von Thuin aus über Beaumont und
Avesnes marschirt war, und eine Avantgarde unter dem
Obersten v. Borcke zur Ablösung der vor Landrecies gestandenen Truppen des 4ten Corps voraus geschickt hatte.
Der General v. Kraft traf den 25sten Juni vor Landrecies
ein, und führte die Einschließung dieses Platzes sofort aus.

Den 27sten Juni rückte jedoch der Oberst v. Borcke
mit 3 Bataillons der 6ten Brigade, 2 Schwadronen des
neumärkschen Dragoner-Regiments und einer Kanone vor
Rocroy.

Die 8te Brigade unter dem Generalmajor Boose,
damals interimistisch von dem Oberstlieutenant v. Rekow
commandirt, bewirkte um diese Zeit die Einschließung der
Plätze Marienburg, auf welchen Ort ein leichter, jedoch
vergeblicher Versuch, sich desselben zu bemächtigen, unternommen wurde, ferner der Festungen Philippeville und
Givet nebst Charlemont.

Das 2te Armee-Corps hatte unmittelbar nach den
gelieferten Schlachten und Gefechten nur einige 20,000
Mann disponibel, indem 4 Kavallerie-Regimenter und eine
reitende Batterie der Armee des Fürsten Blücher gefolgt
waren, und das 11te Husaren-Regiment nach Vervins
abmarschirte, um Laon und die dortige Gegend zu beobach-

ten. Außerdem wurde noch die Besetzung so vieler Etap=
pen=Plätze im feindlichen Lande, so wie die Beobachtung
des Terrains bis zur Oise nothwendig, wodurch gleichfalls
die disponiblen Kräfte vermindert wurden.

Die Anzahl der Truppen, welcher man sich bei Ein=
schließung von Maubeuge bediente, mochte mit Einschluß
von 1200 Mann Artillerie, 600 Pionieren und 700 Mann
Kavallerie zwischen 10 bis 12,000 Mann betragen.

An Feldgeschütz und Munition waren, nach Abzug
der bei der 6ten und 8ten Brigade detaschirten Batterien,
sofort zum Gebrauch 28 sechspfündige und 8 zwölfpfün=
dige Kanonen, 10 siebenpfündige und 4 zehnpfündige Hau=
bißen, in Summa 50 Feldgeschütze, die Kanonen mit 60
Schuß und die Haubißen mit 100 Wurf, vorhanden.
Außerdem waren 3 Park= und eine Handwerks=Kolonne
gegenwärtig.

Was nun die Lage und die Befestigungsanlagen von
Maubeuge selbst betrifft, so ist zu bemerken, daß die Festung
größtentheils auf dem linken Ufer der Sambre liegt, von
welcher ein kleiner Arm durch die Stadt fließt. Die Thal=
ränder des Flusses engen die Stadt ein, welche besonders
von den Höhen des rechten Ufers, auf denen das ver=
schanzte Lager unfern des Dorfes Roussies oder genauer
auf den Höhen von Fallaise gelegen, beherrscht wird.

Die Festungswerke sind aus diesem Grunde sehr er=
höht, nach der ersten Vaubanschen Manier angelegt, und
bilden ein ziemlich regelmäßiges Siebeneck. In fast allen
Bastionen finden sich außerdem noch hohe Cavaliere.
Vor den Courtinen, ausgenommen vor der dem Moraste
am Fuße des Mont la Croix gegen über belegenen, be=
finden sich Grabenscheeren, und auf der Seite nach Rous=
sies, also gegen das verschanzte Lager, ist noch ein Horn=
werk angelegt.

Alle diese Werke sind mit Mauern bekleidet, welche sich aber stellenweise, besonders bei den Außenwerken, damals in einem mangelhaften Zustande befanden. Die beiden Fronten vom Bastion Jesuite bis zum Bastion Bavay und von diesem bis zum Bastion Capuciens haben ein Minen-System, welches in dem hier befindlichen Kalksteinboden angelegt ist.

Um den ganzen Platz führt ein bedeckter Weg. Auf einigen Fronten ist der Platz durch Anstauung der Sambre mit Wasser zu decken. Die Festung hat nur zwei Thore, das von Mons, aus welchem die Straßen nach Charleroy, Mons und Le Quesnoy führen, und das Thor von Frankreich, als Ausgang nach Beaumont, Avesnes und Landrecies.

Um die Annäherung gegen die Festung zu erschweren, und besonders um dem Feinde den Besitz der umliegenden Höhen einige Zeit hindurch streitig zu machen, sind vor den vier Fronten auf dem linken Ufer der Sambre kleine Außenwerke angelegt. Unter diesen Anlagen befinden sich zwei Lünetten, die eine, la Tilleuil genannt, ist zwischen der Straße nach Bavay und der Sambre gelegen, die andere, die von Assevant bezeichnet, befindet sich neben dem Wege nach dem Dorfe Assevant. Beide Werke sind nur von Erde, aber nach starken Profilen gebaut, hinten geschlossen, mit Palissaden im Graben und Sturmpfählen versehen, so wie durch gedeckte Kommunikationen mit der Festung verbunden.

Auf dem rechten Sambre-Ufer befinden sich auf Kanonenschußweite von der Festung, auf den Höhen der Fallaise, die schon erwähnten und größtentheils verfallenen Linien von Roussies. Dieses Lager lehnt sich mit seinem linken Flügel an den dort steilen Thalrand der Sambre, und mit dem rechten an die Vorstadt Louvroyl auf der Straße nach Avesnes. Die Zugänge auf dieser Seite

der Festung und das vorliegende Terrain werden vollkom=
men durch dasselbe beherrscht. Die Werke selbst bestan=
den aus einzelnen, zum Theil durch Brustwehren mit ein=
ander verbundenen Fleschen. Im Besitz dieses Lagers
konnte man zwar die Festung durch ein Bombardement
ängstigen, jedoch war ein solches auch auf jedem andern
Punkte zu bewerkstelligen. Die Annäherung zur Festung
wird jedoch von der Seite dieser Linien durch die zwischen
den Höhen der Fallaise und der Festung fließende Sam=
bre und durch nasse Gräben sehr erschwert. Die Werke
des verschanzten Lagers werden übrigens von den erhöhe=
ten Werken der Festung aus eingesehen. Das verschanzte
Lager hat eine Ausdehnung von ungefähr 2000 Schritt,
und würde, wenn man die alten Linien wieder herstellte,
einem Corps von 5 bis 10,000 Mann mit 20 bis 30
Geschützen eine gute Aufstellung gewähren.

Obgleich Napoleon die Absicht ausgesprochen hat,
dies Lager durch 10,000 Mann und 34 Geschütze besetzen
zu lassen, so scheinen die getroffenen Maaßregeln doch
nicht die wirkliche Ausführung dieser Ideen zu bestätigen,
und vielleicht geschah es nur, um einen anderen Opera=
tionsplan anzudeuten als den, welchen man wirklich zu
verfolgen beabsichtigte.

Im Frühjahr 1815 wurden jedoch hinter der alten
Linie geschlossene Werke angelegt, wodurch gerade die Be=
schränkung der Vertheidigungsanlagen bestätiget wird.
Das eine dieser Werke lag einige 100 Schritte vorwärts
des Thores von Frankreich, zwischen den Straßen von
Beaumont und Avesnes, und war noch nicht ganz voll=
endet. Ferner befand sich rechts der Straße von Beau=
mont, 200 Schritt hinter den alten Linien, eine Stern=
Redoute, welche sehr gut und stark gebaut war und einen
mit Palissaden versehenen breiten und tiefen Graben hatte.

Durch einen gewaltsamen Angriff konnte dies Werk nicht ohne großen Menschenverlust genommen werden, da der fast steinharte Boden und die geringe Anlage der äußeren mit Sturmpfählen versehenen Böschung der Brustwehr das Ersteigen ohne Leitern fast unmöglich machte. Rückwärts der Redoute ging eine zu beiden Seiten gedeckte Kommunikation nach der Festung, und seitwärts war eine solche nach dem äußersten linken Flügel der alten Linien angefangen aber nicht vollendet worden. Der Zweck dieser Anlage war, sich mit dem dortigen, ebenfalls nicht fertig gewordenen, halben Bastion in Verbindung zu setzen, wodurch man das vorliegende Terrain besser hätte bestreichen können. Diesen Vortheil hatte die Sternredoute nicht, da sie von der obersten Höhenfläche zurückgezogen lag, welches später um so nachtheiliger wurde, als die dicht vor diesem Werke befindlichen alten Linien des verschanzten Lagers den Angreifern die günstigste Gelegenheit zur Deckung darboten.

Der Commandant der Festung, General Baron Latour, hatte eine Besatzung von 3000 Mann, welche meist aus Nationalgarden, ausgedienten Soldaten und einigen 100 Mann Linien=Truppen bestand, zur Disposition. Die Festung war mit allen Vertheidigungs= und Lebensmitteln hinlänglich versehen. Auf den Wällen standen 80 metallene Geschütze von allen Gattungen und Kalibern, zu deren Bedienung jedoch nur 60 eigentliche Artilleristen vorhanden waren, deren Mangel man jedoch durch Bürger=Kanoniere ersetzte. In jedem äußern Werke befanden sich 100 bis 200 Mann und 3 Kanonen.

Der Kommandant hatte die verschiedenen seit dem 21. Juni an ihn ergangenen Aufforderungen, die Festung zu übergeben, bestimmt abgeschlagen. Es blieb daher nur übrig, die Uebergabe durch die Gewalt der Waffen zu erzwingen.

Es fehlte jedoch auf preußischer Seite in den letzten
Tagen des Juni noch an den nöthigen Mitteln aller Art
zu einem förmlichen Angriff. Die Ankunft der über Lüt=
tich und Namur erwarteten preußischen Belagerungs=Ge=
schütze konnte, wie dies schon früher dargethan ist, nicht
so schnell bewerkstelligt werden. Man hatte daher nur
die Feldartillerie des Corps und die in den eroberten Festun=
gen gewonnenen Geschütze disponibel. Von Avesnes
wurden vier 16pfündige Kanonen, zwei 8pfündige Hau=
bitzen, drei 8pfündige und zwei 50pfündige Mortiere, so
wie 5319 Kugelschuß und 1900 Wurf, und aus Guise
drei 24pfündige, eine 16pfündige und zwei 12pfündige
Kanonen, eine 6pfündige Haubitze und 1400 Kugelschüsse
nach Maubeuge dirigirt; jedoch konnten davon bis zum
28sten Juni nur sechs Geschütze, die Kanonen mit 345
Kugelschuß und die Haubitzen zu 150 Wurf, herangeschafft
werden.

Der Prinz August von Preußen wollte jedoch mit
den vorhandenen Mitteln den Versuch machen, durch ein
Bombardement auf den Geist der Einwohner und der
Nationalgarden zu wirken. Diese Maaßregel war schon
dadurch motivirt, daß man den Eindruck und die Bestür=
zung nach der Schlacht bei Belle=Alliance auch über die
Mauern des eingeschlossenen Platzes hinüber zu versetzen
versuchen mußte. Die Artillerie complettirte zu diesem
Bombardement 26 Geschütze auf 2360 Wurf und 1290
Schuß auf sämmtliche Geschütze im Ganzen gerechnet.

Ehe man jedoch zu einer guten Aufstellung der Bat=
terien schreiten konnte, war es nothwendig, das alte ver=
schanzte Lager zu besetzen. In der Nacht vom 27sten
zum 28sten Juni rückten drei Bataillone der 7ten Bri=
gade unter dem General v. Brause in aller Stille, das
Gewehr rechts tragend, gegen die alten Linien des Lagers

vor. Zwei Bataillons, zwei Schwadronen und eine halbe reitende Batterie waren als Reserve bis jenseits Machine auf armes vorgerückt. Die Truppen wurden angewiesen, die etwa vom Feinde besetzt gefundenen Verschanzungen, ohne zu schießen, mit dem Bajonnet zu nehmen. Ein Bataillon vom 25sten Regiment rückte von Hautmont aus gegen Louvroyl vor, besetzte die Vorstadt mit Vorposten, und blieb dahinter zu deren Unterstützung stehen.

Man fand die verschanzten Linien von Roussies vom Feinde verlassen. Nach der Besitznahme des Lagers wurden am 28sten Juni die Einschließungs=Maaßregeln vervollständigt. Obgleich die beiden Hauptlager in Boussois und Cerfontaine blieben, so wurden doch die Vorposten und deren Unterstützungs=Truppen so weit vorgeschoben, daß nicht allein die Vorstädte besetzt, sondern auch einige Infanterie=Posten bis auf Gewehrschußweite gegen die Festung placirt wurden. Die verschiedenen Haupttrupps der Vorposten hatten eine Reihe von Feldwachen und Doppelposten dicht um die Festung gezogen, wobei das hin und wieder mit Häusern und Hecken besetzte Terrain, so wie auch künstliche Erdaufwürfe und Einschneidungen geschickt benutzt wurden.

Den 28sten Juni Nachmittags um 4 Uhr unternahm der Feind mit 400 Mann einen Ausfall gegen die Verschanzungen zwischen den Chausseen von Beaumont und Avesnes, und warf die Feldwache zurück. Wahrscheinlich beabsichtigte er nach Einnahme des alten Lagers eine Recognoscirung der preußischen Aufstellung, oder wollte das in dieser Richtung befindliche Materialien=Depot fortschaffen oder verbrennen. Als indeß die Soutiens der Feldwache vorrückten, zog sich der Feind schnell wieder zurück. Das Füsilier=Bataillon des Elb=Landwehr=Regiments verlor bei diesem Ausfall einen Todten und zwei Verwundete.

Bombardement von Maubeuge in der Nacht vom 28sten zum 29sten Juni.

Das nunmehr völlig vorbereitete Bombardement wurde in der Nacht vom 28sten zum 29sten Juni aus 4 Batterien eröffnet.

Die erste Batterie wurde aus acht 12pfündigen Kanonen formirt, und auf dem linken Ufer der Sambre vor Assevent aufgestellt. Eine zweite Batterie, aus zehn 7pfündigen Haubitzen bestehend, wurde auf dem rechten Ufer der Sambre in den Linien vor Roussies placirt. Die dritte Batterie, aus vier 7pfündigen Haubitzen formirt, wurde links der Straße von Beaumont gleichfalls in den frühern Linien des verschanzten Lagers in Wirksamkeit gesetzt, und die vierte Batterie, aus vier 10pfündigen Haubitzen bestehend, erhielt hinter einer weiter links gelegenen Redoute des alten Lagers ihre Aufstellung.

Zur Sicherstellung dieser Batterien wurden auf dem rechten Ufer der Sambre drei Bataillons und das 25ste Infanterie=Regiment in dem coupirten Terrain auf der Straße nach Beaumont bis zu der Straße nach Avesnes verdeckt aufgestellt. Zwei Bataillons blieben an der Straße von Beaumont in den Gräben des alten Lagers zur Reserve; auch wurden zwei Schwadronen mit der reitenden Artillerie zu demselben Zweck in einer dortigen Niederung placirt.

Auf dem linken Ufer der Sambre geschah die Sicherung der Batterie № 1. durch ein Bataillon, welches sich während der Nacht auf halbe Mannstiefe in der Nähe der Batterie eingraben mußte.

Die Truppen in den beiden Lägern bei Boussois und Assevent blieben zur Unterstützung der ausgerückten Truppen bereit.

Den 29ften Juni früh um ½8 Uhr, nachdem der Nebel gefallen war, begann das Feuer aus allen Batterien. Die Batterie № 1. schoß mit glühenden Kugeln. Sie lag 1200 Schritt von der Festung entfernt, und nahm bei schwacher Ladung 6 bis 7 Zoll Aufsatz, damit die Kugeln im Bogen in die Gebäude einschlagen konnten. Die Batterien auf dem rechten Ufer waren 800 bis 1000 Schritt von der Stadt entfernt, und nahmen im Durchschnitt 10 Grad Elevation. Der in der Mitte der Festung befindliche Thurm gab die allgemeine Richtungslinie.

Das Feuer des preußischen Geschützes hatte kaum eine Stunde gewährt, als das Fourage-Magazin in Maubeuge in Brand gerieth. Ungeachtet alle Batterien ihr Feuer darauf richteten, wurde dieser Brand doch in einigen Stunden wieder gelöscht.

Nach einer Pause, die von 1 bis 4 Uhr währte, begann das Bombardement von Neuem. Der Feind antwortete lebhafter als am Morgen, jedoch eben so erfolglos, da die preußischen Batterien gut placirt waren, während in der Stadt nur mit größter Anstrengung die öfter ausbrechenden Flammen wieder gedämpft werden konnten. Abends um 7 Uhr wurde das Feuer wieder eingestellt, und der Kommandant zur Uebergabe aufgefordert. Die Bedenkzeit, welche sich der General Latour erbat, um einen Kriegsrath zu halten, schien der Feind nur benutzen zu wollen, um das Löschen in der Stadt ungestört ausführen zu können. Man hoffte daher durch das um 9 Uhr Abends wieder beginnende Bombardement auf die Entschlüsse des Kriegsraths einwirken zu können. Die glühenden Kugeln der Batterie № 1. bewirkten, daß das Feuer in der Stadt völlig zum Ausbruch kam, hierauf die große Kirche ergriff und in Asche legte.

Die Verwirrung in der Festung soll bis zu einem

beunruhigenden Grade gestiegen sein. Das feindliche Ge=
schütz schwieg gänzlich. Die Einwohner verlangten von
dem Kommandanten, jedoch vergeblich, die Uebergabe. Der
General Latour ließ vielmehr durch den größern Theil
seiner Besatzung die Außenwerke besetzen, um einem etwa
unternommenen Sturme begegnen zu können.

Der Brand in der Stadt, so wie das Feuer bei den
Belagerern, dauerte die ganze Nacht hindurch fort.

Den 30sten Juni Morgens um 3 Uhr wurden nach
und nach die Geschütze aus den Batterien zurückgezogen.
Nur an die Stelle der linken Flügel=Batterie auf dem
rechten Ufer der Sambre etablirten sich vier 7pfündige
Haubitzen, und unterhielten bis Nachmittags um 3 Uhr
ein langsames Granat=Feuer, um die Löschanstalten des
Feindes zu erschweren.

Auf preußischer Seite waren sechs 7pfündige Hau=
bitzen unbrauchbar geworden, und 1045 12pfündige Ku=
gelschuß, so wie 1769 7pfündige und 6zöllige Granat=
würfe verschossen. Während der 16stündigen Dauer des
Bombardements wurden auf preußischer Seite vier Mann
verwundet.

Da es sich zeigte, daß die bis jetzt angewandten
Mittel nicht das gewünschte Resultat herbeiführten, zugleich
aber dringend nothwendig wurde, mit einer großen Masse
von Belagerungsgeschütz den Kampf zu eröffnen, so wandte
sich der Prinz August an den Herzog von Wellington mit
dem Gesuch, von dem in Mons befindlichen englischen
Belagerungs=Train 60 Stück schwere Geschütze ihm zum
Gebrauch zu überlassen.

Eine wiederholte Vorstellung, durch den Hauptmann
v. Kamecke vom Generalstabe überbracht, führte den Be=
fehl an den englischen Obersten Dixon herbei, die erbetenen
Belagerungsgeschütze zur Disposition des Prinzen zu stellen.

Die Voranstalten zum ersten Angriff wurden nun mit dem größten Eifer betrieben, und täglich 6 bis 700 Arbeiter von der Infanterie mit Anfertigung von Faschinen und Schanzkörben beschäftigt.

Den 30sten Juni traf der Ingenieur-Oberst v. Ploosen beim Belagerungs-Corps ein, und den 1sten Juli übernahm er die Leitung der Ingenieur-Arbeiten. Ein großer Theil der zu den andern Armee-Corps gehörigen Ingenieur-Offiziere kam gleichfalls, so wie auch 2 Mannsfeldsche Pionier-Compagnien, jede 100 Mann stark, an; so daß das Ingenieur-Corps nunmehr hier und bei allen folgenden Belagerungen aus 26 Offizieren und 600 Mann bestand.

In den Anordnungen zur Einschließung der Festung (1. Juli) änderte sich, daß das Füsilier-Bataillon vom 22sten Infanterie-Regiment nach dem Dorfe Roussies verlegt wurde und eine Compagnie täglich in die Linien des alten verschanzten Lagers vorschob. Das Füsilier-Bataillon des Elb-Landwehr-Regiments besetzte Ferriere la Grande, und ein Bataillon des 25sten Regiments bivouakirte in gleicher Höhe auf der Straße nach Avesnes, so wie ein anderes auf der Straße nach Landrecies placirt wurde.

Den 2ten Juli wurde vorwärts Assevent unter den Kanonen der Festung eine zweite Schiffbrücke geschlagen, um eine kürzere Gemeinschaft von den Linien von Roussies nach dem linken Ufer zu gewinnen. Früher schon war eine Brücke bei Requignies zur Verbindung der beiden Läger bei Cerfontaine und Boussois geschlagen worden.

Während dessen waren die Vorbereitungen zum Angriff vorgeschritten. Den 5ten Juli verlegte der Prinz August sein Hauptquartier nach Requignies, um den nun beginnenden Belagerungsarbeiten näher zu sein.

Den 8ten Juli langten unter dem englischen Artillerie-Obersten Dixon und den Capitains Harding und Meinicke, so wie den Lieutenants Unger und Thomson vom Ingenieur-Corps, ein Artillerie-Park von 38 schweren Geschützen mit Munition versehen an. Man konnte demnach jetzt schon 80 gehörig versehene Geschütze den feindlichen Linien entgegenstellen, während man in 8 Tagen noch 22 englische Geschütze und die Munition auf 7000 Schuß und 7100 Wurf aus dem englischen Park erwartete. Bei dem Dorfe Boussois wurde der ganze Belagerungs-Train aufgefahren.

Der Oberst v. Ploosen hatte nach den gemachten Recognoscirungen zur Genehmigung des Prinzen August einen Angriffs-Entwurf vorgelegt, in welchem er 6 bis 7 Tage zur Wegnahme der Außenwerke auf dem rechten und linken Ufer der Sambre und ferner noch 12 Tage nöthig glaubte, um zum Breschelegen gelangen zu können. Es sollten 76 Geschütze, darunter 36 Wurfgeschütze, im Verlauf des Angriffs in Thätigkeit kommen, und zusammen 29,100 Schuß und Wurf verbrauchen.

Die Artillerie hatte bis jetzt 600 Schanzkörbe und 200 Faschinen nebst den dazu gehörigen Pfählen und Ankern zum Batterie-Bau; das Ingenieur-Corps aber 4 bis 5000 Schanzkörbe, eben so viel Faschinen, und 4000 Sappenbündel gefertigt. Sandsäcke waren wenig vorhanden, und an Handwerkszeug 4000 Hacken, und Spaten im Verhältniß von 4 zu 1. 500 Faschinen-Messer, 200 Handbeile, 200 Karren, und einige 1000 Klafter Tracir-Leinen. Nicht viel weniger als diese Bestände befanden sich auch bei den folgenden Belagerungen, die das 2te Armee-Corps ausführte.

Beginn

Beginn der Belagerungsarbeiten vor Maubeuge.

Auf dem rechten Ufer der Sambre sollte am 8ten Juli des Abends der Angriff gegen die Stern-Redoute hinter der Linie des alten verschanzten Lagers unternommen werden. Man bezweckte durch diese Attaque dem wahren Angriffe, welcher auf dem linken Sambre-Ufer vorwärts Assevent gegen das Bastion Fallaise beginnen sollte, vorzuarbeiten, indem das auf dem rechten Ufer anzugreifende Außenwerk von dem Feinde leicht zum Flankiren der Parallele auf dem linken Ufer benutzt werden konnte.

Die Artillerie errichtete drei Batterien zur Bewerfung der Stern-Redoute. Die Batterien № 1. und 2. bestanden jede aus drei englischen $5\frac{1}{2}$zölligen Mortieren zu 100 Wurf auf 24 Stunden. Sie beschossen die Front der Schanze. Die Batterie № 3. wurde 150 Schritt links des Weges von Beaumont und 400 Schritt von der Redoute für drei 8pfündige Mortiere gebaut. Auf der linken Flanke wurden die Geschütze durch ein 12 Fuß langes Schulterwehr geschützt, da sie sonst dem feindlichen Feuer ausgesetzt gewesen wären. Diese Batterie konnte, in Rücksicht der zu eröffnenden Parallele, als eine Flanken-Batterie angesehen werden, und wirkte gegen die Redoute so wie deren Kommunikation zur Festung. Auch würde durch sie die Parallele bei einem Ausfall durch ein Flankenfeuer gegen den vorrückenden Feind geschützt worden sein.

Mit den Artillerie-Arbeiten zugleich, zu denen 13 Unteroffiziere und 56 Kanoniere, so wie 10 Unteroffiziere und 200 Mann Infanterie verwendet wurden, begann das Traciren der Laufgräben und deren Eröffnung gegen die Redoute. In Gegenwart des Kronprinzen und des Prinzen Friedrich von Preußen, welche selbst die erste Faschine legten, wurde nach 9 Uhr Abends durch 400

II.   **18**

Arbeiter aus dem Graben des alten verschanzten Lagers ein Annäherungs=Graben hinausgetrieben, zugleich aber auf 130 Schritt vom Graben des feindlichen Werks eine 5 bis 600 Schritt lange Parallele gemacht, und aus dieser mit der flüchtigen Sappe links vorgegangen, um in den Graben der feindlichen Redoute zu gelangen.

Der Hauptmann v. Vigny leitete unter dem Obersten v. Ploosen die Arbeiten, welche, vom Feinde unbemerkt, den besten Fortgang hatten. Man kam noch während der Nacht bis auf 80 Schritt an die Redoute.

Als am Morgen des 9ten Juli der Feind diese Arbeiten bemerkte, verhielt er sich sonderbarer Weise ganz ruhig. Die Franzosen warfen sogar mit Steinen bis in unsere Laufgräben. Nach Verlauf einer Stunde, während welcher wahrscheinlich die Meldung nach der Festung geschehen, und die erforderlichen Befehle ertheilt worden waren, begann gegen 7 Uhr Morgens auf einmal von Seiten des Feindes ein heftiges Gewehrfeuer. Es dauerte nicht lange, so antworteten die Mortier=Batterien der Angreifer auf eine wirksame Weise, und augenscheinlich ward das Feuer der Redoute schwächer.

Der Feind suchte indeß durch ein lebhaftes Geschütz= feuer aus der Festung das angegriffene Außenwerk zu unterstützen. Die Franzosen warfen 150pfündige Bomben, welche indeß so weit in die Erde wühlten, daß ihre Wirkung verloren ging.

Nachdem man indeß preußischer Seits die Tranchee mit Sandsäcken couronnirt hatte, wurden 28 gute Büchsenschützen mit vielem Nutzen gegen die feindlichen Artilleristen verwendet. Nachmittags gegen 2 Uhr wurde die Mortier=Batterie № 1. in den linken Flügel der nun vollendeten Parallele hinübergeschafft, und gewann hierdurch eine noch wirksamere Aufstellung. Die hier gebrauchten

Mortiere sind leicht transportabel, indem vier Mann ein solches Geschütz tragen können, und sechs Stück sind auf einem vierspännigen Wagen fortzubringen.

Der innere Raum der angegriffenen Redoute enthielt kaum 100 Schritt im Quadrat. Die Wirkung der Mortiere, von denen kein Wurf fehlte, mußte daher sehr bedeutend sein. Es wurde später bekannt, daß der feindliche commandirende Offizier nur mit der höchsten Anstrengung es dahin bringen konnte, daß die Besatzung nicht davon lief. Die beiden feindlichen Geschütze wurden von der Besatzung mit der Prolonge zurückgezogen, und der größere Theil derselben suchte sich durch Einschnitte und Löcher, unmittelbar an der Brustwehr aufgeworfen, zu schützen. Bei anbrechender Nacht, ungefähr um 11 Uhr, verließ jedoch der Feind das nicht mehr zu haltende Außenwerk. Die preußischen Truppen nahmen sogleich davon Besitz und fanden, außer einiger Munition, das Innere der Schanze ganz zerstört. Man machte sogleich Anstalten, den diesseitigen Theil der Brustwehr zu durchstechen, und eine Kommunikation mit der schon bis zum Graben vorgerückten Tranchee zu eröffnen. Eine Compagnie besetzte die Redoute. Das zweite Außenwerk in dem eingehenden Winkel zwischen den Chausseen nach Beaumont und Avesnes wurde gleichfalls vom Feinde verlassen.

Dieser so eben bezeichnete Scheinangriff auf dem rechten Ufer der Sambre, um sich der Außenwerke und der Höhe von Fallaise zu bemächtigen, täuschte den Feind vollkommen. Die Franzosen benutzten die Nacht vom 9ten zum 10ten Juli, um ihr Geschütz gegen die bedrohte Angriffsfront zu placiren; während von preußischer Seite die Zeit angewendet wurde, die größere Masse der Angriffsmittel gegen den äußersten linken Flügel des verschanzten Lagers, nahe der Sambre, zu conzentriren, und von hier aus den eigentlichen Angriffspunkt, nämlich die Bastion Fallaise, zu derselben Zeit in Flanke und Rücken zu nehmen, als auf dem linken Ufer die Eröffnung der Parallele und der Batterienbau gegen das Bastion beginnen würde.

Obgleich der Prinz August erst am Morgen des 10ten Juli die Meldung von der Besetzung der angegriffenen Stern-Redoute erhielt, so hatte er doch schon am Abend des 9ten Juli, den ernsten Angriff durch die Eröffnung der Trancheen auf dem linken Ufer der Sambre zu beginnen beschlossen.

Es waren 600 Arbeiter zum Aufwerfen eines Annäherungsgrabens von der Straße nach Assevent und zum Eröffnen einer Parallele von 1100 Schritt, deren rechter Flügel bis auf 300 Schritt von der feindlichen Redoute auf dem Mont la Croix geführt wurde, bestimmt.

Der Feind beschoß am Morgen des 10ten Juli diese neue Tranchee gar nicht, sondern conzentrirte sein Geschütz gegen die von uns auf der Fallaise besetzte Redoute. Wie schon früher bemerkt, wurde dies Werk von der Festung eingesehen, und da die Besatzung schon 2 Todte und 15 Verwundete verloren hatte, so befahl der Prinz, daß sie bis auf 30 Mann vermindert werden sollte, welche an der rückwärts liegenden Brustwehr sich einschneiden sollten, um vor direktem Feuer gedeckt zu sein.

Von den preußischen Batterien hatten nur die auf dem äußersten linken Flügel geantwortet, No 1. und No 2. dagegen waren jetzt nicht mehr anwendbar. Dagegen hatten schon seit einigen Nächten 400 Arbeiter an einer Kommunikation rechts der eroberten Redoute gearbeitet, um hier in einem ehemaligen Werk des alten verschanzten Lagers, zwei Batterien, die eine für sechs 24pfündige, die andere für zwei 50pfündige Mortiere, erbauen zu können. Man projectirte hier noch eine dritte Batterie für vier 24pfündige Kanonen, welche sämmtlich ihr Feuer senkrecht auf die rechte Face und gegen den Rücken des Bastions Fallaise richten sollten. Diese letztere Batterie wurde jedoch nicht fertig, da die Franzosen die Fortsetzung der Arbeiten durch ein heftiges und wirksames Feuer verhinderten. Dagegen wurden die beiden zuerst genannten Batterien, welche mit № 4. und 5. bezeichnet waren, in der Nacht vom 10ten zum 11ten Juli fast ganz vollendet. Die Dicke der vorgefundenen Brustwehr, welche für die Batterie benutzt wurde, betrug 16 Fuß. Für die 24pfünder schnitt man Schießscharten ein, und bekleidete sie durch Faschinen. Mittelst eines starken Querwalls trennte man die Mortiere von den Kanonen.

Während des 10ten Juli wurden auch die schon seit einigen Tagen von dem französischen Commandanten angeknüpften Unterhandlungen, welche in den letzten Tagen wahrscheinlich nur einen Zeitgewinn veranlassen sollten, um die Geschütze gegen die Front des ehemaligen verschanzten Lagers placiren zu können, abgebrochen. Der die Unterhandlung führende französische Offizier wurde bei seiner Rückkehr bei dem großen Belagerungs-Park unweit Boussois vorbeigeführt, in der Absicht, den Belagerten die Mittel zu zeigen, welche zur Fortsetzung des Angriffs vorhanden waren.

Da mit dem Beginn des ernsten Angriffs auf der linken Seite der Sambre auch immer mehr Truppen hier erforderlich wurden, so mußte man das 2te Bataillon des 25ten Linien- und das Füsilier-Bataillon des 5ten westphälischen Landwehr-Regiments in das Lager bei Boussois heranziehen. Eine halbe Jäger-Compagnie, das Paderbornsche Jäger-Detaschement, das Elb-Landwehr-Kavallerie-Regiment und die 6pfündige Fuß-Batterie № 10. kamen gleichfalls in und dicht bei Boussois zu stehen. Der Major

v. Witzleben besorgte mit dem Füsilier-Bataillon des 25sten Infanterie-Regiments und sämmtlichen übrigen freiwilligen Jäger-Detaschements die Einschließung der ganzen Festungsfront auf dem linken Ufer wo keine Trancheen waren.

In der vorwärts Affevent liegenden Parallele arbeitete man während der Nacht vom 10ten zum 11ten Juli an dem Etablissement von drei Batterien, nämlich № 6. von zwei 10zölligen und zwei 8zölligen Mortieren, № 7. von vier 8zölligen und № 10. von zwei 10zölligen und zwei 8zölligen Mortieren.

Der Batteriebau für diese 12 Geschütze fand jedoch keinen raschen Fortgang. Ein Annäherungsgraben, der parallel mit der Face der Lünette auf dem Mont la Croix geführt wurde, betrug schon 400 Schritt. Der Feind schoß von 12 Uhr in der Nacht an, doch langsam und ohne Erfolg, nach der flüchtigen Sappe, welche etwa 60 bis 80 Schritt von der Lünette entfernt blieb. Da die Franzosen zu hoch schossen, so läßt sich vermuthen, daß sie die Arbeit weiter schätzten. Um 1½ Uhr des Morgens, als die Arbeit im besten Fortschreiten war, ward die Tranchee vom Feinde überfallen. Die Avertissementsposten, so wie die Tranchee-Wache, welche 400 Mann stark waren, scheinen nicht so placirt gewesen zu sein, daß sie die Annäherung des Feindes zeitig genug bemerkten. Wenn auch die Mannschaften bei dem Bau der drei Batterien nicht in der Tranchee Platz hatten, so konnten sie doch dicht hinter der Parallele bleiben und Abtheilungen auf den Flügeln, so wie Avertissementsposten vorwärts der Parallele aufstellen. Dies scheint aber nicht geschehen zu sein.

Der Feind rückte mit 500 Mann aus der Redoute vor. Diese Truppen wurden in der Kommunikation zu diesem Werk unabhängig von der Besatzung desselben for-

mirt. Die Franzosen schlugen die Straße auf Affevent
ein, und umgingen durch diesen Hohlweg den rechten Flü=
gel der Parallele. Ein anderer Theil ging auf die Sappen=
Tête des Annäherungsgrabens los. Beide feindliche Ab=
theilungen sollten sich in der Parallele vereinigen.

Die feindliche Angriffs=Kolonne erreichte den Haken
der Parallele auf dem rechten Flügel, in welchem die Jäger
lagen, überfiel diese und eben so die Arbeiter. Letztere
liefen nach den Gewehren. Eben so vertheidigten die Ar=
beiter die schon in der Parallele befindlichen Geschütze.
Zum Glück kam jedoch bald die 400 Mann starke Tran=
chee=Wache herbei, und eben so eilte die auf dem Marsch
befindliche Ablösung des 1sten pommerschen und des 5ten
westphälischen Landwehr=Regiments nach den Laufgräben.
Das Füsilier=Bataillon des 22sten Infanterie=Regiments
rückte aus Roussies über die Brücke bei Affevent vor, und
griff den Feind sofort an. Alle bei Affevent aufgestellten
Reserven eilten im Sturmschritt heran. Der Feind war
jedoch schon wieder zurückgeworfen, und die augenblicklichen
Nachtheile durch das thätige Eingreifen aller in der Nähe
befindlichen Truppen wieder ausgeglichen.

Der Prinz August von Preußen war der Erste aus
Requignies in der Tranchee.

Der Ueberfall des Feindes hatte jedoch einen Zeit=
verlust im Fortschreiten der Arbeiten erzeugt. Die Her=
anschaffung der 10= und 8zölligen Mortiere war jetzt am
hellen Tage ohne Aufopferung nicht möglich. Es mußte
also die Anlegung der Batterien № 6. 7. 8. für den 11ten
Juli aufgegeben werden. Dagegen wurden in jede der=
selben drei 7pfündige englische Mortiere, also im Ganzen
9 Mortiere herbei gebracht, welche auf 300 Schritt die
vorliegende Lünette bewarfen. Dies geschah um 7 Uhr
des Morgens.

Auf dem rechten Ufer der Sambre hatten die rechts der eroberten Redoute erbauten schweren Batterien sich auch noch nicht hören lassen. Die englische 24pfündige war zwar glücklich in der Nähe des Feindes abgeprotzt und auf die Bettungen geführt worden, jedoch hatten die englischen Artilleristen unterlassen, sie vor dem Abprotzen aus dem Marschlager in das Chargirlager zu bringen. Erst um 4 Uhr des Morgens war eine Kanone in der Lage, das Feuer zu beginnen. Durch den entstandenen Lärm war der Feind aber aufmerksam geworden, und richtete sogleich sein Geschütz gegen diese Batterie. Das Hebezeug wurde zerschossen. In diesem Augenblick traf der die Artillerie commandirende Oberstlieutenant v. Röhl bei der Batterie ein. Durch seine Anstrengungen und zweckmäßigen Anordnungen gelang es endlich, daß nach 7 Uhr die Geschütze der Batterie № 5. schußfertig wurden. Die neben dieser 24pfündigen stehende Mortier-Batterie № 4. kam jedoch schon früher in Thätigkeit. Es wurden von ihr 90 Bomben und von der 24pfündigen 345 Kugeln verschossen.

Das feindliche Feuer begann am Morgen des 11ten Juli früher als das der preußischen Batterien, und währte mit der größten Heftigkeit und von dem schwersten Kaliber fort. Selbst gegen Mittag trat keine Unterbrechung ein. Vorzüglich richtete der Feind sein Geschütz auf die 24pfündige Batterie № 5. Beinahe jede Scharte derselben wurde einigemale demontirt, eben so ein Geschütz auf der Bettung. Der Feind schoß an diesem Tage sehr gut und verfehlte bei der großen Nähe selten das Objekt.

Die Brustwehren sämmtlicher fünf preußischen Batterien waren nach und nach so locker geworden, daß viele Kugeln durch dieselben gingen. Die 24pfündige Batterie demontirte indeß auch dem Feinde mehrere Geschütze, wodurch sein Feuer etwas gedämpft wurde. Man konnte jedoch diese Batterie nur mit der größten Anstrengung von preußischer Seite in Thätigkeit erhalten. In dem Augenblick, als die feindlichen Kugeln mit unwiderstehlicher Heftigkeit die Brustwehr der Batterie gänzlich zu rasiren drohten, und die Artillerie-Offiziere die Leute aufforderten, Hand an die Wiederherstellung derselben zu legen, sprangen 5 Soldaten von der 6ten Compagnie 22sten Linien-Regiments und 2 Landwehrmänner vom 2ten Elb-Regiment freiwillig auf die Brustwehr und ermunterten ihre Kameraden zur Nachfolge. Durch ihre brave und aufopfernde Handlungsweise war es allein möglich, die Erhaltung der Batterie zu bewirken.

Die nebenstehende Mortier-Batterie № 4, so wie die drei Mortier-Batterien auf dem linken Ufer der Sambre waren, nachdem sie die zu kurz tempirten Zünder geändert hatten, von großer Wirksamkeit. Die letztern warfen 500 Bomben nach der vorliegenden Lünette, und zwar mit solchem Erfolge, daß sie von der Besatzung des Nachmittags fast gänzlich verlassen wurde. Nur wenige Offiziere und Artilleristen hielten darin aus, und schossen von Zeit zu Zeit die zurückgelassenen Gewehre ab, um dadurch, so wie durch lautes Rufen und Commandiren die Entfernung der Besatzung zu verbergen.

Zwischen 2 und 3 Uhr Nachmittags war das Feuer der Festung am stärksten und schien aus allen darin anwendbaren Geschützen zu kommen. Diese letzte Anstrengung war jedoch der Vorbote der eingetretenen Crisis.

Uebergabe von Maubeuge den 12ten Juli 1815.

Um 4 Uhr Nachmittags wurde auf dem Bastion Fallaise die weiße Fahne aufgesteckt, die nun in wenig Augenblicken auf allen Schanzen und Bollwerken wehte.

Zu gleicher Zeit wurde ein Schreiben des französischen Commandanten an den Prinzen August übergeben, worin um eine Capitulation gebeten wurde.

Dessen ungeachtet setzte man preußischer Seits alle Angriffs=Anstalten fort. Die Trancheen und Brustwehren wurden ausgebessert, und neue Munitions=Bestände herbeigeschafft. In der Nacht vom 11ten zum 12ten Juli wurde links von № 4. die Batterie № 9. für drei 25pfündige Mortiere erbaut. Eben. so wurden die auf dem linken Ufer befindlichen Batterien № 6. 7. 8. mit Geschütz versehen.

Den 12ten Juli um 11 Uhr Morgens kam jedoch der Abschluß der Capitulation zu Stande. Die Nationalgarden durften, mit Pässen versehen, in ihre Heimath entlassen werden. Dem Commandanten ward mit 150 Mann Linien=Truppen, 2 Kanonen und einigen bedeckten Wagen ein freier Abzug nach der Loire bewilligt. Dieser erfolgte den 14ten Juli um 8 Uhr des Morgens.

Der Major v. Löwenfeldt wurde zum Commandanten ernannt, und das 1ste Bataillon des 1sten pommerschen Infanterie=Regiments zur Besatzung bestimmt. Man fand in der Festung 76 Geschütze, 5 bis 6000 fertige und 15,000 noch nicht ganz vollendete Gewehre; 500 Centner Pulver und verhältnißmäßige Munition, nebst einer ansehnlichen Menge von Nutzhölzern, so wie eine vollständige Werkstatt der hier befindlichen Gewehr=Fabrik und einen bedeutenden Vorrath von Lebensmitteln.

Zur Vertheidigung der angegriffenen Werke hatte der Feind bereits 47 Geschütze, also über die Hälfte aller vorhandenen, in Thätigkeit gesetzt, nämlich 31 Kanonen, 2 Haubitzen und 14 Mortiere von verschiedenem Kaliber. Die Angreifer hatten dagegen erst ⅓ ihrer Belagerungs=Geschütze in Anwendung gebracht, woraus sich entnehmen läßt, daß man im Fall des fortgesetzten Angriffs noch eher zum Zweck gekommen wäre, als der angeführte An= griffs=Entwurf annahm. Der großen Nutzen, den der Feind durch seine Außenwerke erhielt, ist nicht zu verken= nen, und man muß hinzufügen, daß obgleich es nur Erd= werke waren, die ohne Blockhäuser sogar eines Reduits entbehrten, sie demungeachtet einen beträchtlichen Auf= wand an Kraft und Zeit in Anspruch nahmen.

Der Verlust der Preußen betrug während der ganzen Einschließung und Belagerung 16 Todte an Unteroffizieren und Gemeinen, und 3 Offiziere, 4 Unteroffiziere und 60 Soldaten an Verwundeten.

In den frühern Kriegen wurde Maubeuge erst einmal eingenommen. Seit Anfang des vorigen Jahrhunderts war es jedoch während der mit Frankreich geführten Kriege niemals in feindliche Hände gefallen. Im französischen Revolutions=Kriege hielten es die Oesterreicher lange Zeit und im Feldzuge 1814 die verbündeten Truppen bis zum Frieden eingeschlossen.

Bei der jetzigen Belagerung darf man als charakte= ristisch die Art der Einschließung erwähnen. Man pflegte sonst bei Berennung der Festungen alle Zugänge zu den= selben nur außer dem Bereich des Kanonenschusses zu be= setzen. Hierdurch konnte man nicht verhindern, daß der Belagerte seine Posten außerhalb der Festungswerke auf= stellte, und des Nachts seine Patrouillen weit vorschickte. Dadurch aber wird es unmöglich, die erste Parallele nahe bei der Festung anzulegen, ohne vom Feinde entdeckt zu werden, und die Einschließung selbst erfordert ungleich mehr Truppen.

Der englische Oberstlieutenant Jones hat in seinem Tagebuche über die in Spanien 1811 und 1812 geführ= ten Belagerungen, auf den Grund der Autorität der be=

rühmtesten Feldherren und besten Ingenieure, angeführt, daß
sich die Stärke des Belagerungs-Corps zur Anzahl der
Besatzungen in folgender Art verhalten müsse: nämlich
bei 15,000 Mann Besatzung wie 5 zu 1; bei 10,000
Mann wie 6 zu 1; bei 5000 Mann wie 7 zu 1; bei
3000 Mann wie 8 zu 1. Hiernach würden zur Führung der Belagerung von Maubeuge 18—24,000 Mann
nothwendig gewesen sein.

Benutzt man jedoch bei der Einschließung das Terrain und die vom Feinde nicht völlig zerstörten Deckungsmittel, und schützt sich durch Arbeiten, die man auf zweckmäßigen Punkten ausführt, so kann man bei der vervoll-
kommneten Fechtart der Infanterie für jedes Terrain in
den meisten Fällen den Belagerten zwingen, wenigstens
des Nachts keine Posten außerhalb des Festungswerks aufzustellen. Auf diese Weise wurde es bei Maubeuge möglich, sich auf 300 Schritt den angegriffenen Werken zu
nähern und hier die erste Parallele zu eröffnen, während
dies sonst auf eine Entfernung von 600 bis 750 Schritt
geschehen sein würde.

Wenn nun gleich eine gute und nahe Einschließung
als der Grundstein der darauf folgenden Belagerung anzusehen ist, so wird man darum doch kein System hiernach begründen können, indem Local-Verhältnisse, die
Stärke und der Geist der Besatzung, so wie die Anlage
der Festungswerke selbst, stets einen großen Einfluß auf
dasjenige äußern werden, was der Angreifer zu thun im
Stande ist.

Es ist ferner nicht zu verkennen, daß die Scheinattake gegen die Höhen von Fallaise und die Verheimlichung des wahren Angriffs auf dem linken Ufer der
Sambre gegen das Bastion Fallaise augenscheinlich die
Maaßregeln des Feindes in Verwirrung brachten, und ihn

über die Ausdehnung unserer Arbeiten, so wie über das wahre Angriffs-Object in Zweifel ließen.

Nach der Einnahme von Maubeuge säumte der Prinz August keinen Augenblick, seine Unternehmungen gegen die zweite Festung an der Sambre, welche noch die Kommunikation sperrte, nämlich gegen Landrecies, fortzusetzen. Es wurden noch von den in Maubeuge vorgefundenen Geschützen 6 Kanonen, 5 Haubitzen und 9 Mortiere complettirt, mit 100 Schuß und Wurf ein jedes Geschütz versehen, und zum Transport nach Landrecies bestimmt.

Schon den 13ten Juli Abends marschirten die bisher vor Maubeuge stehenden 6 Compagnien des Elb-Landwehr-Regiments, und den 14ten Juli um Mittag brach die ganze 7te Brigade nach Landrecies auf. Der Prinz August verlegte den 17ten sein Hauptquartier nach Maroilles vor Landrecies. Vom 22sten an wurde die ganze 8te Brigade zur Einschließung von Givet und Charlemont zusammengezogen, dagegen wurde die 5te Brigade zur Einschließung der Plätze Rocroy, Marienburg und Philippeville unter dem Generallieutenant v. Pirch I. verwendet.

Belagerung von Landrecies und Einnahme der Festung am 21sten Juli.

Am 15ten Juli traf die 7te Brigade unter dem Generalmajor v. Brause, von Maubeuge kommend, vor Landrecies ein. Von den jetzt hier befindlichen 13 Bataillons, die man gegen 9000 Mann stark annehmen kann, wurden 9 Bataillons, 4 Escadrons auf dem rechten Ufer der Sambre in dem Bivouak bei Maroilles vereinigt, und die Kavallerie zur Unterstützung der Vorposten zwischen Maroilles und der Vorstadt la Capelle aufgestellt.

Auf dem linken Ufer der Sambre standen 4 Bataillons, nämlich: im Bivouak von Fontaine aux bois 2

Bataillons und im Bivouak an der Waldspitze links von Elaquis gleichfalls 2 Bataillons.

Der Generalmajor v. Kraft, welcher sich in Maroilles aufhielt, befehligte das ganze Einschließungs = Corps insbesondere, während die Truppen auf dem rechten Sambre-Ufer unter dem Obersten v. Schon, und auf dem linken Ufer unter dem General v. Brause standen.

Die Festung Landrecies ist in der Kriegsgeschichte durch öftere Unternehmungen, welche gegen dieselbe statt gefunden, bekannt geworden. Die Stadt hat ungefähr 2000 Einwohner, ist vom Chevalier de Ville befestigt, und von Vauban verbessert worden. Die Lage des Orts ist der Befestigung günstig. Die Thalufer der Sambre, in deren Niederung sie liegt, bleiben entfernt und erheben sich überhaupt, auch weiter von der Festung, nur unbedeutend. Auf der linken Seite des Flusses ist das Terrain sumpfig und kann vermittelst der Festungsschleusen unter Wasser gesetzt werden.

Die Festung selbst besteht aus einem Hauptwall mit fünf Bastionen, nebst eben so vielen Ravelins vor den Courtinen und zwei Contregarden vor den Bastions gegen Avesnes und gegen la Capelle. Die Vorstadt le Quesnoy auf dem linken Ufer der Sambre ist durch ein großes Hornwerk umschlossen. Die Gräben sind meistentheils naß und die Futter = Mauern in recht gutem Zustande. Der Hauptwall hat, von der Grabensohle an, eine Höhe von 36 bis 40 Fuß. Der innere Raum der Bastione ist sehr enge, und da gar keine Kasematten vorhanden sind, so ist dies besonders gegen einen Angriff mit Wurfgeschütz ein sehr nachtheiliger Umstand. Der Cavalier in dem Bastion rechts des Thores von Frankreich ist in dieser Hinsicht mehr schädlich als nützlich. Landrecies hat zwei Thore; das von Frankreich führt nach Maubeuge,

Avesnes und Guise, das von Quesnoy nach Cambray, St. Quentin und Peronne. Das Glacis war durchgängig mit Kiefern besetzt. Auf dem rechten Ufer der Sambre vor der Stadt liegt eine Lünette, welche jedoch verlassen war. Die Festung ist überall dergestalt mit Hecken umgeben, welche Felder und Wiesen einschließen, daß dadurch für einzelne Leute eine gedeckte Annäherung bis gegen das Glacis sehr begünstigt wird. Die Vorstädte auf der Straße gegen Quesnoy und auf dem rechten Ufer gegen Avesnes gingen bis ganz nahe an die Stadt. Die hier befindlichen Chausseen wurden durch ein geschicktes Abschneiden der Straßen gegen ein Vordringen des Feindes gesichert, so wie auch die Vorposten in den Häusern an der Chaussee etablirt waren.

Die feindliche Besatzung bestand aus 2000 Mann, größtentheils Nationalgarden. Auf den Wällen standen 45 metallene Geschütze, und Vorräthe aller Art waren hinlänglich vorhanden.

Die Stimmung der Besatzung schien für Napoleon; die Bürgerschaft war dagegen mehr Ludwig XVIII. ergeben. Der Commandant, Oberst Plaige, scheint nicht die Gewalt gehabt zu haben, das Niederreißen der Häuser zunächst der Festung, so wie das Abhauen der Hecken durchzusetzen. Die Einschließung konnte daher auf das engste ausgeführt werden, indem man die Schildwachen fast bis an den Fuß des Glacis zu placiren im Stande war.

Nachdem die Einschließung auf eine so vollkommene Weise ausgeführt worden war, wurde ein Bombardement der Festung nicht mehr nothwendig. Man konnte vielmehr sogleich die eigentlichen Belagerungsarbeiten beginnen.

Bei den früheren Angriffen auf Landrecies hatte man das Hornwerk auf dem linken Ufer der Sambre als Angriffs-Object gewählt, weil man die Contregarden auf der rechten Seite dieses Flusses vermeiden zu müssen glaubte. Man bemerkte jedoch, daß auf der Stadt-Seite das obere Ravelin gegen die Straße nach la Capelle die Courtine und den Courtinenwinkel nicht ganz deckten, und daß man daher hier wahrscheinlich bald Bresche würde legen können. Da überdies das Terrain hier noch am höchsten gelegen ist, so konnte man auch den niedrigsten Wasserstand in den Gräben annehmen. Ferner konnte die dicht hinter der anzugreifenden Front liegende große Kaserne durch ihren Brand der Vertheidigung der Bresche leicht nachtheilig werden, indem die Truppen es bei entstehendem Feuer wahrscheinlich hier auf dem Walle nicht hätten aushalten können.

Um jedoch den Feind nicht gleich auf den wahren Angriffspunkt aufmerksam zu machen, beschloß man, zuerst das Hornwerk auf dem linken Ufer anzugreifen, und nach dieser Seite die Vertheidigungsmittel des Feindes hinzulocken.

Zur Verbindung der beiden Ufer der Sambre war unterhalb der Festung bei Ogny eine Brücke geschlagen worden.

Den 17ten Juli kam das Belagerungsgeschütz von Maubeuge an. Das nothwendige Material an Schanzkörben, Faschinen ꝛc. war theils hier verfertigt, theils herbeigeschafft worden.

Den 19ten Juli Abends versammelten sich auf dem linken Ufer der Sambre 400 Arbeiter zur Eröffnung der ersten Parallele auf der Höhe vor dem Hornwerke, an welcher Stelle vor 25 Jahren ein verschanztes Lager gestanden hatte. Der Laufgraben wurde von der Chaussee von Quesnoy bis zu einer kleineren Straße, die nach Pont Ogny führt, gezogen, und war nur 250 Schritt vom

vom Hauptwalle des Platzes entfernt, so daß man die Ablösung der Schildwachen genau hören konnte. Eine Tranchee-Wache von 400 Mann war zur Deckung der Arbeiter auf dem Flügel der Tranchee aufgestellt. Zweihundert Mann standen als Reserve dicht hinter dem aufzuwerfenden Laufgraben. Bei dem auf der Straße nach le Quesnoy befindlichen Posthause hatte man außerdem noch 350 Arbeiter und 200 Mann Tranchee-Wache, sämmtlich zur Ablösung für den kommenden Morgen bestimmt, placirt.

Das Glück wollte, daß der Abend regnig war, wodurch der beinahe volle Mond etwas verhüllt blieb. Ungeachtet der geringen Entfernung von noch nicht 300 Schritten hörte der Feind das Arbeiten mit Spaten in dem steinigen Boden nicht, wie dies später durch die feindlichen Truppen, welche das Hornwerk besetzt gehalten hatten, bestätigt wurde.

Beim Traciren der Parallele, wobei der Prinz August persönlich mitwirkte, lehnte man den rechten Flügel an ein Haus auf der Chaussee nach le Quesnoy, welches verrammelt wurde und tambourartig den rechten Flügel derselben zu vertheidigen bestimmt war. Der linke Flügel stützte sich an den Hohlweg nach Pont Ogny, den man gleichfalls als Annäherungsgraben an die Parallele benutzte, und auch in dieser Richtung sämmtliches schwere Geschütz herbeizuschaffen beabsichtigte.

Am Morgen des 20sten Juli, als der Feind die Arbeiten der Angreifer bemerkte, begann er ein lebhaftes Gewehrfeuer aus dem bedeckten Wege gegen die Tranchee. Erst später wurde mit dem groben Geschütz, und vorzüglich auf diejenige Stelle der Parallele geschossen, welche während der Nacht durch einen Feuerstein-Boden geführt werden sollte, indeß nicht vollendet werden konnte. Die

II.   19

Kommunikation wurde hierdurch gefährdet, und 2 Mann der Belagerer auf dieser Stelle getödtet. Als der Feind während einiger Zeit weniger heftig schoß, benutzten die Pioniere diesen Umstand, stellten sich auf beiden Seiten an, und indem sie auf diese Weise gegen einander arbeiteten, durchbrachen sie den felsartigen Boden so, daß man gegen 10 Uhr Morgens hier, wie überall in der Parallele, gesichert war.

Gegen 11 Uhr stellte der Feind sein Feuer ein, das preußischer Seits bis jetzt unbeantwortet geblieben war. Um 3 Uhr steckten die Franzosen die weiße Fahne auf. Der Commandant mit zwei Offizieren und zwei Abgeordneten der Stadt, erschien vor dem Thore von Frankreich mit der Erklärung, sich Ludwig XVIII. zu ergeben, und bat zugleich um Pässe für zwei Offiziere nach Paris. Diese Anerbietungen wurden jedoch abgewiesen, indem nur rein militairische Vergünstigungen gestattet, im Uebrigen aber eine unbedingte Uebergabe verlangt werden sollte. Der Oberst Graf Kalkreuth wurde indeß zum fernern Unterhandeln in die Festung geschickt.

Die Belagerungs-Arbeiten setzte man gleichzeitig mit der größten Thätigkeit fort.

Auf dem linken Ufer, wo bereits die Tranchee in der vergangenen Nacht eröffnet worden war, wurden nun auch am 20sten Abends bei hellem Vollmonde hinter der Parallele 5 Batterien erbaut. № 1 und 2, jede aus drei 5½zölligen englischen Mortieren bestehend, fing man schon am Tage hinter einer Gartenhecke zu bauen an. № 3. wurde aus 4 Stück 24pfündern zusammengesetzt, und nahe der Parallele placirt; № 4. erhielt drei 50pfündige Mortiere und wurde etwas links, der Parallele noch näher, aufgestellt. № 5. bestand aus 6 Stück 24pfündigen Kanonen. Man hatte vor dieser Batterie gegen die Spitze der Couvre-Face einen Annäherungs-Graben geführt, um den Feind über die Fortsetzung des Angriffs auf dieser Seite noch vollkommener zu täuschen.

Am 21sten Morgens waren sämmtliche Batterien schußfertig. Diese Arbeit muß in ihrem ganzen Werthe gewürdigt werden, da die preußische Artillerie mit den größten Schwierigkeiten in Rücksicht des Terrains zu kämpfen hatte, und am Tage zuvor die große Batterie № 5. für die 24pfündigen Kanonen gar nicht angefangen werden konnte, und daher eigentlich in sechs Stunden gebaut wurde.

Das ansteigende und überhöhende Terrain hinter der Parallele gestattete auch das Anlegen der Batterien rückwärts derselben.

Diese Anlage der Batterien wurde aber auch durch die übrigen einwirkenden Verhältnisse geboten, und da das rückwärts liegende Terrain die Parallele überragte, so konnten die zu niedrigen Schüsse aus der Festung nur die Brustwehr treffen, wogegen die zu hohen ganz verloren gingen, und also nur diejenigen Schüsse, welche im Horizont der Festung geschahen, von Wirksamkeit waren.

Man bezweckte mit diesen Batterien, außer der Beschießung des Hornwerks, auch die Unterbrechung der Kommunikation desselben mit der Stadt. Ferner wollte man vorzüglich durch die 24pfündige Batterie № 5. die wahre Angriffsfront auf dem rechten Ufer der Sambre in den Rücken nehmen.

An demselben Abend (20sten Juli), an welchem man den Batteriebau auf dem linken Ufer der Sambre ausführte, wurde auch die Parallele auf dem rechten Ufer der Sambre zum Behuf des wahren Angriffs unter persönlicher Mitwirkung des Prinzen August und des Obersten v. Ploosen durch 650 Arbeiter eröffnet. Ein Soutien

von 400 Mann stand hinter der Parallele, während ein
zweites Soutien auf der Straße nach la Capelle aufzu=
stellen der Befehl ertheilt war. Der rechte Flügel der
Parallele durchschnitt die Chausseen von Avesnes; der
linke reichte über den Windmühlenberg bis an ein dort
befindliches Hölzchen. Der Laufgraben näherte sich an
einigen Stellen auf 250 bis 300 Schritt dem bedeckten
Wege. Man hätte mit den hier zu erbauenden Batte=
rien aus der ersten Parallele Bresche in den Hauptwall
legen können. In einer Entfernung von 200 Schritt
von der Tête des bedeckten Weges wurde die Parallele
durch drei Hecken von Kreuz=, Weiß= und Schwarz=Dorn
(alle über 1½ Fuß im Laubwerke stark), geführt. Ein
Pionier mit Hacke und Schaufel durchgrub jede Hecke,
obgleich der Boden sehr fest war, ungefähr in 10 Minu=
ten, ohne daß es der Feind hörte. An allen Stellen,
wo man dem Platze sehr nahe über unbebautes oder kah=
les Feld gehen mußte, wurde mit fliegender Sappe gear=
beitet. Man stellte die Schanzkörbe in der Linie erst leer
hin, und dann wurden dieselben durch eine Reihe nach
gewöhnlicher Art angestellter Arbeiter gefüllt. Ein Mann
bekam 3 Schanzkörbe zu füllen, wodurch ihm das Maaß
seiner Arbeit zugetheilt war. Die zwei Chausseen, welche
die Parallele durchschnitten, wurden von den Pionieren
durchbrochen. Man grub sich auf einer Seite unter das
Steinpflaster, und unterwühlte dies, um die Steine von
unten aufzulockern und so ohne Geräusch durchkommen
zu können, welche Arbeit auch auf das Vollkommenste
gelang.

Am 21sten Juli des Morgens hatte man die Parallele
auf dem rechten Ufer der Sambre, so wie den Batteriebau
auf dem linken Ufer des Flusses beendigt. Nach 7 Uhr
Morgens, als der bisher dichte Nebel gefallen war, befahl

der Prinz August, welcher sich in den Trancheen befand, den Anfang des Feuers. Das Beschießen begann aus den kleinen Mortieren auf dem rechten Flügel. Die Batterien № 3. 4. und 5. konnten das Hornwerk völlig einsehen, und suchten durch ihr Feuer den auf dem linken Ufer befindlichen Theil der Festung von dem übrigen auf dem rechten Ufer der Sambre gelegenen abzuschneiden, so wie die von der entgegengesetzten Seite angegriffene Front in den Rücken zu nehmen.

Aber auch die Bewegungen der Besatzung in der Stadt waren mit bloßen Augen vollkommen zu erkennen. Man bemerkte die Soldaten zum größten Theil beim Appel auf dem rechten Ufer versammelt. Als sie indeß beim Beginn des Feuers der preußischen Batterien durch das Thor über die Brücke nach dem Hornwerk zu kommen eilten, richteten die sämmtlichen Geschütze ihr Feuer auf diesen Durchgang. Die 24pfünder beschossen das Thor, und die 50pfündigen Mortiere bewarfen die Brücke. Alles stockte bei dieser gefährlichen Passage und der größte Theil der Garnison blieb auf dem rechten Ufer. Eine Viertelstunde lang geschah noch kein Schuß aus der Festung. Endlich schoß der Feind von den Wällen auf das rechte Ufer. Die Angreifer richteten ihr Feuer sogleich danach hin, und nach einer kaum zweistündigen Dauer desselben, während welcher Verwirrung und Bestürzung in der Stadt überhand nahmen, hörte man in der Stadt Chamade schlagen. Der vorige, von Ludwig XVIII. eingesetzte, später von dem Obersten v. Plaige verdrängte Commandant, Oberst Faurax, hatte seinen Aufenthalt in Landrecies behalten, und sich der Bürger-Parthei angeschlossen, um bei einer ihm günstigen Gelegenheit seinen verlornen Posten wieder erlangen zu können. Als jetzt die Stadt beschossen wurde, setzte er sich an die Spitze einiger Bürger und

Nationalgarden, und drohte den Commandanten zu er=
schießen, wenn er nicht kapitulire. Der Oberst Plaige
bequemte sich, nachdem das Feuer bis nach 9 Uhr unun=
terbrochen gedauert hatte, wider den Willen seiner Trupen,
in eigner Person, mit der Trommel in der Hand, auf
dem Wall zu erscheinen und Chamade zu schlagen.

Aus dem Hornwerke kamen die Parlementairs nach
der Tranchee, wo sich der Prinz August befand, welcher,
nur eine geringe Bedenkzeit gebend, sofort den Abschluß
der Kapitulation verlangte. Diese wurde auch in einem
Hause der Vorstadt le Quesnoy binnen einer Stunde ab=
geschlossen. Das 1ste Bataillon des Kolbergschen Regi=
ments besetzte noch am Abend das Hornwerk, jedoch nicht
ohne Mühe, weil die abziehende französische Wache nur
durch ihren 2ten Commandanten, Major Bouché, zum
Weichen gebracht werden konnte.

Die zur Uebernahme in den Platz geschickten Kriegs=
Commissäre wurden bei der in der Stadt herrschenden
Unordnung genöthigt, am Abend des 21sten Juli in den
Brückenkopf zu flüchten. Nur durch die Wachsamkeit
des 2ten Commandanten, Major Bouché, wurde ein in
der Nacht gemachter Anschlag, das Pulver-Magazin, welches
dicht an der Kaserne lag, und noch ansehnliche Vorräthe
enthielt, in die Luft zu sprengen, noch zur rechten Zeit
entdeckt.

Der Commandant selbst sah sich genöthigt, um der
Wuth der Soldaten zu entgehen, einen Theil der Nacht
bei den preußischen Truppen zuzubringen.

Den 22sten Juli marschirten 2 Bataillons der Be=
satzung aus, und streckten auf dem Glacis die Gewehre.
Den 23sten folgten die übrigen beiden Bataillons, welche,
mit Ausnahme von 150 Mann Linien-Truppen, gleich=
falls das Gewehr streckten. Den Linien-Truppen folgten

2 Feldgeschütze, denen ein freier Abzug nach der Loire
gewährt wurde. Die früher zur Besatzung gehörigen
Truppen erhielten Pässe in ihre Heimath. Die Stadt
hatte fast gar nicht gelitten. Die Festungswerke waren
im besten Zustande. Die alte Ziegelmauer durchgängig,
auch an dem Wasserspiegel, wie neu, und der bedeckte
Weg mit Palissaden versehen. Man fand 45 Geschütze,
ansehnliche Munitions-Vorräthe und beträchtliche Magazine.

Die Festung Landrecies, welche im französischen Revolutions-Kriege einen so großen Aufwand an Menschen
und Material gekostet, und deren Belagerung damals mehrere Monate erforderte, hatte in diesem Feldzuge 7 Tage,
nachdem die Truppen zur stärkeren Einschließung von
Maubeuge angelangt waren, und nach einer 36stündigen
Belagerung ihre Thore den Siegern geöffnet. Die Angreifer verloren vor diesem Orte 3 Todte und 4 schwer
Verwundete, und verschossen 52 24pfündige Kugeln und
126 Bomben. Obgleich der Ungehorsam der Garnison
und der Bürgerschaft einigen Einfluß auf den so frühen
Fall des Platzes haben mochte, so ist doch auch nicht zu
verkennen, daß die seltene und kühne Anlage des Angriffs
sehr bald dasselbe Ziel erreicht haben würde. Die Führung der falschen Attake auf dem linken Ufer, während
der wahre Angriff auf der entgegengesetzten Seite so vollkommen gelang, und wie man sich später überzeugte, wirklich den schwächsten Punkt der Festung getroffen hatte,
bleibt stets nachahmungswerth. Es war die Absicht, die
Parallele auf dem rechten Ufer durch sieben Batterien zu
unterstützen, welche aus zwölf 25pfündigen und 50pfün-
digen Mortieren und zwanzig 24pfündigen Kanonen, zum
Demontiren der feindlichen Geschütze und Breschelegen
in den Hauptwall, bestehen sollten.

Der 2te französisch Commandant, Major Bouché,

hat das beste Zeugniß über die wahren Motive zur Ueber=
gabe abgelegt, indem er versicherte, daß, sobald die Fran=
zosen die Angreifer auf dem rechten Sambre=Ufer, also
auf der Stadtseite festgesetzt und so nahe eingeschnitten
sahen, daß eine Bresche sehr bald erfolgen mußte, bei
ihnen auch der Entschluß entstanden sei, sich eine ehren=
volle Kapitulation nicht zu verscherzen, sondern die Festung
zu übergeben.

Von preußischer Seite wurden 2 Bataillons des
22sten Infanterie=Regiments als Besatzung nach Landrecies
gelegt, und der Oberstlieutenant v. Sack zum Comman=
danten der Festung ernannt. Bei dem unruhigen Geist
der Bürgerschaft, und bei den mannigfachen Auftritten,
die hier schon von Seiten derselben in einer bestimmten
Ansicht geschahen, und in dem Oberstlieutenant Jaurax
eine Unterstützung fanden, war die größte Aufmerksam=
keit nothwendig. Die zweckmäßig getroffenen Maaßre=
geln stellten jedoch bald wieder Ruhe und feste Ordnung
her, so daß später durchaus keine Störungen mehr vor=
kamen.

Als eine bei dieser Belagerung sich sehr vortheilhaft
bewährende Maaßregel ist die Anordnung zu bezeichnen,
durch welche man mit Eröffnung der Laufgräben gleich=
zeitig den Bau mehrerer Batterien verband. Es ist sel=
ten, daß bei zweckmäßigen Anstalten die Eröffnung der
Tranchee entdeckt wird. Erhält man nun einen gleichen
Vortheil für den Bau der Batterien, so ist dies ein großer
Gewinn, indem der spätere Bau im feindlichen Feuer mit
bedeutendem Verlust verbunden ist. Die Punkte, wo die
Geschütze der Angreifer placirt werden müssen, sind, nach=
dem man sich für eine bestimmte Angriffsfront entschieden hat,
nicht mehr zweifelhaft, und ihre Einrichtung kann daher
dem Aufwerfen der Laufgräben nicht hinderlich sein. Auch

ist noch zu bemerken, daß man beim Beginn der Belagerung hauptsächlich Wurfbatterien braucht, deren Bau am
leichtesten ist, und durch das Terrain oft begünstigt wird.

Sind dagegen bei ungünstigem Boden die Trancheen
am folgenden Tage noch nicht vollendet, so leiten die Batterien das feindliche Feuer von denselben ab und machen
es möglich, auf der angegriffenen Seite die nöthigen Ver-
theidigungs-Anstalten zu treffen.

Die Erfahrung zeigt aber auch, daß ein solcher rascher
Angriff einen moralischen Eindruck auf die Gemüther der
Besatzung nicht verfehlt, und dies schon allein setzt den
Angreifer in ein für ihn sehr günstiges Verhältniß.

Durch die Eroberung der beiden Sambre-Festungen
war nunmehr die Hauptkommunikation nach dem Innern
von Frankreich eröffnet. Der zunächst zu erreichende Zweck
schien nun die Einnahme der Festungen an der Maas.
Durch sie erhielt die Kommunikation nach dem Rheine
noch eine größere Sicherheit, so wie die eröffnete Verbindung mit Luxemburg eine Operations-Basis in Frankreich
selbst gewährte.

Bevor jedoch der Angriff der Maas-Festungen, der
wegen ihrer größern Ausdehnung auch die Anwendung
von mehr Belagerungsmitteln erforderte, deren Herbei-
schaffung jedoch Zeit in Anspruch nahm, bewerkstelligt
werden konnte, beschloß man, die Gemeinschaft mit der
Sambre und Maas durch die Eroberung der Festungen
Philippeville, Marienburg und Rocroy sicher zu stellen.
Diese Unternehmungen füllten überdies auf eine thätige
Weise die Zeit aus, welche zu den Vorbereitungen der
Belagerung von Givet noch nothwendig wurde.

Um zunächst die Kommunikation zwischen Maubeuge
und Givet frei zu machen, beschloß man, sich der Festung
Philippeville zu bemächtigen. Es wurden auch schleunigst

alle bisher vor Landrecies stehenden Truppen, mit Ausnahme der 7ten Brigade, gegen Philippeville dirigirt. Die 5 Bataillons der 6ten Brigade trafen bereits den 24sten Juli im Lager zwischen Sanzeille und Cerfontaine vor Philippeville ein. Die 3 bisher vor Rocroy stehenden Bataillons der 6ten Brigade rückten vor Givet und wurden durch 2 Bataillone und 2 Compagnien der 7ten Brigade ersetzt. Die übrigen Truppen der 7ten Brigade, mit Ausnahme des 22sten Infanterie-Regiments, welches 1 Bataillon nach Berlaimont, zwischen Maubeuge und Landrecies detachirte, bezogen Kantonnirungen in den Distrikten von Beaumont und Chimay. Das 4te kurmärkische Landwehr- und das 11te Husaren-Regiment wurden der 7ten Brigade attachirt, während das 5te kurmärkische Landwehr-Kavallerie-Regiment zur Einschließung von Givet verwendet wurde.

Den 24sten Juli verlegte der Prinz August sein Hauptquartier nach Sanzeille.

Der Belagerungspark könnte wegen der beträchtlichen Entfernung, und weil die zum Transport gedungenen Vorspannmittel theils nicht ausreichten, theils aber auch bei einer nicht zu strengen Aufsicht, die nun aber geschärft wurde, eigenmächtig in ihre Heimath zurückgekehrt waren, erst in 14 Tagen vor Philippeville anlangen. Der Prinz August beschloß deshalb, diese Zeit zur Wegnahme Marienburgs zu benutzen, dessen Besitz die gerade Straße zwischen Philippeville und Rocroy eröffnete, und deshalb für die künftige Belagerung von Rocroy zum Behuf der Transporte nothwendig war.

Bombardement von Marienburg und Einnahme dieser Festung am 28sten Juli.

Schon seit dem 24sten Juni wurde Marienburg von Truppen der 8ten Brigade eingeschlossen. Der Oberstlieutenant v. Reckow ließ den Platz durch seinen Adjutanten, Lieutenant Pfefferkorn, auffordern, sich zu ergeben. Da der Commandant jedoch ohne Angriff nicht kapituliren wollte, so wurde der Platz an demselben Tage (24sten Juni) mit den 2 vorhandenen Haubitzen beworfen, und Tirailleurs gingen vor. Der Feind fand sich dadurch veranlaßt, aus der nahe an der Stadt gelegenen palissadirten Mühle einen Ausfall mit ungefähr 60 Mann zu machen. In dem hierdurch herbeigeführten Gefecht wurde der Lieutenant Pfefferkorn blessirt, ein Mann getödtet und einer schwer verwundet.

Da der feindliche Commandant sich am Abend des Tages zu keiner Uebergabe entschließen wollte, so ließ der Oberstlieutenant v. Reckow ein Bataillon und ein Detaschement Kavallerie von 30 Pferden unter dem Major v. Kwiatkowsky, welcher auch den 7ten Juli abermals ein kleines Gefecht zu bestehen hatte, zur Einschließung von Marienburg zurück.

Den 21sten Juli lösete das 1ste Bataillon des 25sten Infanterie-Regiments mit einer Escadron Elb-Landwehr-Kavallerie unter dem Commando des Majors v. Röbell den Major v. Kwiatkowsky ab, welcher sich mit seinem Detaschement an die vor Givet stehende achte Brigade anschloß. Am 25sten Juli verstärkte das 3te Bataillon des 5ten Elb-Landwehr-Regiments das Blokade-Detaschement.

Was die Lage der kleinen Festung Marienburg betrifft, so findet man sie von ziemlich steilen Anhöhen, welche den Platz beherrschen, der 450 Schritt lang und

400 Schritt breit ist, umgeben. Ein nasser Graben und
eine 4 Fuß starke und 12 Fuß hohe Mauer umschließen
den Ort in einer rechtwinkligen Form. Hinter der Mauer,
jedoch abgesondert, waren einzelne Batterien cavalierartig
aufgeworfen, weil die Futtermauer den Druck der Erde
nicht ausgehalten haben würde. An den vier Ecken befanden sich bastionartige Thürme, die nicht höher als die
eigentliche Mauer, jedoch einige Fuß hervorspringend waren,
um die lange, in der Mitte fleschenartig gebrochene Courtine zu vertheidigen. Einige vorgelegte, kaum über das
Erdreich erhobene Erdaufwürfe, die man Ravelline nannte,
die aber nicht einmal den Fuß der Mauer deckten, konnten nicht besetzt werden, und erleichterten vielmehr den
Grabenübergang. Nur ein vor dem einzigen Thore des
Orts gelegenes Werk war in besserem Stande und hatte
hinter sich einen Tambour zum Reduit.

Die ganze Besatzung bestand aus 400 Mann Veteranen und Nationalgarden, commandirt von einem alten
Militair. Dieser Ort war von der Königin Maria von
Ungarn 1542 befestigt und 1554 zum ersten- und letzten-
male belagert und genommen worden, indem man ihn
später keiner Vertheidigung mehr würdigte.

Im Jahre 1815 kam Marienburg wieder in Erinnerung, obgleich man zur Ausrüstung dieses Platzes auch
jetzt fast gar nichts gethan hatte. Es befanden sich nur
vier Kanonen auf den Wällen, worunter ein 12-, ein 8-
und zwei 6pfünder waren.

Den 27sten Juli wurden einige Geschütze, Munition
und Schanz-Materialien aus dem Park vor Philippeville
nach Marienburg abgeführt. In der Nacht vom 27sten
zum 28sten Juli eröffnete man einen Laufgraben durch
300 Arbeiter. Die Parallele wurde kaum 300 Schritt
vom Stadtgraben angelegt. Die Kommunikation rückwärts

betrug 400 Schritt. Wegen des vorhandenen Felsbodens war man am Morgen noch nicht völlig gedeckt. Zugleich mit Eröffnung der Laufgräben fand der Bau von zwei Batterien statt. Die Batterie № 1. wurde rechts der Parallele hinter einer Bergkuppe für 6zöllige Mortiere angelegt. Die Batterie № 2, nahe der aufgeworfenen Kommunikation, bestand aus drei 8zölligen und drei 5½zölligen Mortieren.

Auch bei diesem Bau konnte die Arbeit wenig Fortgang gewinnen. Die Leute waren durch die unaufhörlichen Märsche im anhaltenden Regen und in den schlechten Wegen auf das höchste erschöpft. Die Vollendung der Batterien schien daher kaum ausführbar. Es gelang jedoch den guten Anordnungen der Offiziere und der Ausdauer der Artilleristen, die Batterie noch bis Tagesanbruch schußfertig zu machen.

Während der Nacht verhielt sich der Feind ganz ruhig; aber am Morgen des 28sten fing er an, die aufgeworfene Kommunikation und die an derselben gebaute Batterie № 2. lebhaft zu beschießen.

Der Umstand, daß die Munition für die Mortiere noch nicht hatte herangeschafft werden können, wurde vom Feinde benutzt, sein Feuer auf die herankommenden Wagen zu richten. Es blieb daher nichts übrig, als durch Infanterie die Munition nach den Batterien tragen zu lassen. Der Feind bediente sich der vorhandenen Wallbüchsen und beschoß damit heftig den Weg, der sich zwischen den beiden Batterien befand.

Um 7 Uhr des Morgens begann das Bombardement aus beiden Batterien. Der Feind schoß mit seinen wenigen Geschützen außerordentlich rasch hinter einander, richtete jedoch jetzt sein Feuer mehr gegen die Batterien der Angreifer. Dadurch wurde es möglich, den Laufgraben zu vollenden.

Das Feuer der Angreifer hatte zuerst wenig Erfolg, da die meisten Würfe über die sehr kleine Stadt weggingen. Das Ungewöhnliche für die preußischen Artilleristen im Gebrauch der englischen Geschütze ist hierbei nicht zu übersehen. Als man jedoch seitwärts der Batterien zur Beobachtung der Würfe Leute aufstellte, gelang es sehr bald, das zu weite Werfen zu vermeiden, und nun jeden Wurf in die Stadt zu bringen. Indeß brach dessenungeachtet auf keiner Stelle Feuer aus. Der Prinz August befahl daher die 7pfündigen Mortiere weiter vor in die Parallele zu bringen. Auch wurde gegen Mittag, als der Commandant sich noch immer weigerte zu kapituliren, eine Demontir-Batterie für vier 16pfünder und eine Bresch-Batterie für sechs 24pfünder erbaut. Die Geschütze und Materialien sollten aus dem Depot bei Philippeville herangeschafft werden, und 2 Bataillone des 25sten Infanterie-Regiments waren bereits auf dem Wege nach Marienburg.

Um ½2 Uhr Nachmittags fing das Bombardement von Neuem an. Der Feind antwortete lebhaft. Um 3 Uhr steckte jedoch die Garnison die weiße Fahne auf, und bat um eine Kapitulation, die ihr auch auf die bei Landrécies gestatteten Bedingungen gewährt wurde. Die Besatzung hatte gar keine Munition mehr, und nur auf 14 Tage Lebensmittel. Man muß hier dem Feinde die Gerechtigkeit wiederfahren lassen, daß er sich mit den wenigen Mitteln gut vertheidigt hatte. Die vorhandenen Geschütze fand man demontirt und unbrauchbar. Um die Wirkungen des Bombardements weniger schädlich zu machen, hatte man das Steinpflaster aufgerissen, und durch Anstauung und Ableitung des im Graben befindlichen Wassers in der Stadt einen vollkommenen Morast erzeugt. Die geringe Wirkung der Bomben, obgleich von preußischer Seite 628 Wurf geschahen, läßt sich hierdurch erklären.

So unbedeutend dieser Platz auch ist, so beschwerlich waren doch die Arbeiten und der Transport der Angriffs= mittel. Die Belagerer verloren, außer dem bei den frühe= ren Gefechten schon bezeichneten Abgang, bei dem jetzigen Angriff nur einen Verwundeten und ein Pferd.

Noch an demselben Tage (28sten Juli) wurde Ma= rienburg besetzt. Die Mauern des Orts ließ der Prinz einige Zeit nachher abtragen.

Belagerung von Philippeville und Einnahme dieser Festung am 9ten August.

Während dieser Unternehmung waren die Vorarbei= ten zur Belagerung von Philippeville mit rastlosem Eifer fortgesetzt worden. Die Stärke des Blokade=Corps belief sich Ende Juli auf 9 Bataillons der 5ten und 5 Ba= taillons der 6ten Brigade, 2 neumärkische Dragoner= und 2 Elb=Landwehr=Schwadronen.

Der Generallieutenant v. Pirch führte den Befehl über diese Truppen und nahm sein Hauptquartier in Villers. Dem Generalmajor v. Krafft war dagegen das Comman= do der Einschließungs=Truppen von Givet übergeben wor= den. Bei der angegebenen Stärke der Einschließungs= Truppen von Philippeville wurden die drei Punkte bei Neufville, Samar und Sautour von der 6ten Brigade besetzt. Das Gros der 6ten Brigade lagerte unweit Cer= fontaine. Links von der 6ten Brigade gegen die Straße von Maubeuge wurden von der 5ten Brigade der Stein= bruch und das Vorwerk Traineau bei Neufville festgehal= ten. Ein Soutien für diese Posten stand vorwärts Vil= lers les deur Eglises, so wie auch das Gros der 5ten Brigade hier bivouakirte. Der Major v. Dossow mit

einem Detaschement besetzte die Vorposten vorwärts Vau=
dessé, welche sich rechts bis zum Thal von Jamaigne und
links über die Straße von Philippeville nach Givet aus=
dehnten. Der Belagerungs=Park war bei Daussoit auf=
gefahren, und wurde von dem 2ten Bataillon des 5ten
westphälischen Landwehr=Regiments gedeckt. Dieser Park
bestand den 6ten August aus 66 Geschützen, worunter 30
24pfündige Kanonen, neun 50pfündige, neun 25pfündige,
zwölf 7pfündige Mortiere und sechs 25pfündige Haubitzen
sich befanden. Zu diesen Geschützen konnten bis zum 9ten
August 22,401 Schuß und 20,137 Bomben, nach den
verschiedenen Kalibern ziemlich gleich vertheilt, vorhanden
sein. An Artilleristen waren zur Bedienung der Geschütze
97 Unteroffiziere und 286 Kanoniere disponibel.

Die Festung Philippeville hat eine sehr vortheilhafte
Lage in Beziehung zu dem umliegenden Terrain, indem sie
auf der Kuppe eines weit ausgedehnten, alle übrigen An=
höhen überragenden Hügels, von welchem sämmtliche Thä=
ler eingesehen und beherrscht werden, belegen ist. Früher
nahm das Dorf Corbigny die Stelle der jetzigen Festung
ein. Die Königin Maria von Ungarn ließ etwas weiter
oberhalb des genannten Dorfes die Stelle, welche jetzt
Philippeville einnimmt, durch Vauban befestigen, und Phi=
lipp dem 4ten zu Ehren erhielt die hier angelegte Festung
den Namen Philippeville.

Im Süden und Norden des Platzes liegen zwei Thä=
ler, das von Jamaigne und das von Samar, welche einen
morastigen Grund haben, der den beiden Flüßchen gleichen
Namens den Ursprung giebt. In diesen Thälern ist allein
eine Annäherung an die Festung möglich, jedoch sind sie
wegen ihres sumpfigen Bodens zur Förderung der Belage=
rungsarbeiten nicht geeignet. Zwischen beiden Thälern in
Osten und Westen ziehen sich schmale Rücken, welche, ob=
gleich

gleich auch durch niedrige Querthäler getheilt, dennoch die Philippeviller Höhen mit dem gegen die Straßen auf Maubeuge und Givet befindlichen höheren Terrain in Verbindung bringen. Man stößt abwechselnd nicht allein unter der Dammerde auf Kalkstein- und Thonschichten, sondern man sieht in offenen Brüchen, wie bei Samar und an anderen Stellen, ihn zu Tage ausstreichen.

Nur an sehr wenigen Punkten gaben Hecken und einige Gartenhäuser Erleichterungsmittel, die Umgegend zu recognosciren, welche an vielen Seiten stundenweit ganz unbebaut und kahl erschien. Alte Brüche, zum Bau der Wälle eröffnet und Aushöhlungen, vom früheren Silberbergbau herrührend, boten allein einige tiefe Stellen dar, in welchen, vorzüglich bei Vache-Fontaine und auf der Hauteur de Samar, auch in der Folge unsere Batterien angelegt wurden.

Die Anlagen der Festungswerke bilden ein beinah reguläres Fünfeck. Fünf Bastione, deren Courtinen durch Grabenscheeren und große Raveline vor diesen, die sämmtlich bis auf eins mit Reduits versehen sind, gesichert worden, bilden die gegenseitige Vertheidigung der Hauptfronten. Man findet außerdem noch Fleschen neben den Ravelinen, und vor zwei Bollwerksspitzen, welche nach dem Bach von Jamaigne liegen, contregardenartige Fleschen im bedeckten Wege, um den Abhang der Anhöhe besser zu bestreichen. Diese Contregarden konnte man auch als Reduits der Waffenplätze ansehen. In dem bedeckten Wege, der nicht überall mit Palissaden versehen war, befanden sich vorgeschobene Lünetten, die noch mit einem zusammenhängenden bedeckten Wege umgeben waren. Außerdem hatten alle Bastione entweder Abschnitte in der Kehle, oder hohe Cavaliere. Der Platz war früher mit einem Minen-System versehen. Die Festung hat zwei Thore;

II. 20

das Thor von Namur führt auch nach Charleroi und Givet, und das von Frankreich nach Beaumont und Marienburg.

Man scheint mit der Anlage dieser Festung den Gewinn eines Verbindungspunkts zwischen Maubeuge und Givet, so wie einen guten Grenzplatz gegen die damalige Barriere-Festung Namur bezweckt zu haben.

Zur vollständigen Vertheidigung waren 59 Kanonen und 3000 Mann Garnison erforderlich. Die Festung hatte jedoch nur 51 Geschütze und 1700 Mann Besatzung, unter denen 200 Artilleristen, mit Einschluß von 100 Bürger-Kanonieren, sich befanden. Der Commandant war der General Cassaigne. Die Besatzung hatte bis jetzt einen für eine längere Vertheidigung günstigen Geist gezeigt, und die in die Festung gesandten Proklamationen, so wie die Nachricht von der Uebergabe der andern Festungen, hatten keine erheblichen Desertionen veranlaßt. Es wurde, sobald sich nur Einzelne dem Platze näherten, sogleich heftig gefeuert, woraus wenigstens ein Mangel an Schießbedarf nicht hervorging. Auch war das Einverständniß der Bürgerschaft mit der Besatzung sehr gut.

Nachdem der die Belagerungs-Arbeiten leitende Ingenieur-Oberst v. Ploosen über den Angriffspunkt seinen Bericht gemacht hatte, bestimmte der Prinz August selbst, nach vielfältig unternommener nahen Besichtigung, die Polygonseite, wo das Thor von Frankreich gelegen war, und insbesondere das Bastion № 5. zum Angriffspunkt. Der Feind vermuthete den Angriff, wie dies später sich auswies, auf der entgegengesetzten Seite gegen das Bastion Turenne, also der Vorstadt Vaudessé gegenüber.

Der Prinz bestimmte sich jedoch für die erstere Angriffs-Richtung, weil die rechts und links befindlichen Ravins eine Anlehnung der Parallele auf beiden Flügeln

gewährten. Ferner schien hier der Boden am wenigsten
steinig zu sein, weil er zum Ackerbau benutzt wurde; auch
war das auf dieser Seite befindliche Dorf Neufville zur
Einrichtung des Belagerungs=Depots vortheilhaft gelegen,
indem es in demselben Grunde liegt, aus welchem eine
gedeckte Kommunikation nach der Parallele leicht zu be=
werkstelligen war.

Obgleich bei dem wenig Deckung gewährenden Ter=
rain die einzelnen Posten sich eingraben mußten, um doch
einige Sicherung zu erhalten, so reichte man doch kaum
mit diesem Deckungsmittel für den eigentlichen Zweck der
Belagerung aus. Man konnte es nämlich nicht dahin
bringen, die Vorposten so weit vorzuschieben, daß durch
sie die Eröffnung der Parallele einige Sicherung erhielt.
Im Gegentheil mußte die Tranchee noch weit vor der
Vorpostenlinie eröffnet werden.

Da bei dem Recognosciren der Ingenieur=Offiziere
sich öfter ergab, daß sie über die Postenlinien hinausgehen
mußten, und dann, von der feindlichen Seite zurückkeh=
rend, von ihren eigenen Vorposten beschossen wurden, so
blieb nichts übrig, als die Posten auf die Gefahr einer
noch geringeren Deckung weiter vorzuschieben und ihnen
jedes Feuergeben, ehe man den Feind nicht genau unter=
scheide, zu untersagen. Die Ansicht, daß hierdurch ein
Ueberfall möglich werden könnte, wurde dadurch unhaltbar,
daß nur dann der Feind von einer solchen Unternehmung
Vortheil erwarten durfte, wenn er ganz unerwartet an=
griff, was aber nie der Fall sein konnte, da man sein
Herankommen zu sehen im Stande war.

In der Nacht vom 7ten zum 8ten August wurde
die Eröffnung der Parallele und der Bau von 6 Batte=
rien beschlossen.

Die Artillerie erhielt den 7ten Nachmittags 300 Ar=

beiter, das Ingenieur=Corps 1500, wovon sich 700 Mann Abends beim Steinbruch, und 800 Mann bei Neufville versammelten. Zur Deckung dieser Arbeiten gingen in der Dämmerung 2 Compagnien des 1sten pommerschen Infanterie=Regiments auf dem linken Flügel in die Gär= ten vorwärts Vache=Fontaine vor; 2 Compagnien des Colbergschen Regiments nach dem rechten Flügel. Als Reserve wurden 2 Compagnien des 1sten pommerschen Regiments bei Vache=Fontaine selbst aufgestellt, und 2 Compagnien des 3ten Bataillons 5ten westphälischen Land= wehr=Regiments wurden an der Brücke zwischen Neuf= ville und Samar postirt. Zur Deckung der bei Echevenne zu erbauenden Batterien wurde eine Compagnie des Füsi= lier=Bataillons 25sten Infanterie=Regiments beordert. Außerdem blieben die gewöhnlichen Vorposten fortwährend stehen. Da der General v. Boose mit dem 23sten In= fanterie=Regiment zur Unterstützung der Belagerung von Givet beordert war, und den 8ten August Morgens hiernach eintraf, so konnte man vom 8ten zum 9ten gleichfalls über eine hinlängliche Zahl von Arbeitern und Reserven, die auf den nächsten Morgen auf 1300 Mann bestimmt waren, disponiren.

Erst in der Nacht vom 7ten zum 8ten August um ¼11 Uhr war man mit dem Traciren und Anstellen der Leute fertig.

Die Parallele wurde von dem Obersten v. Ploosen nur 250 Schritte vom bedeckten Wege entfernt angelegt, und erhielt eine Länge von 1300 Schritt. Auf dem linken Flügel lehnte sie an eine Hecke, und wurde quer durch die Gärten von Vache=Fontaine gelegt, während der rechte Flügel an eine aufgemauerte Terrasse in einem Garten endete, wodurch die Parallele auf beiden Flügeln ziemlich fest war, und doch jeden Augenblick verlängert werden konnte. In derselben Zeit wurde rückwärts an einer durch den Lieutenant und Adjutanten Blesson tracirten Kommunikation von 1500 Schritt Länge gearbeitet, deren Eingang sich in dem Grunde von Neufville befand. Die Anlage der Kommunikation wurde so geführt, daß sie zur Vertheidigung der Parallele dienen konnte, indem sie rückwärts die Parallele flankirte, und also von hier aus eine Unterstützung und im Nothfall ein Festsetzen gegen die Tranchee selbst, wenn diese vom Feinde genommen werden sollte, gewährte.

Eine ziemlich finstere Nacht begünstigte die Arbeiten. Der Feind, obgleich bei der großen Nähe und den durch den steinigen Boden nicht zu vermeidenden Lärm aufmerksam gemacht, unternahm jedoch nichts. Wahrscheinlich glaubte er die Arbeiten nicht so nahe, und wollte vielleicht auch den Tag abwarten, um dann erst seine Maaßregeln zu treffen.

Während dessen war jedoch die Arbeit vorgeschritten. Glücklicher Weise hatte ein mehrere Tage dauernder Regen die Erde etwas aufgeweicht, welcher Umstand besonders günstig für das Durchbrechen der Chaussee war, die von der Transchee durchschnitten wurde.

Mit Anbruch des Tages befand man sich in der Parallele bereits einige Fuß tief, obgleich man an drei Stellen auf Kalkfelsen gestoßen war. Der aufgeworfene Laufgraben sicherte indeß wohl gegen Flintenfeuer, jedoch hatte man gegen Kanonenfeuer nicht an allen Stellen Schutz.

Die Artillerie, welche unter specieller Leitung des Obersten v. Röhl mit rastlosem Eifer alle Schwierigkeiten zu beseitigen wußte, die dem Bau der Batterien in dem ungünstigen Terrain entgegen standen, leistete ausgezeichnete Dienste. Die verschiedenen speciellen Bestimmungen, welche man den Geschützaufstellungen gab, waren: für die linke Flügel=Batterie № 6. unten am Bach von Jamaigne, aus drei 50pfündigen und zwei 25pfündigen Mortieren bestehend, die Bewerfung des vorliegenden Ravelins und die Deckung der linken Flanke der Parallele; die Batterie № 5, aus fünf 25pfündigen Mortieren gebildet, und die Batterie № 4, aus drei 50pfündigen und zwei 25pfündigen Mortieren zusammengesetzt, befanden sich hinter dem linken Flügel der Parallele auf der verlängerten Kapitale des angegriffenen Bastions, und beschossen dasselbe.

Diese beiden letztern Geschützaufstellungen wurden dem Feinde sehr nachtheilig, zogen aber auch viel Feuer auf sich, wodurch es nothwendig wurde, um nicht Menschen aufzuopfern, den linken Flügel der Parallele bis zum Eingange der Kommunikation nur mit einigen Posten zu besetzen, sonst aber die Parallele zu verlassen.

Auf der Hauteur de Samar, durch ein Ravin gedeckt, befand sich die Batterie № 2, aus zwei 25pfündigen Haubitzen gebildet, welche bestimmt war, die rechte Flanke der Parallele zu decken und das dem angegriffenen Bastion zunächst gelegene Bollwerk zu bewerfen.

Die Batterie № 3, aus vier 25pfündigen Haubitzen bestehend, befand sich etwas mehr links von der so eben bezeichneten, gleichfalls jenseits des Grundes von Samar und war bestimmt, das Bastion von Neufville zu beschießen und die Front von Jamaigne, so wie die hier befindlichen großen Kasernen zu bestreichen. Es wäre vielleicht gut gewesen, wie es auch die Absicht des Prinzen August war, die Batterie № 2. oder 3. mit 24pfündern besetzen zu lassen, um von hier aus die Festungswerke zu flankiren; allein die große Schwierigkeit, in den Felsen zu bauen, veranlaßte wahrscheinlich, hier Wurfgeschütze aufzufahren.

In der Folge wollte man jedoch gegen die linke Face

des angegriffenen Baſtions rechts der Porte de France sechs 24pfünder, und eben so gegen die rechte Face deſſelben Baſtions gleichfalls sechs 24pfünder etabliren, und dadurch diejenigen Vortheile sich verschaffen, welche jeßt durch die Batterien № 2. 3. und 6. nicht in dem Maaße erreicht werden konnten.

Um jedoch auch die Stadt von allen Seiten zu beunruhigen, und die Besaßung leichter zu ermüden, wurde auf der andern Seite des Plaßes neben dem Thore von Namur, dem Baſtion Turenne gegenüber, die Batterie № 1, aus sechs 7pfündigen Mortieren beſtehend, hinter Hecken angelegt, um so die Aufmerksamkeit von den Hauptarbeiten abzulenken.

Wegen der vielen umherliegenden Steine war es nothwendig zu beſtimmen, daß dieselben, um den Batterien nicht gefährlich zu werden, weggeräumt werden sollten. Auch wurde es erforderlich, in Ermangelung einer Kommunikation zu den Batterien, die Artilleriſten auf 24 Stunden mit Lebensmitteln und jedes Geschüß mit 100 Schüſſen oder Würfen zu versehen.

Am Morgen des 8ten Auguſt fand bis nach 6 Uhr ein, jede Umsicht verhindernder ſtarker Nebel ſtatt. Als der Feind jedoch die Arbeiten der vergangenen Nacht nur gewahr wurde, begann er sogleich ein heftiges Kanonenfeuer. Er beschoß in einem Augenblick die vorliegende Tranchee mit Kartätschen und Paßkugeln auf das ſtärkſte, und wandte überhaupt seine ganze Aufmerksamkeit und seine Kräfte gegen den Laufgraben. Als jedoch die Batterien der Angreifer zuerst auf dem rechten Flügel, nämlich № 1. 2. und 3, zu werfen anfingen, theilte der Feind sein Feuer und wandte sich vorzüglich nach unserm Geschüß. Er sammelte sogar nach dieser Front die Geschüße von andern Werken. Erſt nach 8 Uhr war der Nebel

gänzlich gefallen, und nun erst bemerkte der Feind die Lage
der Batterien № 4. 5. und 6. auf dem linken Flügel
der Tranchee. Gleichzeitig fing auch das Feuern aus denselben an. Hierdurch wurde der Feind gezwungen, seine
Geschütze noch mehr zu theilen, welche jedoch, von einer
guten Artillerie bedient, sehr nachdrücklich und mit wirksamem Erfolg feuerten.

Auf Befehl des Prinzen August wurde das Feuer
von preußischer Seite nunmehr auch lebhafter, und dauerte bis um 12 Uhr mit anhaltender Wirksamkeit fort.
An einigen Stellen in der Stadt hatte es geraucht, doch
war das Feuer nirgend zum Ausbruch gekommen. Der
Feind knüpfte in der stattfindenden Pause Unterhandlungen
an, welche jedoch, da sie nicht zur Uebergabe führten, sich
wieder zerschlugen.

Von preußischer Seite wurde die Pause benutzt, die
Vollendung der Parallele eifrigst zu betreiben. Auf dem
linken Flügel waren feindliche Granaten und 12pfündige
Kugeln durch den 10 bis 12 Fuß starken Aufwurf ge-
drungen. Der Hauptmann v. Zitzwitz, welcher sich als
Tranchee-Major auf dem Revers der Parallele befand,
um hier Anordnungen zu treffen, fand durch eine feindliche Kugel seinen Tod. Eben so wurden einige Mann
auf dem linken Flügel des Laufgrabens durch Paßkugeln
getödtet.

Die Vollendung der Parallele schritt aber während
der Unterhandlungen so schnell vor, daß man den Brustwehren eine Stärke von 14 bis 16 Fuß zu geben im
Stande war und sie auch am Abend mit Sandsäcken für
Büchsen-Schützen bekrönen konnte.

Als eine richtige Würdigung der Arbeiten ist das
bewährte Urtheil des englischen Obersten Dickson hier anzuführen, der trotz seiner großen militairischen Erfahrung

nicht verhehlte, daß er die Vollendung einer so ausgedehnten Arbeit in so kurzer Zeit und eine so schnelle Erbauung von Batterien noch nie erlebt, sich auch bis jetzt die Ausführung solcher Arbeiten nicht möglich gedacht habe.

Um 3 Uhr Nachmittags begann das Feuer aller Batterien aufs Neue, und zwar noch lebhafter und mit mehr Erfolg als zuvor, indem man in der Zwischenzeit die Gelegenheit gehabt hatte, den hin und wieder bemerkten Mängeln abzuhelfen. Einige unserer Bomben und Granaten trafen nun die große Kaserne im Rücken der Angriffsfront; bald sah man die Flammen sich ausbreiten. Dessen ungeachtet wehrte sich das Bastion noch herzhaft, und trotz der Nähe des Brandes und der Wirksamkeit unsers Feuers, fing man zu löschen an. Als es aber auch noch durch die Batterie No 1. auf einer zweiten Stelle zu brennen anfing, wurde das angegriffene Bastion fast ganz zum Schweigen gebracht.

Auf Befehl des Prinzen August conzentrirte sich das Feuer sämmtlicher Batterien gegen diesen Punkt, der, jetzt gänzlich verlassen, der unaufhaltsamen Verwüstung des Feuers übergeben werden mußte. Während demnach das feindliche Feuer ganz schwieg, wurde preußischer Seits die Beschießung nur um so kräftiger fortgesetzt.

Mit anbrechender Dämmerung traten die Wirkungen des großen Brandes noch mehr hervor. Das allmählige Zusammenstürzen des in einer furchtbar schönen Beleuchtung von den Flammen überwältigten großen Gebäudes gewährte einen herrlichen Anblick, welcher durch die auf den Wällen befindlichen Bäume, die gegen den hellen Hintergrund gleich einem in Feuer stehenden Garten abstachen, nur noch erhöht wurde.

Der Zustand der Vertheidigungslosigkeit der angegriffenen Front, verbunden mit dem Eindruck, welchen die so nahe eröffnete und zur Vollendung gediehene Parallele auf die Besatzung machte, bewogen den Commandanten, die fernere Vertheidigung dieses Platzes aufzugeben.

Nach 7 Uhr Abends erschien ein französischer Offizier als Parlementair vor dem Thore von Frankreich. Der Prinz August empfing ihn selbst, schrieb die Kapitulation auf den Grund der Bedingungen der Uebergabe von Landrecies vor, und nach einer halben Stunde Bedenkzeit willigte der Commandant in die Uebergabe. Der General-Major v. Tippelskirch begab sich auf Befehl des Prinzen August in die Festung, und unterzeichnete noch in dieser Nacht die Kapitulation.

Von preußischer Seite wurden die schon getroffenen Anordnungen, welche die Verlängerung des linken Flügels der Parallele und den Transport von 12 Stück 7pfündigen Mörtieren in die Tranchee bezweckten, so wie auch der Bau der Batterien № 7 und 8. ausgesetzt; dagegen blieben die Laufgräben wegen der Unruhe in der Stadt die Nacht hindurch bewacht. Auch wurden solche Maaßregeln getroffen, daß man im Fall der Noth in die Stadt eindringen konnte. Die letzten Versuche der Wuth des Feindes äußerten sich jedoch nur im Zerschlagen der Gewehre, dem Zerreißen der umherliegenden Kartuschen und dem Plündern der Magazine, besonders der Trink-Vorräthe, wobei sie die Gewehre abschossen.

Den 9ten Morgens besetzte das 2te Bataillon des 1sten pommerschen Regiments das Thor von Frankreich, und hatte drei Bataillone für mögliche Fälle in und vor den Laufgräben hinter sich als Reserve. Ein Theil der Besatzung marschirte noch an demselben Tage (9ten August) ab, und setzte zuvor die Gewehre auf dem Glacis zusammen.

Den 10ten August rückte die noch in Philippeville gebliebene feindliche Besatzung gleichfalls ab, und streckte auf dem Glacis, mit Ausnahme von 150 Mann und 2 Kanonen, welche freien Abzug nach der Loire erhielten, das Gewehr.

Man fand in der Festung 49 Geschütze und ansehnliche Munitions=Vorräthe. Die Magazine waren weniger beträchtlich, da man sie geplündert hatte.

Der Feind hatte gegen uns 42 Geschütze im Feuer gehabt, während man von preußischer Seite erst 27 Geschütze verwendet hatte. Von den vorgefundenen Beständen wurden sogleich zwei 24pfündige, acht 16pfündige, zwei 12pfündige Kanonen und drei 8pfündige Mörtiere nebst einer Menge von Kugel= und Pulver=Beständen, unter denen sich allein 11,600 12pfündige Kugeln befanden, zum Belagerungs=Park nach Givet dirigirt.

Der Verlust der Angreifer bestand außer den in der Tranchee Gebliebenen (1 Offizier und 4 Mann), in drei Artilleristen, von denen einer geblieben und zwei blessirt waren.

An Munition wurden im Ganzen von den Belagerern 1520 Bomben und 270 Granaten verschossen.

Bei Betrachtung der bei dieser Belagerung getroffenen Maaßregeln sind außer den wirklich bewundernswerthen, in so kurzer Zeit und so bedeutendem Umfange ausgeführten Arbeiten, welche zusammen den Raum von 2,800 Schritt einnahmen, auch noch besonders die bei der Aufstellung der Batterien befolgten Grundsätze höchst beachtungswerth.

Geht man nämlich mit der ersten Parallele, deren Eröffnung stets durch eine gewisse Ueberraschung des Feindes geschehen muß, sehr weit vor, so ist vorauszusehen, daß man am andern Morgen einen Ausfall zu gewärtigen, oder ein heftiges Kanonenfeuer, dem die Tranchéen noch nicht gewachsen sind, zu empfangen hat. Da=

mit man nun beiden Maaßregeln des Feindes begegnen könne, wird es nothwendig, durch die gleichzeitige Anlage von Batterien die feindlichen Streitkräfte zu theilen und sie dadurch zu bekämpfen. Dies Theilen des feindlichen Geschützfeuers wird aber außer dem mit der Eröffnung der Parallele gleichzeitigen Bau der Batterien auch dadurch erreicht, daß man auch Batterien gegen die Fronten der Festung erbaut, die nicht durch den Laufgraben bedroht werden, wodurch der Feind gezwungen wird, auch gegen diese seine Vertheidigungsmittel zu wenden; zumal wenn man keine Scheinattake ausführt, sondern gleich gegen den wahren Angriffspunkt seine Laufgräben eröffnet. Insbesondere aber wird man noch dem feindlichen Ausfall gegen die nahe Parallele durch die gleichzeitige Anlegung einer Kommunikation mit den rückwärts liegenden Depots entgegen wirken. In dieser Kommunikation werden die Truppen bereit gehalten, welche zur Unterstützung der Tranchee erforderlich, und mit der Tranchee-Wache vereint einen feindlichen Angriff abzuweisen bestimmt sind.

Die Lage der angegriffenen Werke bedingt allerdings hauptsächlich die Anlage der Batterien, indem man die Angriffsfront nicht allein von allen Seiten zu fassen, sondern auch die Nebenwerke unschädlich zu machen suchen wird. In dem Verlaufe der Belagerung wird man dann gegen irgend einen Punkt den größern Theil seiner Batterien conzentriren, während man die übrigen zum Rikoschettiren, Demontiren und Flankiren der daneben liegenden Werke oder Fronten verwendet.

Es geht hieraus hervor, daß die Batterien zwar die Hauptmittel sind, wodurch man den Feind zu bekämpfen sucht; jedoch ist auch nicht zu verkennen, daß man nur zu dem eigentlichen nahen Kampfe durch die Anlage der Laufgräben und die darauf folgenden Arbeiten geführt wird, und daß diese in eine gewisse Gegenseitigkeit in Rücksicht auf Beschützung und Zweck, welche nie aus den Augen zu verlieren ist, treten.

Bei Maubeuge und Landrecies wurden die Batterien erst am zweiten Tage nach Eröffnung der Parallele aufgeworfen. Hier bei Philippeville mußten die Tranchee und die Batterien in einer Nacht fertig werden, weil man keine Scheinattake anwendbar fand. Wie wichtig wurde es aber in dieser Lage, über eine Artillerie gebieten zu können, die eine so schwere Aufgabe mit so ausgezeichnetem Erfolge zu lösen im Stande war.

In Betreff der Rikoschett-Batterien ist noch zu bemerken, wie im Allgemeinen die Erfahrung der neueren Zeit bewiesen hat, daß die Wirkung derselben durchaus nicht so bedeutend ist, als man geglaubt hat. Nur gegen lange und nicht zu schmale Linien leisteten sie Nutzen, besonders wenn man Haubitzen dazu gebrauchte.

Durch die Einnahme von Philippeville wurde also die große Straße von Beaumont nach Givet geöffnet und festgehalten. Es war jetzt nur noch erforderlich, um mit den Festungen an der mittleren Maas eine kürzere Verbindung zu erhalten, sich der Festung Rocroy zu bemächtigen, die auf der nach Mezieres führenden Kommunikation gelegen ist.

Die 7te Brigade wurde daher beordert, aus ihren Kantonnirungen abzumarschiren und Rocroy einzuschließen, welchen Auftrag der Generalmajor v. Brause auszuführen angewiesen wurde.

Die 5te Brigade gab dazu noch das 5te westphälische Landwehr-Infanterie-Regiment, während die übrigen Truppen dieser Brigade Kantonnirungen in den Arrondissements Avesnes und Vervins bezogen, und die eroberten Festungen besetzten.

Belagerung von Rocroy und Einnahme dieser Festung am 16ten August.

Schon den 11ten August unmittelbar nach der Ueber=
gabe von Philippeville begab sich der Prinz August von
Preußen nach Guet d'Houssus auf der Straße über Ma=
rienburg nach Rocroy, und recognoscirte die Festung.

Den 12ten August verlegte der Prinz sein Haupt=
quartier auf die entgegengesetzte Seite nach Maubert=Fon=
taines. Anhaltendes Regenwetter hatte die Wege sehr ver=
schlechtert. Das Heranziehen des englischen Parks war
mit großen Schwierigkeiten verknüpft, und obgleich bereits
früher an dem Belagerungs=Material gearbeitet worden
war, so fand man die Vorräthe doch nicht bedeutend ge=
nug, um den Angriff sogleich beginnen zu können.

Die Franzosen mochten den Marsch der Bagage des
Prinzen August und seines Hauptquartiers am 12ten Au=
gust dicht bei der Festung vorbei gesehen haben, und viel=
leicht vermuthen, daß diese Wagen in den nahe liegenden
Gehöften die Nacht über bleiben würden. Wenigstens
benutzte der Feind Abends um 11 Uhr die Dunkelheit und
den herabströmenden Regen zu einem Ausfall mit 4 bis
500 Mann auf der Straße nach Maubert=Fontaines.
Ein auf dem kleinen Wege nach Chimay stehender Unter=
offizier=Posten wurde zurückgeworfen, und das Vorrücken
der Franzosen bis gegen den Pachthof la Guingette fort=
gesetzt.

Als jedoch der Feind sich in seiner Ansicht getäuscht
sah, eilte er schnell zurück. Die Arrieregarde wurde aber
von den herbeieilenden preußischen Soutiens noch erreicht
und derselben einige Gefangene abgenommen. Der dies=
seitige Verlust bestand in 2 Blessirten und 1 Vermißten.

Ueberhaupt zeichnete sich die Besatzung dieser Festung
vor denen der andern durch thätige Ausfälle aus, weil sie

auch, so wie die Besatzung von Givet, die meiste Zeit gehabt hatte, sich militairisch auszubilden.

Es war früher dem Obersten v. Borcke schwer geworden, während einiger Zeit nur mit einem Bataillon und zwei Schwadronen den Feind im Zaum zu halten, indem er durch öftere Ausfälle von 5 bis 600 Mann beunruhigt wurde.

Bis zum 14ten August trafen nach und nach alle zum Belagerungs-Corps vor Rocroy bestimmten Truppentheile ein, und nahmen von diesem Tage an folgende drei Läger ein, durch welche die Einschließung dieses Platzes vollkommen ausgeführt wurde.

Der General v. Brause nahm sein Quartier in Sevigny la Forêt, bei welchem Orte unter dem Major v. Röbel die beiden Füsilier-Bataillons vom 14ten Linien- und 2ten Elb-Landwehr-Infanterie-Regiment, das 1ste und 2te Bataillon des 5ten westphälischen Landwehr-Regiments und 1 Escadron neumärkscher Dragoner bivouakirten.

Das zweite Lager befand sich unter dem Obersten v. Schon bei Guet d'Houssus und bestand aus dem 1sten und 2ten Bataillon des 14ten Linien- nebst dem 1sten und 2ten Bataillon des 2ten Elb-Landwehr-Infanterie-Regiments, so wie einer Schwadron neumärkscher Dragoner.

Das dritte Lager befehligte der Major v. Sack bei Chaudière la Grande, zu welchem die beiden Füsilier-Bataillone des 22sten Linien- und 5ten westphälischen Landwehr-Regiments, so wie das 1ste und 2te Bataillon des 22sten Infanterie-Regiments, etwas mehr seitwärts bei le Rouille aufgestellt, gehörten.

Diese drei Hauptabtheilungen hatten jede ihre Vorposten und Soutiens so nahe als möglich gegen die Festung vorgeschoben, und hielten unter einander die genaueste Verbindung.

Das Artillerie- und Materialien-Depot war in Guet
d'Houssus. Der Park, aus sechs 8pfündigen Haubitzen
und 27 Mortieren bestehend, sämmtliche Geschütze zu 100
Wurf, war bei la Taillette aufgefahren. Zehn 24pfündige
Kanonen wurden noch erwartet. Die vorhandene Artillerie
bestand aus 18 Offizieren, 80 Unteroffizieren und 320
Kanonieren.

Das Quartier der Ingenieur-Brigade kam den 11ten
August nach la petite Chapelle.

Die Festung Rocroy ist auf dem westlichen Abhange
der Ardennen gelegen. Die Straßenscheidung nach Mezieres, Rheims, Laon, Chimay und Givet findet hier statt.
Das Eindringen in die Champagne und Picardie wird auf
dieser Seite durch Rocroy gesperrt. Der Platz erhält
aber auch eine strategische Bedeutung, weil die bergige
Beschaffenheit des dortigen Landstrichs und die schlechten,
nur für die Landeskarren fahrbaren Wege den Besitz der
Hauptstraßen für die Bewegungen der Truppen im Felde
fast nothwendig machen. Unter den gegenwärtigen Umständen war Rocroy dagegen, wie dies schon früher bemerkt worden ist, besonders der freien Kommunikation nach
Mezieres wegen wichtig.

Die örtlichen Verhältnisse sind den Festungs-Anlagen
noch besonders günstig, indem der Ort in dem allgemein
bezeichneten Terrain auf eine isolirte Höhe so gebaut liegt,
daß die umliegende Gegend vollkommen beherrscht wird.
Nach der Nord- und Westseite läuft das Terrain sanft
ab, und ist flach und offen; nach Osten und Südosten
aber senkt es sich in tiefe, von engen und steilen Gründen
durchschnittene Thäler. Einige nahe liegende Vorwerke
und Gärten erlauben hier das Vorschieben der Schildwachen bis auf Flintenschußweite vom bedeckten Wege.

In den nördlich und südlich der Festung befindlichen
Längen-

Längenthälern liegt in dem ersten Guet d'Houssus, in den letztern das bekannte frühere Schlachtfeld vom Jahre 1643.

Der Platz ist von Vauban befestigt, und befand sich in dem besten Zustande. Die Wälle waren mit Mauern bekleidet und sehr gut erhalten, die Brustwehr durchgängig hergestellt, und der bedeckte Weg palissadirt. An den Pas de Souris, wie an allen etwas verfallenen Stellen der Contregarde, fand man dieselbe fraisirt. Die trockenen Gräben waren an vielen Stellen durch das Regenwasser gefüllt. Unter den vorhandenen fünf Bastions war das eine mit einem Cavalier versehen, und ein anderes als Citadelle abgeschnitten. Die Raveline waren gut, nur etwas klein. Der Hauptwall ist bedeutend höher als die vorliegenden Wälle. Auch sind an den Facen der Bastione, in einer Entfernung von einigen 100 Schritten, auf 12 bis 15 Fuß die Revetements einzusehen. Diesen Nachtheil zu vermindern, waren auf der Kapitale von 4 Bastionen Lünetten vorgelegt, welche rückwärts eine gedeckte Kommunikation hatten. Die eine dieser Lünetten wurde durch den bedeckten Weg mit der Festung verbunden. Der Platz hat ungefähr die Größe von Philippeville oder Landrecies, und ist mit Thoren versehen.

Zur Vertheidigung wurden 58 Geschütze, 25,000 Kilogrammes Pulver, 85 Artilleristen und 1800 Mann Besatzung erfordert. Gegenwärtig war der Ort mit 35 Geschützen und 2000 Mann besetzt. Die Truppen waren voll Muth und Napoleon sehr ergeben. Der Commandant General Projean, ein alter einarmiger Krieger, und alle Chefs, ausgenommen der des Ingenieur=Wesens, Chef de Bataillon d'Eon, und der commandirende Offizier der Artillerie, waren fest entschlossen, das Aeußerste zu wagen. Im Platze befand sich der Unterpräfekt Namens Robert, der, als ehemaliges Mitglied des National=Convents, gute

II. 21

Gründe hatte, die Bürgerschaft anzureizen, und die Be=
mühungen des Maires, Advokaten Guillaume du Faye,
welcher Ruhe herzustellen versuchte, zu hintertreiben.

Es waren preußischer Seits für die Eröffnung der
Parallele zwei Vorschläge in Berathung gezogen worden.
Der eine erklärte sich für den Beginn der Arbeiten in
dem von der Festung nördlich gelegenen flachen Längen=
thale, und führte an, daß die Parallele hier ungesehen,
und mithin ohne Verlust, fast am Tage aufgeworfen wer=
den, und dann ein Bombardement beginnen könne. Jedoch
wird eine nicht gesehene Tranchee wohl eine gute Verthei=
digungsmaaßregel für einen Ausfall geben, doch der mo=
ralische Eindruck, den eine nahe und gesehene Parallele
auf die Besatzung äußert, geht hierbei verloren. Auch
erlaubte die verdeckte Anlage der ersteren kein direktes Feuer;
indem man erst auf die Anhöhe selbst hinausgehen, und
dies bei vollem Monde, welcher den Arbeitern in die Augen
geschienen haben würde, geschehen mußte, wodurch die
Mannschaften am Horizonte des Platzes zu stehen gekom=
men, und daher nicht zu verbergen gewesen wären. Der
Abhang auf jener Seite war auch so steil, daß man die
Bresche=Batterien durchaus erst auf dem Glacis errichten
konnte. In diesem Thale war dagegen die Aufstellung
einer Mortier=Batterie sehr zweckmäßig.

Der zweite Vorschlag verlegte den Angriff gegen die
Front, wo die Porte de France sich befindet, oder näher
bezeichnet, links der Straße von Maubert=Fontaine auf
Rocroy. Man konnte hier ein ebenes Terrain, das nur
ein Kirchhof von dem Platze trennte, benutzen. Auch war
hier ein großer Theil der Futtermauer der Escarpe des an=
gegriffenen Bastions zu sehen, und mithin in Bresche zu legen.

Der Prinz August, welcher sich für diesen letztern
Vorschlag entschied, verlegte den 14ten August sein Haupt=

quartier nach Chaubière la grande im Kanonenbereich der Festung, um den Arbeiten näher zu sein.

Schon am Abend des 14ten August hatte die Besatzung durch eine scharfe Ladung aus sämmtlichem Geschütz um die ganze Festung herum die Vorfeier des Geburtstages Napoleons angekündigt.

Am 15ten begann die Feier des Festes mit den lautesten Freudenbezeugungen, welche gegen Abend durch ein Feuerwerk, gerade auf der anzugreifenden Bastion, durch die Frau des Unterpräfekten angezündet, noch mehr erhöht werden sollte.

Der Prinz August beschloß, die unter dem in Frankreich eingetretenen neuen Verhältnisse wenigstens sehr unpassende Herausforderung zu strafen.

Am Abend des 15ten August eröffnete der Oberst v. Ploosen, unterstützt durch den englischen Ingenieur-Capitain Meinecke und den Lieutenant Unger, die Parallele gegen die zuletzt bezeichnete Angriffsfront, gerade in demselben Augenblick, als der größte Freudentaumel zur Feier des Geburtsfestes Napoleons stattfand und auch das Abbrennen des Feuerwerks begann. Der Capitain v. Vigny und der Lieutenant v. Beier waren bestimmt, die Kommunikation von dem Punkte der Straße nach Maubert-Fontaine an, wo dieselbe, dicht bei einem Hause, das mit Hecken und Bäumen coupirte Terrain verläßt, links seitwärts der Straße gegen die Tranchee zu führen.

Die Parallele selbst tracirte der Oberst v. Ploosen und Capitain Meinecke, von der Chaussee ausgehend, ungefähr 150 Schritt vom bedeckten Wege, durch Gärten und über das Glacis der verlassenen Lünette, und lehnte dieselbe mit ihrem linken Flügel an einen Morast mittelst eines der Parallele gegebenen Hakens. Rechts der Chaussee war dagegen die Tranchee durch einen ähnlichen größern

Haken für Geschütze geschlossen. Vielleicht hätte dieser Flügel noch durch die Anlage einer Flanken=Batterie, welche die Front des Laufgrabens rikoschettiren konnte, verstärkt werden können.

Die Länge der Parallele betrug 800 Schritt, und die Kommunikation rückwärts 650 Schritt. Die letztere konnte unter dem Schutz der Hecken schon theilweise am Tage ausgeführt werden, indem man sich, um nicht gesehen zu werden, unter den Hecken durchgrub. Es darf jedoch nicht unbemerkt bleiben, daß die Kommunikation der Länge nach vom Feinde beschossen werden konnte, wenn in der Contregarde vor dem Bastion links der Porte de France Geschütz gewesen wäre, während dieselbe blos durch einen Infanterie=Posten besetzt war. Aus der Parallele selbst ging man in der nämlichen Nacht mit der fliegenden Sappe (doppelten Wendesappe) auf der Kapitale des angegriffenen Bastions vor, und am Morgen war die Hälfte des Couronnements beendigt. Dies ist vielleicht das erste Beispiel, daß in der ersten Nacht ein mit dem bedeckten Wege zusammenhängendes Werk couronnirt worden ist.

Beide Arbeiten, sowohl die Tranchee als die Kommunikation, wurden durch 650 Arbeiter ausgeführt.

Mit der Eröffnung der Trancheen war zugleich der Bau der Batterien in folgender Art angeordnet worden.

Die rechte Flügel=Batterie № 1. wurde mit zwei 50pfündigen und zwei 25pfündigen Mortieren besetzt, und nahe der Kommunikation placirt. Sie sollte das Ravelin vor der Porte de France bewerfen.

Die Batterie № 2, aus vier 50pfündigen Mortieren bestehend, befand sich etwas weiter links, und zwar gegen das angegriffene Bastion gerichtet.

Die Batterie № 3. wurde noch weiter links an einem Kreuzwege angelegt, hatte vier 25pfündige Mortiere, und sollte das auf der andern Seite des angegriffenen Bastions befindliche Ravelin bewerfen.

Die Batterie № 4, durch sechs 25pfündige Haubitzen gebildet, erhielt die Weisung, die Werke der Angriffsfront zu flankiren. Auf dem äußersten linken Flügel war die Batterie № 5. mit drei 25pfündigen Mortieren in der Gegend des rothen Hauses gegen das hier befindliche zweite Thor aufgestellt. Man wollte durch sie die Stadt von der entgegengesetzten Seite bewerfen, und dadurch die Aufmerksamkeit des Feindes dahin ziehen.

Zur Anlage der drei Batterien hinter der Parallele hatte man Vertiefungen des Terrains benutzt, und dadurch den Bau sehr erleichtert.

Im Allgemeinen darf man jedoch nicht verkennen, daß bei dem nahen Vorgehen mit der Parallele eine Defilirung derselben durch Batterien nothwendig wird. Die diesseitigen Batterien wurden zwar hauptsächlich mit Rücksicht auf die feindlichen Werke angelegt, jedoch scheint auch eine Unterstützung der Parallele erforderlich, wenn dieselbe nicht zu sehr aventurirt werden soll. Vielleicht hätte man, um diesen Zweck zu erreichen, eine Batterie auf der Straße nach Mezieres zur Flankirung der Parallele und mithin zum Schutz gegen einen Ausfall anlegen können.

Bei der Eröffnung der Parallele vor Rocroy ist noch zu bemerken, daß nicht so wie früher, gleich im Anfange die Vorsichtsmaaßregeln im ganzen Umfange angewendet wurden, welche die Verheimlichung des eigentlichen Angriffspunkts durchaus erforderlich machen. Die Sicherheit, durch die frühern glücklichen Erfolge erzeugt, war bei den Ingenieuren so groß, daß sie am Tage der Eröffnung auf der Chaussee, so weit es sich, gleichviel ob gesehen oder ungesehen, thun ließ, mit Materialien heranfuhren.

Es ist faktisch, daß bis auf 400 Schritt vom Thore

schwer beladene Wagen gekommen sind, und daß man bis dorthin geritten war, ohne sich verdeckt zu halten. Es war daher nicht zu verwundern, daß der Feind, durch den Mondschein begünstigt, die Eröffnung der Trancheen bemerkte, und gleich nach Anstellung der Arbeiter anfing, langsam zu feuern.

Dessen ungeachtet wurde die Arbeit mit um so größerm Eifer fortgesetzt. Jedoch befahl der Prinz August, daß die Tranchee-Wache herangezogen werden sollte, um sogleich zur unmittelbaren Unterstützung verwendet werden zu können. Man hatte bei der außerordentlichen Nähe der Arbeiten nöthig gefunden, die Truppen zur unmittelbaren Unterstützung stärker als früher ausrücken zu lassen. Es wurden von dem Soutien 2 Compagnien nach der Meierei Cens de L'Ourse an der Queue der Tranchee aufgestellt. Die übrigen 6 Compagnien befanden sich hinter der Parallele. Außerdem war noch ein Bataillon als Unterstützung in der Reserve.

Allein trotz der lockenden Nähe geschah kein Ausfall, und die Kugeln gingen hoch über die Arbeiter, auf 8 bis 1200 Schritt hinweg.

Vielleicht mochte die größere Entfernung der Batterien zu dem Irrthum beigetragen haben, daß die Parallele sich hinter den Batterien befinden würde. Der Feind schoß vorzüglich nach der Batterie № 4, die keine Anhöhe vor sich hatte und daher förmlich bauen mußte.

Trotz des fortgesetzten feindlichen Feuers wurden nur 3 Pferde vor den Munitions-Wagen getödtet, und ein englischer eiserner Mortier während des Transports zerschossen.

Am Morgen des 16ten August verdeckte ein dicker Nebel die Arbeiten der vergangenen Nacht, welche so weit gediehen waren, daß man in den Laufgräben ziemlich gesichert, und mit dem Batteriebau fertig geworden war. Als um 7 Uhr der Nebel fiel, wurde aus allen Batterien der Angreifer das bis dahin immer fortgesetzte feindliche Feuer auf das lebhafteste beantwortet. Der Feind vermehrte seine Streitkräfte auf der nunmehr von ihm erkannten Angriffsfront, und bediente seine Geschütze sehr wirksam.

Die feindlichen Kugeln durchbohrten die Brustwehr der Batterie № 3, stürzten die Mortiere um, und verwundeten 3 Mann schwer und 2 Mann leicht. Die Batterie № 4. wurde aus Gomerschen (12zölligen) Mortieren sehr richtig beworfen, erlitt jedoch glücklicher Weise keinen Schaden, indem weder die Brustwehr noch die Pulverkammer getroffen wurde, die sonst unfehlbar zertrümmert sein würden. Die Batterien № 1. 2. und 5. waren durch ihre Lage gegen die gute Wirkung des feindlichen Feuers geschützt; dagegen konnte die Batterie № 3. nur 16 Wurf thun, indem die ganze Brustwehr der Batterie zerstört wurde.

Wegen der kurzen Nacht hatte man zum Bau der Brustwehr nicht die gehörige Zeit und Sorgfalt verwendet, und auch die gewöhnliche Dimension von 16 Fuß nicht durchgängig beachtet.

Nicht minder wirksam, als das feindliche Feuer, war aber auch das der vier übrigen Batterien der Angreifer. Die Wirkung der Bomben wurde den Wällen und den Häusern der Stadt äußerst nachtheilig, und überzeugte den Feind nicht nur von dem Uebergewicht der ihm entgegenstehenden Angriffskräfte, sondern er konnte auch aus dem Fortgang der Laufgräben mit Gewißheit schließen, daß die Bresche-Batterien den andern Tag angelegt werden würden.

Der englische Ingenieur-Capitain Meinecke war mit seiner Sappe stellenweise auf sumpfigen Boden gestoßen.

Er ließ sofort, ohne das Vorgehen zu unterbrechen, mittelst der Arbeiter der Sappe, die Erde rückwärts zur Brustwehr herbeischaffen. Man richtete sich so ein, daß während dieser Arbeit eine hinreichende Deckung nicht entbehrt wurde. Auch versuchte man, das einfließende Wasser abzudämmen. Ueberhaupt muß dieser Arbeit die vollkommenste Gerechtigkeit gezollt werden, welche auch durch den Tadel, daß die Zwerg-Wall-Sappe zu schmal gewesen sei, nicht beeinträchtigt wird, da sie vom Feuer des Platzes nur ganz schräge getroffen wurde, mithin weniger Erde zur Deckung bedurfte.

Der englische Lieutenant Unger hatte die Chaussee da, wo sie von der Parallele getroffen wird, durchbrochen und hier, zur Beschleunigung der Arbeit, sich wie bei Philippeville der Schanzkörbe bedient. Das Bombardement währte indeß fort. Der Prinz August hatte gleich anfänglich ein einzelnes Gebäude am Thore für ein Pulver-Magazin erkannt. Es wurde auf seinen Befehl mit 25pfündigen Bomben beworfen. Zwei davon trafen wirklich dasselbe, und erschütterten das leichte Gewölbe dermaßen, daß es keinem Bombardement länger widerstanden haben würde.

Um 9 Uhr des Morgens, also nach einem zweistündigen Bombardement, erschienen der Ingenieur vom Platz und der commandirende Artillerie-Offizier als Parlementairs. Auf den Bastionen erblickte man weiße Fahnen auf den Bajonnet-Spitzen und eben so eine weiße Fahne auf dem Präfektur-Gebäude. Der Prinz August schrieb dieselben Bedingungen wie vor Philippeville vor, nur sollte an dem heutigen Abende schon die Porte de France besetzt, und alle Gewehre im Zeughause abgegeben werden. In einer Stunde erwartete der Prinz durch den Major v. Podewils die Entscheidung der Unterhandlungen, um im Weigeruugsfall sogleich das Feuer wieder beginnen zu lassen.

Während der Unterhandlungen wurden die Batterien ausgebeffert, und zwölf 7pfündige Mortiere in die Parallele gebracht. Auch wurde an dem Couronnement gearbeitet, das durch aufgestellte Schanzkörbe nach Art der flüchtigen Sappe, unter spezieller Leitung des Hauptmanns v. Vigny theilweise beendigt wurde, und nur deswegen unvollendet blieb, weil die Franzosen von der vorliegenden Bastion herüber riefen, sie müßten diese Arbeit als einen Bruch des gegenwärtigen Waffenstillstandes betrachten.

Nach einer Stunde kam indeß schon die Kapitulation auf die Bedingungen der vorigen Uebergaben zu Stande.

Als die preußischen Commissarien um 1 Uhr Mittags zur Uebergabe in die Stadt gingen, fanden sie die Stim= mung im Innern höchst aufgeregt. Die Besatzung, durch einen Bataillons=Chef von exaltirten Ansichten verleitet, überhäufte die Commissarien mit Schmähungen auf ihr eigenes Schicksal. Aus den Fenstern des Unterpräfekten wehete eine große dreifarbige Fahne mit dem Namen Na= poleons und nur an sehr wenigen Fenstern bemerkte man weiße Tücher als Zeichen für die herrschende Regierung. Nur in der Wohnung des Commandanten, welcher sich in einem als Citadelle abgeschnittenen Bastion befand, und dessen Eingang durch sichere Leute bewacht wurde, war Ruhe.

Als jedoch am Abend gegen 7 Uhr das Thor und das vorliegende Ravelin vom 1sten Bataillon des 14ten Regiments besetzt werden sollte, versuchten die Franzosen dies zuerst zu verhindern; indeß derselbe Bataillons=Chef, welcher die Truppen früher aufgeregt hatte, war durch die vorgerückten Arbeiten der Preußen, welche von dem an= gegriffenen Bastion noch näher aussahen, als dies wirklich

der Fall war, überzeugt worden, daß ein längerer Wider=
stand doch unnütz sein würde, und suchte nun selbst durch
Zureden und Gewalt seine Truppen von einem Wider=
stande gegen die preußischen abzuhalten. Demnach wurden
das Thor und das Ravelin besetzt, jedoch noch 2 Bataillone
zur Unterstützung des ersteren nahe dem Thore placirt.

Es war indeß gleich nach Ausführung dieser Maaß=
regel eine vollkommene Ruhe und Stille eingetreten, welche
gegen den frühern Tumult sehr abstach. Die Vergeltung
des Uebermuths und der Verhöhnung bestehender Ver=
hältnisse durch die Feier des gestrigen Festes konnte nicht
besser herbeigeführt werden, als hier durch die erzwungene
schnelle Uebergabe geschah.

Außer diesen örtlichen Beziehungen ist aber auch die
Leitung des Angriffs auf Rocroy, wegen der kühnen und
zweckmäßigen Anlage, so wie wegen der überraschend
schnellen Ausführung eine gewiß seltene Erscheinung in der
Geschichte der Belagerungskriege, und wird für den unbe=
fangenen Forscher, abgesehen von allen übrigen Umstän=
den, stets ein merkwürdiges Beispiel von glücklicher und
genialer Benutzung aller Kräfte, welche moralisch gewon=
nen und durch die Kunst zweckmäßig verwendet wurden,
erscheinen.

Vielleicht ist es von Interesse, noch durch wenige
Worte zu bezeichnen, auf welche Art die Fortsetzung die=
ses Angriffs beschlossen war.

In einem zwischen der Parallele und dem nahe am
Thore liegenden Kirchhof belegenen Garten sollte auf einer
kleinen Anhöhe eine Bresche=Batterie erbaut werden. Man
konnte von hier aus die Hälfte der Futtermauer der lin=
ken Face und Flanke der Angriffs=Bastion sehen. Durch
eine in der Nacht zu bewirkende Erhöhung des Horizontes
der Arbeiten würde man sich in die Lage gesetzt haben,

bis zu ⅔ der Escarpe hinunter zu reichen, mithin in einer Entfernung von ungefähr 100 Schritt im Stande gewesen sein, die Bresche zu legen. Eine Kommunikation zu dieser Batterie würde von der Parallele gleichzeitig ausgeführt worden sein. Von dem Couronnement aus würde man die gelegte Bresche bald gangbar gemacht haben, indem die Contrescarpe, obgleich fraisirt, doch von hier aus leicht zugänglich ist.

Demnach mußte Rocroy nach allem, was einen militairischen Calcul hierbei bestimmen kann, unstreitig in zweimal 24 Stunden nach Eröffnung der Trancheen fallen. Hierin scheint eine neue Bewährung der richtigen und zweckmäßigen Ergreifung der Mittel zur Erreichung des Zwecks zu liegen, und ebenso ist auch das Uebergewicht nicht zu verkennen, welches die Angreifer sowohl gegen die Vertheidiger, wie gegen die vorgefundenen Vertheidigungsanlagen entwickelten.

Den 18ten August wurden sämmtliche Festungswerke übergeben, und die feindliche Garnison wurde wie bei den übrigen Festungen behandelt.

Der Verlust der Angreifer bestand in einem Chirurgen und 11 Mann, meistens schwer verwundet.

Verschossen wurden während des Bombardements 288 8zöllige Granaten, 320 8zöllige Bomben, im Ganzen 746 Wurf in 2 Stunden.

In der Festung waren alle Geschütze in Thätigkeit gewesen. Man fand 13 schwere und 11 leichte Kanonen, 3 8zöllige Haubitzen, 4 8zöllige und 2 12zöllige Mortiere auf den Wällen, so wie mehrere 1000 Gewehre und verschiedene andere Waffen im Zeughause. Außerdem kamen noch ansehnliche Mundvorräthe und Munition in die Hände der Sieger. Die 11 leichten Kanonen wurden gegen einen gewaltsamen Angriff in Rocroy zurückgelassen; die

übrigen 22 schweren Geschütze aber completirt und zur
Belagerung von Givet abgeführt.

Von den bisherigen Belagerungs-Truppen stieß das
5te westphälische Landwehr-Regiment zu den Kantonnirungen der 5ten Brigade. Die beiden kurmärkschen Land-
wehr-Kavallerie-Regimenter marschirten in die Kantonnirungen nach Landrecies, Berlaimont und Gegend. Das
neumärkfche Dragoner-Regiment rückte nach der Umgegend
von Vervins. Diese 3 Kavallerie-Regimenter kamen unter die Befehle des Generallieutenants v. Pirch. Das
Elb-Landwehr-Kavallerie-Regiment, wovon 2 Schwadronen
in St. Quentin gestanden hatten, und das in der Umgegend gewesene 10te Husaren-Regiment stießen zum Ein-
schließungs-Corps vor Givet und Charlemont.

Die 7te Brigade, für die Folge zur Belagerung von
Givet und Charlemont bestimmt, rückte vorläufig in Kantonnirungen nach Philippeville, Rocroy, Chimay, Marienburg, Couvin und Gegend.

**Einschließung und Bezeichnung einiger zum Angriff
auf Givet und Charlemont getroffenen Maaßregeln und Uebergabe der beiden Givet und des
Mont d'Haurs.**

Es war nunmehr der Zeitpunkt für das 2te Armee-
Corps eingetreten, in welchem man nach Einnahme der
Sambre-Festungen und derjenigen, welche auf der Verbin-
dungslinie zur Maas lagen, zum Angriff auf Givet und
Charlemont übergehen konnte. Die Truppen, welche man
vom norddeutschen Corps zur Belagerung heranzuziehen
für nöthig hielt, waren diesen Augenblick disponibel.

Nicht allein die Wichtigkeit, welche die Einnahme
von Givet für die Operations-Basis des preußischen Heeres in Frankreich durch den Gewinn eines festen Punktes

an der Maas hatte, sondern auch der Eindruck, welcher durch die Eroberung dieses größeren Platzes erzeugt werden mußte, forderte zu dieser Unternehmung auf.

Indem man jedoch zu dieser Belagerung schritt, konnte man sich nicht verhehlen, daß der Umfang und die ausnehmende Stärke von Givet eine sehr schwierige Aufgabe darbot, und die Mittel fast überstieg, welche bisher so glänzende und rasche Erfolge hervorgebracht hatten. Der erste Eindruck der Ueberraschung nach der Schlacht bei Belle-Alliance war vorüber. Die Besatzungs-Truppen hatten ferner durch die längere Blokade an Erfahrung und Disciplin gewonnen, und auch der Commandant, General Graf Burcke, hatte auf eine geschickte Weise den damaligen politischen Zustand Frankreichs für sich zu benutzen gewußt. Auf eine noch nicht aufgeklärte Weise war er in den Besitz aller Nachrichten von Paris, so wie auch der Ansichten über die militairischen Maaßregeln mehrerer Alliirten gekommen.

Demgemäß erklärte der General Graf Burcke sich für Ludwig XVIII. und ließ die weiße Fahne in der Festung aufstecken, so wie er auch bei allen Unterredungen sich als Freund und Alliirter betrachtet wissen wollte. Er versicherte auch, daß er nur auf Diejenigen, die sich feindlich den Festungswerken näherten, schießen würde.

Es versteht sich von selbst, daß preußischer Seits diesen willkührlichen Auslegungen durchaus keine Aufmerksamkeit gestattet wurde, indem die Gesinnungen des Grafen Burcke für seinen damaligen Herrscher sich in dem Augenblick hätten kund geben müssen, als es für denselben gegen die Gewalt Napoleons von Nutzen war.

Zu dieser Zeit, als das französische Heer in das Innere von Frankreich verfolgt wurde, wollte Graf Burcke nichts von einer Erklärung für Ludwig XVIII. wissen, und

nur dann erst, als die Entscheidung des Kampfes gefallen
war, erklärte er sich für die jetzige Regierung. Ein solches
Wechseln nach dem jedesmaligen Vortheil leistete nur eine
unvollständige Gewähr. Da überdieß für die Sicherheit
der Armee wenigstens eine Mitbesetzung der Festung verlangt werden durfte, und da auch diese verweigert wurde,
so konnte man auch auf alle anderen Vorschläge nicht
eingehen. Unter diesen Umständen war daher nur davon
die Rede, wie man durch Gewalt der Waffen sich der
Festung bemächtigen könne.

Uebersieht man jedoch die allgemeine Lage und Beschaffenheit des Platzes, so wird der Vergleich mit den
vorhandenen Belagerungsmitteln die gegenseitigen Leistungen beurtheilen lassen. Die Festung Givet liegt an der
Vereinigung der Straßen aus dem westlichen und nördlichen Theile der Niederlande von der Roer, Mosel,
obern Maas und aus dem Innern Frankreichs. Der
Platz besteht eigentlich aus vier Festungen, nämlich dem
Charlemont, Grand, Petit Givet und dem Mont d'Haurs,
wovon die beiden ersteren auf dem linken und die beiden
letztern auf dem rechten Ufer der Maas liegen. Die beiden Givets bilden die eigentliche Stadt auf beiden Ufern
der Maas, über welche hier eine steinerne Brücke führt.
Klein-Givet wird durch drei ganze und ein halbes Bastion mit Wassergräben vertheidigt. Es hat zwei Thore,
wovon das eine nach Dinant und das andere nach Luxemburg führt. Das Fort des Vignes liegt zwischen beiden
Straßen. Es ist hinten durch eine mit Schießscharten
versehene, einige Fuß dicke Mauer geschlossen. Zwischen
dem Fort und der Maas war noch eine hinten offene
Feldschanze auf einer Höhe angelegt, von welcher das Fort
vortheilhaft zu beschießen ist.

Groß-Givet hat zwei und ein halbes Bastion, zwei

Raveline, wovon das eine mit einem Reduit versehen ist, und trockene Gräben. Ein Thor führt nach Dinant und Philippeville, und endlich aufwärts nach dem Charlemont, an welchen sich die Stadtwerke mittelst einer den Felsen aufwärts geführten Mauer lehnen. Ein zweites Thor führt zwischen dem Felsen auf dem der Charlemont gelegen, und der Maas über Fumay oder Chaud nach Mezieres und Rocroy. Eine sie bestreichende Mauer geht längs der Maas und schließt Groß=Givet und die an der Maas befindliche große Kaserne ein. Eben so ist auf der andern Seite der Maas Klein=Givet durch eine ähnliche Mauer, die sich an die Werke des Mont d'Haurs anlehnt, geschlossen.

Der Charlemont liegt auf einer die Maas begleitenden, mehr denn 200 Fuß über den Wasserspiegel sich erhebenden Felszunge, welche gegen Größ=Givet sehr spitz, aber kaum 100 Schritt breit endet. Nach der Stadt zu und nach der Maas fällt dieser Felsen steil ab. Auf der entgegengesetzten Seite findet zwar ein etwas weniger steiler, doch noch sehr schwieriger Abhang statt.

Schon vom Kaiser Carl V. wurde dieser von Natur so fest gebildete Punkt zu einer nach damaliger Art befestigten Stadt benutzt, und nach seinem Namen genannt. Vauban hat später sehr viel für die Verbesserung der Festungswerke gethan, und die Franzosen nennen es sein Meisterstück.

Die schmale Front nach Norden gegen Groß=Givet schließt ein gemauertes Hornwerk, und den ganzen unermeßlichen Abhang nach der Maas hin bestreicht eine crenelirte, sich flankirende Mauer. Gegen Westen courronnirt ein fast geradliniges bastionirtes System mit kasemattirten Flanken ein unter 45 Grad auflaufendes Glacis. Die Südseite wird durch mehrere hinter einander laufende nur dann erst, als die Entscheidung des Kampfes gefallen war, erklärte er sich für die jetzige Regierung. Ein solches Wechseln nach dem jedesmaligen Vortheil leistete nur eine unvollständige Gewähr. Da überdieß für die Sicherheit der Armee wenigstens eine Mitbesetzung der Festung verlangt werden durfte, und da auch diese verweigert wurde, so konnte man auch auf alle anderen Vorschläge nicht eingehen. Unter diesen Umständen war daher nur davon die Rede, wie man durch Gewalt der Waffen sich der Festung bemächtigen könne.

Uebersieht man jedoch die allgemeine Lage und Beschaffenheit des Platzes, so wird der Vergleich mit den vorhandenen Belagerungsmitteln die gegenseitigen Leistungen beurtheilen lassen. Die Festung Givet liegt an der Vereinigung der Straßen aus dem westlichen und nördlichen Theile der Niederlande von der Roer, Mosel, obern Maas und aus dem Innern Frankreichs. Der Platz besteht eigentlich aus vier Festungen, nämlich dem Charlemont, Grand, Petit Givet und dem Mont d'Haurs, wovon die beiden ersteren auf dem linken und die beiden letztern auf dem rechten Ufer der Maas liegen. Die beiden Givets bilden die eigentliche Stadt auf beiden Ufern der Maas, über welche hier eine steinerne Brücke führt. Klein-Givet wird durch drei ganze und ein halbes Bastion mit Wassergräben vertheidigt. Es hat zwei Thore, wovon das eine nach Dinant und das andere nach Luxemburg führt. Das Fort des Vignes liegt zwischen beiden Straßen. Es ist hinten durch eine mit Schießscharten versehene, einige Fuß dicke Mauer geschlossen. Zwischen dem Fort und der Maas war noch eine hinten offene Feldschanze auf einer Höhe angelegt, von welcher das Fort vortheilhaft zu beschießen ist.

Groß-Givet hat zwei und ein halbes Bastion, zwei

Raveline, wovon das eine mit einem Reduit versehen ist, und trockne Gräben. Ein Thor führt nach Dinant und Philippeville, und endlich aufwärts nach dem Charlemont, an welchen sich die Stadtwerke mittelst einer den Felsen aufwärts geführten Mauer lehnen. Ein zweites Thor führt zwischen dem Felsen auf dem der Charlemont gele= gen, und der Maas über Fumay oder Chaud nach Me= zieres und Rocroy. Eine sie bestreichende Mauer geht längs der Maas und schließt Groß=Givet und die an der Maas befindliche große Kaserne ein. Eben so ist auf der andern Seite der Maas Klein=Givet durch eine ähnliche Mauer, die sich an die Werke des Mont d'Haurs an= lehnt, geschlossen.

Der Charlemont liegt auf einer die Maas begleiten= den, mehr denn 200 Fuß über den Wasserspiegel sich erhebenden Felszunge, welche gegen Groß=Givet sehr spitz, aber kaum 100 Schritt breit endet. Nach der Stadt zu und nach der Maas fällt dieser Felsen steil ab. Auf der entgegengesetzten Seite findet zwar ein etwas weniger stei= ler, doch noch sehr schwieriger Abhang statt.

Schon vom Kaiser Carl V. wurde dieser von Natur so fest gebildete Punkt zu einer nach damaliger Art be= festigten Stadt benutzt, und nach seinem Namen genannt. Vauban hat später sehr viel für die Verbesserung der Festungswerke gethan, und die Franzosen nennen es sein Meisterstück.

Die schmale Front nach Norden gegen Groß=Givet schließt ein gemauertes Hornwerk, und den ganzen uner= meßlichen Abhang nach der Maas hin bestreicht eine cre= nelirte, sich flankirende Mauer. Gegen Westen courron= nirt ein fast geradliniges bastionirtes System mit kase= mattirten Flanken ein unter 45 Grad auflaufendes Glacis. Die Südseite wird durch mehrere hinter einander laufende baſtionirte Abſchnitte vertheidigt, vor welchen man noch ein verſchanztes Lager, unter dem Namen Couronne d'Asfeldt, gelegt hat, welches ſelbſt eine kleine Feſtung bildet. In der Front wie an der Seite wird dies Lager von zwei vorgeſchobenen Lünetten flankirt, ſo daß die Werke da endigen, wo der nackte Felſen aufhört und daher auf Kernſchußweite keine Erde findet. Alle Gräben ſind in Felſen ausgeſprengt, alſo eine Breſche faſt unmöglich.

Auf der Nordweſt=Seite hat man einen der größten iſolirten Felſen benutzt, ein vorgeſchobenes Baſtion, das Fort Condé, anzulegen, das um die Spitze des Felſens gebaut iſt. Die ausgehöhlte Felsmaſſe dient als Reduits, ſo wie das ganze Fort mit einem Minen=Syſtem umgeben iſt. Die Kommunikation zur Feſtung iſt nicht lang, und daher nicht leicht abzuſchneiden. Das Fort liegt aber ſo tief, daß man nach ſeiner Eroberung die Wälle kaum über dem ſteilen Glacis erblicken kann. An einigen flachen Stellen des Glacis hat man revetirte, mit Gräben umgebene Lünetten aufgeworfen, um eine gleichförmige Steilheit zu erlangen.

Die im Innern des Charlemont befindlichen Gebäude ſind blos für die Beſatzung und zu Magazinen beſtimmt; außerdem ſind gute Kaſematten vorhanden.

Der Mont d'Haurs iſt eigentlich nur ein verſchanztes Lager, und liegt auf einem ähnlichen Fels=Rücken wie der Charlemont, welcher jedoch auf dem gegenüber liegenden Ufer der Maas befindlich, und nach Klein=Givet ſenkrecht, dagegen auf der entgegengeſetzten Seite weniger ſteil abfallend iſt, ſo daß ſich von der Maas her ein Fahrweg hinaufwindet. Im Süden und Oſten iſt der Mont d'Haurs durch 3 Baſtione mit Orillons und 2 Ravelinen, ſo wie im Uebrigen durch eine irreguläre Mauer, auf welcher eine Bruſtwehr in trockener Mauerung ſteht, umgeben.

Zur

Zur Vertheidigung dieser Gesammtheit von Werken sind nach der Angabe der französischen Ingenieure für Groß=Givet 10*), für Klein=Givet 10, für den Mont d'Haure 30, und für den Charlemont 98 Kanonen und Haubitzen, also im Ganzen 148 Geschütze, versehen mit 600 Geschoß pro Kanone und 500 Wurf pro Haubitze, erforderlich. Außerdem wurden 336 Artilleristen, so wie 300,000 Kilogrammes Pulver, 2,400,000 Patronen für 6000 Mann Besatzung verlangt. Im Frühjahr 1815 waren 11,000 Mann, auf 6 Monat mit Proviant verse=hen, nach dieser Festung bestimmt, jedoch ist eine Besatzung von 6000 Mann für den Nothfall hinreichend. Es ist Raum, um 1700 Mann Kranke unterzubringen.

Erwägt man ferner, daß auf dem Mont d'Haure allein gegen 10,000 Mann bequem lagern können, so wird man in den verschiedenen Festungen recht gut 25,000 Mann aufzunehmen im Stande sein.

Es wird demnach die Festung Givet nicht allein als ein wichtiger Waffenplatz für den Angriffskrieg zu betrach=ten sein, sondern sie wird auch einer geschlagenen Armee zur Retablirung sehr nützlich werden, und bei der bergigen Beschaffenheit des umliegenden Landes die größten Vor=theile bei einem Vertheidigungskriege gewähren.

Unter den jetzigen Umständen, wo eine Besatzung von nur 4 bis 5000 Mann vorhanden war, durfte man nicht überall Widerstand mit Nachdruck annehmen, und noch weniger Unternehmungen zur Unterstützung der andern

---

*) Offenbar ist bei der für die beiden Givets bestimmten Geschütz=zahl nur auf einen gewaltsamen Angriff gerechnet gewesen, in der Voraussetzung, daß Charlemont und der Mont d'Haure zuerst angegriffen werden müßten, was auch unter gewöhnlichen Umständen, und nach rein militairischen Gründen richtig war, und wonach der Fall der beiden Bergfestungen, ja selbst des Mont d'Haure allein, den der beiden Givets ohnehin nach sich zieht.

II.   22

Festungen erwarten. Auch durfte man hoffen, daß, wenn ein Bombardement der beiden Givets nichts fruchtete, ein Angriff gegen den Mont d'Haure in der Richtung von Ransenne gegen die bastionirte Front von Erfolg sein würde. Nach dem Besitz des Mont d'Haure mußten die beiden Givets sich ergeben, dagegen würden diese Erfolge auf die Vertheidigung des Charlemont wenig Einfluß geäußert haben, da diese Festung den Mont d'Haure vollkommen beherrscht. Andere Veranlassungen zur Kapitulation waren bei dieser Festung durchaus nicht vorhanden, indem eine hinreichende Menge von Geschützen und Munition, nebst Vorräthen aller Art auf vier Monate, so wie eine geübte und zur Vertheidigung entschlossene Besatzung, dem Commandanten zu Gebote standen.

Die Einschließungs=Truppen, welche bis Ende August schon früher bezeichnet wurden, bestanden nach Abmarsch der 8ten Brigade, welche zur Unterstützung der Belagerung von Longwy verwendet werden sollte, seit dem 29sten August aus der 6ten und 7ten Brigade.

Auf dem linken Ufer der Maas bei Foiche befand sich ein Lager, welches aus 3 Bataillons, 2 Schwadronen und 1 Batterie der 6ten Brigade, und aus 1 Bataillon, 3 Schwadronen und 1 Batterie der 7ten Brigade bestand. Die Vorposten auf diesem Maas=Ufer bildeten 4 Bataillons der 7ten Brigade, und 1 Bataillon derselben Brigade wurde nach Agimont zur Deckung des dortigen Artillerie=Parks bestimmt.

Auf dem rechten Ufer der Maas besorgten 6 Bataillons der 6ten Brigade die Einschließung von Klein=Givet und dem Mont d'Haure.

Die Kommunikation zwischen beiden Ufern wurde unterhalb der Festung unweit Barque au prince dicht bei Heer zuerst durch eine Fähre und später durch eine Ponton=

Brücke bewerkstelligt. Oberhalb der Festung befand sich bei Chaud gleichfalls eine Ponton-Brücke, welche durch den Hauptmann Linde von den Ingenieuren auf eine sehr zweckmäßige und den Umständen nach ganz angemessene Art angelegt und in sehr kurzer Zeit beendigt wurde.

Da es an der erforderlichen Anzahl von Kähnen fehlte, so mußten von beiden Ufern Dämme, aus Schanzkörben, Böcken und Balken bestehend, in den Fluß gebaut werden, deren Zwischenraum alsdann mit Kähnen ausgefüllt wurde. Die Brücke bestand demnach aus dem verschiedenartigsten Material und wurde in der ersten Zeit nur für leichtes Fuhrwerk bestimmt. Später sind jedoch auch Kavallerie, Proviantwagen und 6pfündige Kanonen mit ihren Munitionswagen, ohne die mindeste Gefahr, übergegangen.

Der Feind hielt sich seit der engern Einschließung bis zum 1sten September ganz ruhig, wo er jedoch auf die Ablösungen und die recognoscirenden Officiere, so wie auch den 2ten September, wo er gegen Foiche einen unbedeutenden Ausfall aus dem Charlemont unternahm. Die Franzosen wurden jedoch von dem Füsilier-Bataillon des 22sten Regiments sogleich wieder nach dem Charlemont zurückgeworfen.

In der Nacht zum 3ten September sollte als Vorbereitung für den künftigen Angriff gegen das Fort des Vignes und Klein-Givet die vorliegende Flesche, welche der Feind nur bei Tage zu besetzen pflegte, von einem Detaschement des Kolbergschen Regiments besetzt und dann mit einer Brustwehr versehen werden. Zur Unterstützung dieses Vorhabens wurde das 1ste Bataillon des 2ten Elb-Landwehr-Regiments von Agimont über Heer nach dem rechten Ufer beordert.

Die Flesche wurde auch, ohne daß es die Franzosen

bemerkten, eingenommen, und der Feind, welcher am Mor=
gen des 3ten September seine gewöhnliche Wache hier
aufstellen wollte, wurde genöthigt, schleunigst wieder zu=
rückzueilen. Die Franzosen richteten hierauf ein lebhaftes
Geschützfeuer gegen dieses Werk. Da die Belagerer es
dessen ungeachtet behaupteten, so unternahm der Feind um
1 Uhr Mittags einen Ausfall mit 600 Mann und zwei
Kanonen, um sich der Flesche wieder zu bemächtigen. Ein
Offizier und 60 Füsiliere des Kolbergschen Regiments ver=
theidigten sich indeß so nachdrücklich, daß sie im Verein mit
einer Compagnie des 14ten Regiments, welche zur Unter=
stützung heraneilte, den Angriffen des Feindes nicht allein
widerstanden, sondern derselbe auch gegen 3 Uhr Nachmit=
tags genöthigt wurde, sich wieder zurückzuziehen. Die
preußischen Füsiliere hatten dabei 6 Todte, und 1 Offizier
und 20 Mann verwundet. Der Verlust des Feindes war
noch bedeutender.

Den 4ten September übernahm der General v. Brause
das Commando der Einschließung auf dem rechten Ufer, und
legte sein Quartier nach Baronville. Ein am 5ten Septbr.
von den Belagerten gegen die Feldwache von Charmoy mit
150 Mann unternommener Ausfall kostete den Belagerern
2 Todte und 2 Verwundete. Der Feind hatte sich nämlich
unter dem Schutz des Felsens und des hohen Getreides
unbemerkt genähert, und stürzte sich dann mit großem
Geschrei, jedoch ohne Schuß, auf die Wache los und
nöthigte sie zum Verlassen des Berges, auf dem sie ge=
standen hatte. Als indessen die Unterstützung herankam,
wurde der Feind zurückgetrieben.

Die hessische Brigade des Generalmajors v. Müller,
aus 6 Bataillons bestehend, so wie die gleich starke hessi=
sche Brigade unter dem Generalmajor Prinzen Solms=
Braunfels auf dem linken Ufer, welche jedoch einstweilen

als Reserven Kantonnirungen angewiesen erhielten, stießen heute (5ten Septbr.) zu den Einschließungs=Truppen auf dem rechten Ufer der Maas.

Das Einschließungs=Corps bestand nunmehr aus 22 Bataillons, 8 Schwadronen, so wie zwei 6pfündigen Fuß=Batterien der 6ten und der 7ten Brigade, zusammen aus 14000 Mann. Von diesen Truppen befanden sich 15 Bataillons und 4 Schwadronen auf dem rechten, und 7 Bataillons, 4 Schwadronen und die beiden Batterien auf dem linken Ufer der Maas.

Außerdem waren sämmtliche Batterien des 2ten Armee=Corps vor Givet zu Disposition. Die Gespanne wurden zum Transport der zu Lande ankommenden Geschütze, Munition und Materialien benutzt, so wie die Mannschaften zum Ausladen der zu Wasser herangeschafften Gegenstände und zu den Vorbereitungen der Belagerung. Diese Transportmittel reichten jedoch nicht aus, und da auch durch das Land nicht hinlängliche Mittel herbeizuschaffen waren, so sah man sich genöthigt, mehrere Marsch=Compagnien, Laboratorien, und Handwerks=Kolonnen anderer Armee=Corps anzuhalten und zum Belagerungsdienst zu verwenden.

Der erste Geschütz= und Munitions=Park wurde bei Guimné etablirt.

Zu Anfange des Monats September wurde aber dieser Park nach Agimont geschafft, und daselbst auch das Laboratorium eingerichtet. Die von Namur theils zu Wasser, theils zu Lande kommenden Geschütze und Materialien wurden auf dem rechten Ufer bei Heer, Barque au prince und späterhin bei Fromelenne vereinigt. Hier und in Agimont waren überhaupt 129 Geschütze vorhanden, unter denen 66 schwere Kanonen, 14 schwere und leichte Haubitzen und 49 meist schwere Mortiere sich be=

fanden. Man beabsichtigte, diesen Park bis auf 144 Geschütze, unter denen 73 Kanonen, 14 Haubitzen und 57 Mörser sich befinden sollten, zu vergrößern, und sämmtliche Geschütze mit 1000 Schuß oder Wurf zu versehen.

Die bisher für die Führung der Belagerungen so vortheilhaft gewesene englische Artillerie konnte jetzt zum fernern Gebrauch nicht mehr herangezogen werden, indem sie den ausdrücklichen Befehl erhalten hatte, durchaus keine Feindseligkeiten gegen eine Festung zu begehen, welche die weiße Fahne aufpflanzen würde. Es ist früher schon bemerkt worden, in welcher Art der französische General Graf Burcke diese politische Maaßregel für sich zu benutzen wußte, worauf jedoch von preußischer Seite keine weitere Rücksicht genommen werden konnte.

Zu dem vorläufig auf dem rechten Ufer der Maas zu beginnenden Angriff vereinigte man 24 Kanonen, 12 Haubitzen und 26 Mörser, mit 700 Schuß für jede Kanone, so wie mit 300 Wurf für die einzelnen Haubitzen und Mörser versehen.

Man hatte die Absicht, sich der beiden Givets und demnächst auch des Mont d'Haure zu bemächtigen, ehe man zum Angriffe des Charlemont schritt. Die Vorarbeiten waren schon seit einiger Zeit durch 800 Arbeiter, welche den Ingenieuren zugewiesen wurden, und durch 300 Arbeiter, welche die Artillerie erhielt, ausgeführt worden.

Der Prinz August änderte den ihm vorgelegten Angriffs=Entwurf dahin ab, daß der förmliche Angriff nur gegen Groß=Givet ausgeführt werden sollte, weil dessen Einnahme auch die von Klein=Givet nach sich ziehen müsse, welches vom Charlemont, woselbst sich alle Vorräthe befanden, abgeschnitten, sich selbst überlassen blieb, und daher keines Widerstandes fähig war. Der Angriff selbst

ward auf die Nacht vom 8ten zum 9ten September fest=
gesetzt, so wie der Bau von neun Batterien für 54 Ge=
schütze auf dem rechten Ufer, und die Eröffnung der Lauf=
gräben gegen Groß= und Klein=Givet beschlossen.

Den 9ten September waren auch mit Tagesanbruch
die Batterien № 3. 4. 5. und 6. vollendet, und konnten
in der folgenden Nacht bewaffnet werden. Zum Bau der
übrigen fünf Batterien war an diesem Tage ebenfalls das
Nöthige eingeleitet und am Abend in Bereitschaft gesetzt
worden. Der Commandant, welcher wahrscheinlich von
dem Vorhaben unterrichtet wurde, überzeugte sich, daß er
nicht im Stande sei, alle vier Festungen zu vertheidigen,
ohne seine Kräfte zu zersplittern. Er erbot sich daher
schon den 8ten Nachmittags zur Uebergabe der beiden
Givets und des Mont d'Haure. Nach einer am 9ten
stattgefundenen Unterredung des Prinzen August mit dem
Commandanten, kam den 10ten September die Uebergabe
der beiden Givets und des Mont d'Haure zu Stande.
Die Franzosen räumten bis zum 11ten September Vor=
mittags die genannten Plätze, und wurden noch durch die
Festigkeit des Prinzen August bei Auslegung der Ueber=
gabe=Bedingungen veranlaßt, 11 metallene Geschütze auf
den Wällen von Givet mit zu überliefern. Die feind=
liche Besatzung zog sich auf den Charlemont zurück.

Das 2te Bataillon des 14ten Regiments rückte in
die Stadt, zu deren Commandanten der Major v. Hövell
ernannt wurde. Ein Lager, aus 3 Bataillons gebildet,
und zwischen Fromelenne und dem Felsen Hollubier pla=
cirt, sollte die Besatzung von Givet unterstützen. Durch
Pikets wurden von diesem Lager aus der Mont d'Haure
und Klein=Givet besetzt.

Obgleich noch an dem Tage der Uebergabe die Ver=
längerung des Waffenstillstandes und 24stündige Aufkün=

bigung deſſelben feſtgeſetzt wurde, ſo unterließ man doch nicht, alle Sicherheitsmaaßregeln gegen den Charlemont zu treffen. Eben ſo wurde mit der größten Thätigkeit die Fortſetzung der Angriffsarbeiten betrieben.

Bei der ſchon vorgerückten Jahreszeit wurde die Beſetzung der beiden Givets ſehr vortheilhaft, um die disponiblen Kräfte zum Angriff des Charlemont hier zu vereinigen und zu verſtärken. Man gewann ferner eine kürzere Gemeinſchaft der beiden Maas=Ufer, ſo wie auch die bequemere Heranſchaffung der Belagerungsmittel, und die Verbergung der vorzunehmenden Arbeiten und Anlage der Batterien zum Angriff ſelbſt, da das Einſtellen dieſer Arbeiten bei Abſchließung des Waffenſtillſtandes nicht ausbedungen war.

Um die Kommunikation auf der Maasbrücke der Beobachtung des Feindes zu entziehen, ward die Seite nach dem Charlemont mit Schanzkörben geblendet. Die vorgefundene Schiffbrücke wurde dagegen abgebrochen und eine Laufbrücke unterhalb der ſteinernen geſchlagen. Man öffnete am Tage nur das nach Luxemburg führende Thor, welches, gemäß der Kapitulation, vom Charlemont nicht beſchoſſen werden durfte.

Des Nachts dagegen wurde das aus Groß=Givet führende Thor aufgemacht, um von Agimont Geſchütze und Munition nach Givet zu ſchaffen. Die Vorpoſten wurden daher außerhalb dieſes Thores und bis an die Kapelle auf der Straße nach Philippeville vorgeſchoben. Das Materialien=Depot bei Barque au prince kam nach Heer, woſelbſt die Kirche zum Pulver=Magazin eingerichtet wurde, um ſo alle, früher gegen Givet beſtimmten Belagerungsmittel gegen Charlemont näher bei der Hand zu haben.

Der allgemeine Plan zum Angriff des Charlemont beruhte aber auf folgenden besondern Ansichten.

Nach der Berechnung der französischen Ingenieure waren 68 Tage einer förmlichen Belagerung nöthig, um Charlemont von der Seite von Foiche zur Uebergabe zu zwingen. Hierbei war keine Rücksicht auf entstehende Hindernisse, als Verzögerung der Arbeit durch Fehler ꝛc. in Anschlag gebracht. Auch mußte man hier über vier in Fels gehauene Gräben gehen, in denen die Legung einer Bresche unmöglich war. Da dieser Angriff erst Ende September beginnen konnte, und in dieser höher liegenden Gegend schon Ende Oktober Frost eintritt, so ist die Un= möglichkeit, auf dem bezeichneten Wege die Uebergabe zu erzwingen, dargethan.

Da indessen der Charlemont nach den gemessenen Bestimmungen des Fürsten Blücher erobert werden sollte, so blieb nur übrig, von den gewöhnlichen Regeln der Theorie abzugehen, und durch einen Kraft=Aufwand aller vorhandenen Mittel, so wie durch eine den Verhältnissen angemessene Angriffsart zum Zweck zu gelangen.

Der vorgeschlagene Angriff bestand nun hauptsächlich darin, auf den Seiten des Charlemont Wurfbatterien zu errichten, von denen jedes Geschütz 1000 Bomben in die Festung schleudern konnte, den einzigen hier zu passirenden, in Fels gehauenen Graben nach dem Vorschlag des Bon= neville mit Sandsäcken und Faschinen auszufüllen, und, um den moralischen Eindruck zu vermehren, auf dem Mont d'Haure eine Breschebatterie von acht 24pfündigen Kano= nen gegen das, Klein=Givet zu gelegene, Werk le Cornichon zu erbauen. Obgleich diese Batterie sich auf einer Ent= fernung von mehr als 800 Schritt von jenem Werke be= fand, so berechtigten doch die in Spanien gemachten Er= fahrungen zur Erwartung eines glücklichen Erfolges.

Endlich wollte man versuchen, einen Minengang in den Felsen hinein zu treiben, zu dessen Möglichkeit die Mansfeldschen Pioniere Hoffnung gaben.

Es schien besonders mißlich, die Batterie in Givet selbst, welches gänzlich vom Charlemont beherrscht wird, anzulegen. Es war dem Commandanten unbenommen, die Stadt völlig zu zerstören, und dadurch den Stand der Belagerungs=Batterien höchst unsicher zu machen. Doch hoffte man diesem Uebel in etwas zu begegnen, indem unter andern eine der Mortier=Batterien, welche dem feindlichen Feuer besonders ausgesetzt war, nach der Carnotschen Art bedeckt gebaut wurde. Auch ließ die durchgängig steinerne Beschaffenheit der Häuser bei guten Lösch=Anstalten keinen allgemeinen Brand befürchten. Zuletzt blieb auch immer noch übrig, die zerstörten Batterien hinter dem Schutthaufen wieder zu erbauen.

Die Geschichte der Belagerungs=Kriege zeigt, daß die Belagerung von Namur im Jahre 1692 unter sehr ähnlichen Local=Verhältnissen durchgeführt wurde. Die Belagerer — es waren die Franzosen unter Ludwig XIV.— errichteten nach Uebergabe der Stadt auf den Stadtwerken längs der Sambre eine Batterie für 40 Wurf=Geschütze, und bewarfen damit die hochgelegenen Schloßberge mit dem besten Erfolge.

Der engere Raum im Innern des Charlemont ließ aber auch eine gute Wirkung des Bombardements, vorzüglich gegen die Spitze bei Givet, erwarten. Kasemattirte Batterien hatte der Feind nicht, so daß die Besatzung dem conzentrischen Wurffeuer zahlreicher Geschütze trotz der Stärke der Felsenwerke ausgesetzt war. Entstand überdies Feuer in den Gebäuden, so wurde die Bedienung der Geschütze und die Herbeischaffung der Munition höchst unsicher. Beispiele solcher Lagen=Verhältnisse giebt

in den neueſten Zeiten der Petersberg bei Erfurt 1813,
und die Feſtung Friedrichshall in Norwegen 1814.

Uebrigens iſt keine Unternehmung ſo ſchwierig, in
deren Gefolge ſich nicht Glücksfälle ereignen könnten. Die
Hinderniſſe ſtrengen den menſchlichen Geiſt nur noch mehr
zur Aufwendung neuer Hülfsmittel an, und deshalb darf
man auch im Kriege keine Aufgabe als unausführbar an-
ſehen.

Den 16ten September war man ſo weit, den Bau
von 7 Batterien gegen den Charlemont beginnen zu können. 250 Arbeiter wurden der Artillerie täglich überwie-
ſen, und eine Maſſe von Zimmerleuten zum Bau der
verdeckten Wurfbatterie verwendet. Sämmtliche Batterien
bedurften nur noch einer Nacht zum völligen Ausbau und
konnten in der Nacht vom 22ſten zum 23ſten September bewaffnet werden. Den 20ſten September erklärte
zwar der franzöſiſche Commandant, daß er die Fortſetzung
der Arbeiten nicht ferner geſtatten könne, dieſe als den
Anfang der Feindſeligkeiten betrachten müſſe und darauf
ſchießen laſſen würde. Dies konnte freilich dem Feinde
nicht verwehrt werden, doch machte man ſich dieſſeits nur
darauf gefaßt, und ſetzte die Arbeiten nach wie vor fort.

Den 20ſten September erhielt jedoch der Prinz Auguſt
die direkte Nachricht aus Paris, daß die Feindſeligkeiten
überall in Frankreich eingeſtellt werden ſollten. Der Waffenſtillſtand mit dem Commandanten wurde daher verlängert, die Belagerungsarbeiten ausgeſetzt, und den 21ſten
September das Hauptquartier nach Klein-Givet verlegt.

Den 24ſten September gingen die ſpeziellen Befehle
des Fürſten Blücher über die Nichtfortſetzung der Belagerung ein.

Wenn gleich dieſe Unternehmung durch keine eigentliche Anwendung der vorhandenen Streitkräfte ſich aus-

zeichnet, so sind doch mehrere der Einschließungsmaaßre=
geln, so wie die Angriffsentwürfe selbst von großem In=
teresse, weshalb man glauben dürfte, daß die Darlegung
derselben wohl der Kriegsgeschichte angehöre.

Es bleibt jetzt noch übrig, die glücklichen Erfolge an=
zuführen, welche gleichzeitig mit dem 2ten Armee=Corps
das norddeutsche Corps unter dem Generallieut. v. Hacke
und die Einschließungs=Truppen unter dem Prinzen von
Hessen=Homburg, in Betreff der von ihnen ausgeführten
Belagerungen, hatten.

Schon früher ist bemerkt worden, daß das norddeut=
sche Corps zu derselben Zeit, als man nöthig fand, das
3te preußische Armee=Corps näher gegen die Sambre her=
anzuziehen, den Befehl erhielt, aus seiner Stellung an
der Mosel gegen die Saar vorzurücken, um hier die Ver=
bindung mit dem gleichfalls vorzupoussirenden baierschen
Armee=Corps zu bewerkstelligen. Das Hauptquartier des
norddeutschen Corps kam demgemäß nach Trier. Die
Vorposten wurden von Arlon bis Merzig längs der fran=
zösischen Grenze etablirt.

Nachdem der so eben bezeichnete Vormarsch im An=
fang des Monats Juni ausgeführt worden war, erhielt
das Corps den 16ten Juni die Benachrichtigung von dem
Ausbruch der Feindseligkeiten.

Der General der Infanterie Graf Kleist v. Nollen=
dorf, welcher bisher das Commando geführt, wurde wegen
eingetretener Krankheit genöthigt, zurückzugehen und dem
Generallieutenant v. Engelhardt das Commando zu über=
geben.

Das norddeutsche Corps setzte sich schon den 17ten
Juni gegen Arlon hin in Marsch. Hier angekommen,
empfing das Corps den 21sten Juni von dem Feldmar=
schall Fürsten Blücher die Nachricht von dem erfochtenen

Siege bei Belle-Alliance, so wie die Bestimmung, über Bastogne und Neufchateau nach Frankreich vorzurücken, und vorläufig die Festungen Sedan und Bouillon einzuschließen.

Den 22sten Juni brach das norddeutsche Corps in zwei Kolonnen auf. Die beiden hessischen Brigaden rückten über Neufchateau gegen Sedan, während die thüringsche und norddeutsche Brigade über Recogne gegen Bouillon marschirten.

Einnahme der befestigten Stadt Sedan am 26. Juni.

Man beschloß sogleich Sedan zu bombardiren, was auch schon den 25sten Juni mit Wirksamkeit ausgeführt wurde. Der Commandant, General Choisy, ließ sich schon am folgenden Tage (26sten) bereit finden, die Stadt zu übergeben und sich in die Citadelle zurückzuziehen. Dies Anerbieten genügte um so mehr, als man dadurch die Kräfte zu größern Unternehmungen disponibel behielt. Die Citadelle wurde von jetzt ab nur beobachtet und erst in einem spätern Zeitpunkt (15ten September) übergeben.

Einschließung der Festung Bouillon am 25. Juni.

Die Festung Bouillon, deren man sich Anfangs durch einen Coup de main zu bemächtigen hoffte, dessen Ausführbarkeit die Festigkeit des Orts jedoch verhinderte, wurde vom 25sten Juni an von dem Infanterie-Regiment Lippe-Waldeck, und vom 21sten August an von niederländischen Truppen eingeschlossen.

Den 28sten Juni rückte hierauf das vereinte Corps vor Mezieres, und führte noch an demselben Tage die Einschließung dieser Festung aus. Nur die Verbindung mit Charleville konnte nicht abgeschnitten werden, weil dieser Ort selbst befestigt unter den Kanonen von Mezieres beſtalt machte allein 20 bis 25,000 Kartuſchen in einem Tage. Die Anſtalt für Ausbeſſerung der Waffen ſetzte ferner 12 bis 1500 Flinten in einem Monat in Stand. Im Jahre 1815 machte dieſelbe Fabrik während des Monats Mai 4000 Flinten, und beſſerte 2000 Stück aus.

Die Waffenfabrik in Charleville beſchäftigte 1400 Arbeiter, und außerdem waren 550 für die Ausbeſſerung der Waffen in Thätigkeit. Im Monat April 1815 hat ſie 3000 Flinten geliefert. Die Pulverfabrik von Ponce liegt ¾ Lieues von Mezieres, und verfertigte monatlich 15 bis 20,000 Kilogrammes Pulver.

Es war demnach in jeder Beziehung von Wichtigkeit, ſich eines Platzes zu bemächtigen, der ſo viele Hülfsmittel für den Feind in ſich vereinigte, und der als ein wichtiger Punkt an der Maas für die Sicherheit der Invaſions-Armee von weſentlichem Einfluß war.

Um jedoch auch die in der Nähe befindliche und noch nicht eingeſchloſſene Feſtung Montmedy und die feſten Orte Laon und Rheims zu beobachten, entſandte man mobile Kolonnen gegen dieſelben.

Dem Major v. Bödicker gelang es, auf dieſe Weiſe Rheims durch Uebereinkunft zu beſetzen, und die hier befindliche feindliche Garniſon zum Abmarſch hinter die Loire zu vermögen. Später wurde Rheims an die ruſſiſchen Truppen übergeben. Andere mobile Kolonnen, wie die unter dem Oberſtlieutenant Schäfer gegen Laon pouſſirt, hielten die Verbindung mit der Armee des Feldmarſchalls Blücher aufrecht; ſo wie die gegen Montmedy vorgeſchickte Abtheilung bei Chauvancy zwiſchen Montmedy und Stenay den 8ten Juli ein Gefecht zu beſtehen hatte, welches den vorgeſetzten Zweck, die Zuſammenrottirungen der bewaffneten Einwohner und Soldaten zu verhindern, auch vollkommen erfüllte.

. Nach

Nach den hier bezeichneten Maaßregeln zur Sicherung der Belagerung, und da in der Festung selbst das öftere Aufstecken der weißen Fahne, welche auf eine kurze Zeit durch die dreifarbige wieder verdrängt wurde, eine nicht ganz gleichgestimmte Besatzung verrieth, glaubte man durch ein Bombardement sich der Festung bemächtigen zu können.

Man wußte, daß die Besatzung aus 3000 Mann bestand, und 60 Geschütze zur Vertheidigung vorhanden waren. In der Nacht vom 23sten zum 24sten Juli ward eine 10pfündige Haubitz-Batterie zwischen der von Sedan nach Mezieres führenden Straße und der Maas, in den Gärten des Dorfes Mohon erbaut, und das Geschütz hineingebracht. In der darauf folgenden Nacht wurde auf der entgegengesetzten Seite der Festung in den Gärten von Charleville wiederum eine Mortier-Batterie angelegt, und die Geschütze hineingebracht. Auch begann nun der Bau einer 10pfündigen Haubitz-Batterie und einer 12pfündigen Batterie, gleichfalls in den Gärten von Charleville.

Der Feind, welcher wahrscheinlich die Arbeiten in der Nähe des Dorfes Mohon bemerkt hatte, unternahm schon den 24sten einen Ausfall.

Am Vormittage des 25sten wiederholte der Commandant der Festung, Generallieutenant Lemoine, mit 1200 Mann einen Angriff auf die Belagerer. Ein Detaschement rückte aus der Citadelle in der Richtung auf St. Laurent, und eine andere Abtheilung in der Richtung gegen Charleville vor.

Beide Unternehmungen waren indeß nur Scheinangriffe. Die eigentliche Attake wurde gegen das Dorf Mohon mit 2 Kanonen und einer bei weitem stärkeren Kolonne, als die bereits angeführten, unternommen. Das Füsilier-Bataillon des hessischen Regiments Kurfürst, welches

II.   23

zur Vertheidigung des Ortes und der aufgeworfenen Batterie aufgestellt war, mußte im ersten Augenblicke der Lebhaftigkeit des feindlichen Angriffs weichen. Die Franzosen waren im Begriff sich des Dorfes Mohon zu bemächtigen, als jedoch noch zeitig genug das zur Reserve bei Villers aufgestellte Bataillon des Regiments Prinz Solms, unter Führung des Obersten v. Zink heranrückte.

Dies Bataillon erreichte den zur Batterie führenden Laufgraben, und sicherte hierdurch gegen die Umgehung der linken Flanke. Das zurückgeworfene Füsilier-Bataillon Kurfürst rückte jetzt gleichfalls wieder vor, so wie auch das Füsilier-Bataillon Landgraf Carl, welches links von Mohon in einem Lager stand, gegen die rechte Flanke des Feindes herbeieilte, so daß derselbe nunmehr vereint von den drei genannten Bataillons in die Festung zurückgeworfen wurde. Eine Abtheilung kurhessischer Jäger, welche im Dorfe Francheville lag, rückte mit dem Bataillon Landgraf Carl gleichzeitig vor, und verfolgte den Feind bis zum Glacis.

Der Verlust der Belagerer bestand in 1 Offizier und 4 Mann an Todten, so wie in 4 Offizieren und 45 Mann an Verwundeten.

Der Feind dagegen hatte einen Verlust von 70 Mann, und außerdem wurden ihm noch 2 Offiziere und einige Mann gefangen genommen.

Der Generallieutenant v. Hacke, welcher am heutigen Morgen (25sten Juli) sein Hauptquartier nach Belair verlegt hatte, ließ, ungeachtet der feindlichen Ausfälle, die Arbeiten an den Batterien fortsetzen, so daß schon am Morgen des folgenden Tages (26sten Juli) der Bau sämmtlicher Wurf-Batterien beendigt und dieselben völlig armirt waren. Man hatte die drei Geschützaufstellungen auf der Seite von Charleville noch durch Laufgräben mit einander verbunden. Zwischen 4 und 5 Uhr des Morgens begann das Bombardement, und währte mit geringen Pausen, die zur Wiederherstellung der Batterien und zu einigen Reparaturen verwendet wurden, bis zum 27sten Juli Vormittags. Die Wirkung des Geschützfeuers der Belagerer war sehr bedeutend; es soll an 50 verschiedenen Orten gezündet haben. Da aber der größere Theil der Häuser massiv ist, auch gute Löschanstalten getroffen wurden, so brannte nur ein Magazin gänzlich aus, während man an andern Orten das Feuer unterdrückte.

Die Franzosen beantworteten das diesseitige Feuer lebhaft, wobei auch in der Stadt Charleville auf mehreren Stellen durch französische Wurfgeschütze Feuer ausbrach. Die Batterien der Belagerer litten unbedeutend. Der diesseitige Verlust bestand in 1 Offizier und 2 Mann an Todten und in 24 Verwundeten. Man hatte diesseits 2800 Wurf und Schuß verbraucht.

Weder die Wirkungen des Bombardements, noch die am 28sten Juli stattgefundene Zusammenkunft des als Commissär des Königs von Frankreich in das Departement der Ardennen geschickten Präfekten Milon de Villiers mit dem Commandanten, Generallieutenant Lemoine, welche in Gegenwart des Chefs des Generalstabes, Obersten v. Witzleben, stattfand, führten zur Uebergabe. Es blieb daher nur übrig, die bereits getroffenen Voranstalten zum ernsten Angriff sofort auszuführen.

Um die Aufmerksamkeit des Feindes nach der Seite der Citadelle hinzuleiten, und um auch die Stelle zu zerstören, wo sich die Quellen des Trinkwassers für die Garnison befanden, wurde den 31sten Juli Abends um 10 Uhr die ungefähr 250 Schritt vom bedeckten Wege der Citadelle entfernt liegende Flesche durch eine Compagnie des Regiments Oldenburg angegriffen. Die Flesche hatte zwei zurückgezogene Flanken, und wurde durch eine, auf beiden Seiten verpallisadirte Kommunikation mit dem Glacis verbunden. Der Feind, in dem Außenwerke überrascht, entfloh durch die Kommunikation nach der Festung, während die diesseitige Infanterie sich der Flesche bemächtigte und 50 Arbeiter bereits vorrückten, um die beabsichtigte Zerstörung auszuführen. Der Feind richtete aber nunmehr ein heftiges Kartätsch- und Gewehrfeuer gegen die Flesche, und verhinderte den Gebrauch der Arbeiter. Die Compagnie mußte sich, nach einem Verlust von 6 Verwundeten, zurückziehen.

Gleichzeitig mit dem Unternehmen wurden auf der entgegengesetzten Seite zwei Brücken über die Maas geschlagen, die eine dicht bei dem Orte Warcq, die andere zwischen dem genannten Orte und dem Dorfe Prix. Zu ihrer Deckung wurden auch sofort zwei Brückenköpfe angelegt, ohne daß der Feind einen Versuch machte, es zu verhindern. Durch diese Arbeiten hatte man sich die Kommunikation nach der Halbinsel St. Julien gesichert, und konnte nun den beabsichtigten Zweck, von hier aus den eigentlichen Angriff zu führen, als vorbereitet annehmen.

Den 1sten August machte der Feind mit einem Detaschement Douaniers zu Pferde und einiger Infanterie einen Ausfall, wurde aber durch die hessischen Jäger zurückgewiesen. In der Nacht zum 2ten August wurde der Angriff auf die Flesche erneuert, und dieselbe auch abwechselnd behauptet und wieder aufgegeben.

Der Verlust bestand in 2 Todten und 26 Verwundeten. Während die Aufmerksamkeit des Feindes nach diesem Punkte hingeleitet war, rückten die Belagerer auf der entgegengesetzten Seite über die nach der Halbinsel St. Julien erbauten Brücken bis auf eine Nähe von

6 bis 800 Schritt gegen das vom Feinde stark besetzte
Dorf St. Julien vor. Die Belagerer warfen hier zwei
Fleschen auf, und besetzten jede durch 1 Bataillon, so wie
die rechts liegende Meierei Voirenne. Der Feind zog sich
bis in die Häuser des Dorfes St. Julien zurück, und
ließ nur seine Vorposten vorwärts derselben stehen. In
der darauf folgenden Nacht vom 2ten zum 3ten August
wurde die dritte Brücke bei dem Dorfe Prix geschlagen,
und auch die Schließung der Fleschen zu Redouten angefangen. Man beunruhigte gleichzeitig die ganze Vertheidigungslinie der Festung durch die Vorposten der Belagerer, und setzte die Allarmirung in den darauf folgenden
Nächten fort, um den Feind über die getroffenen Angriffs-
Maaßregeln in Ungewißheit zu lassen. Aus den auf der
Halbinsel St. Julien gewonnenen festen Punkten ging
man in der Nacht vom 3ten zum 4ten August, durch
Anlegung zweier neuen Fleschen, 300 Schritt von den
zuerst aufgeworfenen vor, und bemächtigte sich gleichzeitig
durch ein Detaschement von 120 Freiwilligen und 50
Jägern der vordersten Häuser des Dorfes St. Julien.
Der Feind leistete lebhaften Widerstand, wurde jedoch,
ungeachtet des anhaltenden Feuers aus der Festung, zu-
rückgeworfen. Gegen Mittag (4ten August) steckte der
Feind den stark verpalissadirten und bis an den Fuß des
Glacis reichenden Theil des Dorfes St. Julien in Brand.

In der darauf folgenden Nacht (vom 4ten zum 5ten
August) wurden die neuerdings angelegten Fleschen zu
Redouten geschlossen.

Aus den zuletzt angelegten Redouten ging man in der
Nacht vom 5ten zum 6ten August in der Richtung des
ersten Hauses des Dorfes St. Julien mit zwei neuen
Fleschen vor, und setzte auch die früher schon angewandte
Haubitzbatterie № 1. in den Gärten von Charleville wie-

der in Stand, wobei man die Schießscharten der neuen
Angriffsdirektion angemessen wendete, so wie auch die Bat=
terie № 2. nicht weit von der ersteren angelegt wurde.
Es war jetzt nur noch nothwendig, den noch vom Feinde
besetzten Theil des Dorfes St. Julien zu nehmen und in
Brand zu stecken, weil er der zweckmäßigen Eröffnung
einer nahen Parallele hinderlich war. Der Versuch, den
man in der Nacht vom 6ten zum 7ten August zur Er=
reichung dieses Zweckes machte, mißglückte. Dagegen
führte man die Arbeit, wodurch die beiden zuletzt aufge=
worfenen Fleschen zu Redouten geschlossen und durch eine
Kommunikation verbunden wurden, ungestört aus. Gleich=
zeitig wurde der Bau der beiden Batterien bei Charleville
fortgesetzt, so wie die Anlage der Batterien № 3. 4. 5.
bei der Mühle les Granges auf der entgegengesetzten Seite
der Festung angefangen.

Ein Ausfall, den der Feind am 7ten August machte,
um die Arbeiten bei les Granges zu zerstören, wurde zu=
rückgewiesen. Der Feind bewarf auch die Redouten auf
der Halbinsel St. Julien lebhaft, so wie auch das Ge=
wehrfeuer aus den von ihm besetzten Häusern den Redou=
ten lästig wurde. Man setzte jedoch in der Nacht vom
7ten zum 8ten August alle bereits angefangenen Arbeiten
fort, so wie man auch die vordersten Redouten mit denen
der zweiten Linie verband.

Die Vorbereitungen zum ernsten Angriffe waren nun=
mehr vollendet. In der Nacht vom 8ten zum 9ten Au=
gust versammelte man 1400 Arbeiter im Depot zu Warcq;
1200 wurden zur Eröffnung der Parallele und zum Auf=
werfen der Kommunikation, und 200 Mann zum Bau
der Batterien in der Parallele bestimmt. Die erste dieser
Batterien wurde zu 4 Stück 10pfündigen Mortieren, die
zweite zu 4 Stück 12pfündigen Kanonen eingerichtet, und

beide erhielten die Bestimmung, den Feind aus den Häusern von St. Julien zu vertreiben.

Zur Deckung der Arbeiter wurde 1 Bataillon in 3 Abtheilungen, welche sich durch Doppelposten verbanden, vorgeschoben. Die Arbeiter setzten sich in zwei Kolonnen in Marsch, und wurden, nachdem die Trace gezogen war, sofort eingestellt. Die beiden Flügel der Parallele lehnten sich an die Maas, die Mitte derselben mußte etwas zurückgezogen werden, weil man noch nicht im völligen Besitze des Dorfes St. Julien war. Der linke Flügel war 480 Schritt vom Saillant des rechts liegenden Theils des Hornwerks, der rechte Flügel 500 und die Mitte 600 Schritt vom bedeckten Wege entfernt. Die Mortier-Batterie in der Parallele (№ 7.) war in einer Einsenkung angelegt, und mit Tagesanbruch zum Werfen fertig, ungeachtet man beim Bau auf sehr steinigen Boden traf, welches die Arbeit sehr erschwerte. Die gleichfalls zur Deckung der Parallele angelegte 12pfündige Batterie (№ 6.) wurde in einem Garten vor der Tranchee erbaut. Aller Anstrengung ungeachtet konnte man die Bettungen nicht fertig erhalten. Von den vordersten Redouten zog man noch zwei Kommunikationen nach der Parallele. Am Morgen des 9ten August war nicht allein die Parallele vollendet, sondern auch die Batterien № 7. und № 6. 1. 2. und 3. völlig armirt.

Es war ½6 Uhr des Morgens, als diese 5 Batterien ihr Feuer begannen. Um 4 Uhr Nachmittags verließ der Feind St. Julien, wo alle Häuser in vollem Brande standen. Die Belagerer richteten hierauf ihr Feuer auf das vorliegende Hornwerk.

Der Feind beantwortete Anfangs das diesseitige Feuer lebhaft, aber ohne große Wirksamkeit. Den Belagerern wurde nur 1 Haubitze demontirt. Als das diesseitige Geschüß sämmtlich gegen das Hornwerk conzentrirt war, nahm die Lebhaftigkeit des feindlichen Feuers ab.

Gegen 6 Uhr Abends verlangte der Feind zu unter=handeln, und sandte demgemäß mit Vollmachten versehene Parlementaire an den Generallieutenant v. Hacke.

Die hierauf am 10ten August abgeschlossene Capitu=lation gab die Festung, mit Ausnahme der Citadelle, wo=hin sich die Besatzung zurückzog, in die Hände der Be=lagerer.

Den 13ten August erfolgte die Besetzung von Me=zieres und die Uebergabe von 30 Geschützen. Die Citadelle wurde, nach einer spätern Uebereinkunft, den 3ten Sep=tember von den Truppen des norddeutschen Corps besetzt. Man fand hier noch 15 Kanonen, 4 Haubitzen und 12 Mortiere nebst einem großen Vorrath von Munition, Ge=schossen und andern Materialien.

Der Verlust der Belagerer während der ganzen Be=lagerung betrug an Todten und Verwundeten 9 Offiziere, 23 Unteroffiziere und 205 Gemeine.

Wenn die Leitung, überhaupt der Gang der Bela=gerungs=Arbeiten bei Mezieres, durch die lokalen Verhält=nisse modifizirt werden mußte, so ist es darum nicht weni=ger interessant zu verfolgen, wie es erst der Einnahme von Charleville und überhaupt des als Außenposten be=setzten Terrains in der Nähe der Festung bedurfte, um eine vollkommene Einschließung, welche immer die wesent=lichste Bedingung für die Anlage einer nahen Parallele sein wird, zu bewerkstelligen. Ferner ist die Festsetzung auf der Halbinsel St. Julien durch Redouten und die dadurch gesicherte nahe Eröffnung der Tranchee gewiß unter den Umständen, wo der Feind noch im Besitz von Außenposten sich befindet, und der Angreifer, einen Fluß im Rücken, seine Arbeiten beginnt, höchst beachtungswerth.

Die Placirung der Batterien geschah auch hier, wie dies schon früher bei den Belagerungen bezeichnet worden ist, mit besonderer Rücksicht auf die nahe Anlage der Parallele, indem man vorzugsweise dahin trachtete, dieselbe durch Flankenfeuer zu sichern, welches besonders bei einem Ausfall des Feindes gegen die Parallele seine Wirksamkeit gezeigt haben würde. Das gleichzeitige Bauen der Batterien mit der Eröffnung der Tranchee wurde auch bei dieser Belagerung in Bezug auf die beiden Batterien zur unmittelbaren Vertheidigung der Laufgräben ausgeführt, und auch in einer Nacht zu Stande gebracht.

Uebergabe der Citadelle von Sedan am 15. Septbr.

Der Generallieutenant v. Hacke, welcher nach der Einnahme von Mezieres sein Hauptquartier nach diesem Orte verlegte, schloß auch noch den 20sten August mit dem Commandanten der Citadelle von Sedan, Generalmajor Choisy, eine Uebereinkunft ab, wonach die Citadelle den 15ten September mit den dort befindlichen 29 Geschützen übergeben werden sollte, welches auch zu seiner Zeit ausgeführt wurde.

Es ist hier noch zu bemerken, daß die beiden kurhessischen Brigaden den 31sten August sich gegen Givet in Marsch setzten, indem der Prinz August beabsichtigte, eine größere Masse von Truppen zur Belagerung von Givet zu conzentriren. Dagegen wurde die 8te Brigade des 2ten Armee-Corps unter die Befehle des Generallieutenants v. Hacke gestellt.

Das norddeutsche Corps bestand demnach jetzt aus der thüringschen Brigade unter dem Generalmajor v. Egloffstein, der 4ten norddeutschen Brigade unter dem General v. Warburg, und der 8ten preußischen Brigade unter dem Generalmajor v. Bose, welche an Stelle der hessischen

Truppen vor Givet anlangte. Die Zahl der Combattan=
ten war zu 16,000 Mann anzunehmen.

**Einschließung der Festung Montmedy; Sturm auf
Medy das in der Nacht vom 14ten zum 15ten
September, und Uebergabe von Montmedy am
19ten September.**

Zu derselben Zeit, als das norddeutsche Corps sich
gegen Mezieres in Marsch setzte, entsendete der General=
lieutenant v. Hacke gegen Montmedy ein Detaschement,
welches den 30sten Juni diesen Ort einschloß.

Diese Festung ist in Verbindung mit Longwy zur
Deckung des Terrains zwischen der Maas und der Mosel
bestimmt. Während Longwy die Straße von Luxemburg
nach Verdun schließt, dient Montmedy dazu, die Straße
auf Stenay und Rheims zu sichern.

Die Lage des Platzes ist sehr günstig. Auf einem
länglich = runden Felsenberge, der ganz isolirt im Thale der
Chiers sich befindet, ist die Festung erbaut. Die umlie=
genden Berge stehen in gar keiner unmittelbaren Verbin=
dung mit der Festung, welche auf drei Seiten mit Wiesen
und Aeckern umgeben und auf der vierten Seite durch
eine starke Vertiefung von den gegenüber liegenden Wein=
bergen getrennt ist. Der höchste felsige Gipfel derselben
ist ungefähr 800 Schritt vom Walle der Festung ent=
fernt. Die Stadt, Medy das genannt, liegt tief im Thale,
zwischen dem Berge, auf dem die Festung gelegen ist,
und der Chiers. Eine crenelirte Mauer, 16 bis 20 Fuß
hoch, vor welcher sich theilweis Gräben befinden, umgiebt
den Ort. Zwei Arme der Stadtmauer ziehen sich den
steilen Berg hinauf, und machen die Verbindung zwischen
der Festung und der Stadt. Die Mauer ist 5 Fuß dick,
und wird durch mehrere kleine hervorspringende Bastions

der Länge nach bestrichen. Eben so sind die beiden gegen die Festung anlaufenden Arme der Mauer von dem bedeckten Wege flankirt. Die Kommunikation mit der Festung besteht innerhalb der Mauern in einem sich am Abhange hinaufwindenden Wege, der durch ein tiefliegendes Thor in die Festung führt. Aus dem zweiten Thore der Festung geht die Straße über Chauvency nach Sedan.

Die bisher stattgefundene Einschließung wurde den 18ten Juni durch den Obersten v. Marschall mit 2 Bataillons Infanterie, 2 Escadrons Dragonern und 40 hessischen Jägern verstärkt.

Den 15ten August übernahm der Erbgroßherzog von Mecklenburg-Schwerin mit seinen Truppen die Cernirung, welche jetzt erst vollständiger ausgeführt werden konnte.

Als die mecklenburgschen Truppen (4ten September) zur Belagerung von Longwy abmarschirten, wurde dem Generalmajor v. Warburg mit dem Regimente Oldenburg, dem Regimente Lippe-Waldeck und dem Mecklenburg-Strelitzschen Husaren-Regimente die Einschließung der Festung übertragen.

Um die nöthigen Vorbereitungen zu einem ernsten Unternehmen auf Montmedy zu beschleunigen, verlegte der Generallieutenant v. Hacke sein Hauptquartier nach Stenay. Auf seinen Befehl verstärkten am 8ten September das 21ste preußische Infanterie-Regiment und 1 Bataillon Weimar die Blokade-Truppen.

Man überzeugte sich, daß erst nach vollendeter engen und zweckmäßigen Einschließung es möglich sei, durch das unerwartete nahe Anlegen von Batterien auf die moralische Stimmung der Garnison zu wirken.

Zur Erreichung dieses Zwecks fand man nöthig,

1) die Orte Thonne les Prez, les Oeuillons und Jrez les Prez stark zu besetzen;

2) ferner auf der Höhe zwischen Thonnelle und Frènois durch Jäger= und Infanterie=Pikets so weit vorzugehen, bis man jenseits der Steinbrüche sich des Punktes bemächtiget hatte, wo sich die Wasserleitung befand, und zuletzt wurde es

3) nothwendig, sich der Stadt Medy bas zu bemächtigen.

Nach diesen Annahmen besetzte der General v. Bose denjenigen Theil der Einschließungslinie, die von Thonne les Prez über les Oeuillons, dem Holz von Monsey bis an die Chiers sich erstreckt. Zwei Bataillons bivouakirten hinter und in dem Gehölz von Monsey. Der Generalmajor v. Warburg schloß sich mit seinem rechten Flügel an die Weinberge seitwärts Thonne les Prez und besetzte Vaux und Jrez les Prez. Ein Bataillon stand im Bivouak auf dem Plateau hinter den Steinbrüchen. Zwei Compagnien bivouakirten zwischen Vaux und dem rechten Flügel des Generals v. Bose. Eine in der Nacht vom 5ten zum 6ten September erbaute Brücke über die Chiers bei Jrez les Prez diente zur Kommunikation.

Als die Belagerungs=Truppen den 9ten September die so eben bezeichnete Stellung einnahmen, suchte der Feind durch ein lebhaftes Feuer dies zu erschweren; besonders richtete derselbe gegen das Holz von Monsey und gegen die Steinbrüche sein Feuer.

Der Generallieutenant v. Hacke, welcher den 10ten September sein Hauptquartier nach Chauvency verlegt hatte, ließ in der Nacht vom 11ten zum 12ten September die Quellen, welche das große Wasserbehältniß bei Montmedy bilden, abdämmen, und zwei Batterien bei den Steinbrüchen erbauen. In der darauf folgenden Nacht

wurde eine Haubitzbatterie angelegt. Da die feindlichen
Besaßungen der in der Nähe von Montmedy belegenen
Festungen eine Beobachtung erforderten, war man genö=
thigt, den 14ten September den General v. Warburg mit
dem Regimente Oldenburg, den Mecklenburg=Strelitzschen
Husaren und 2 Escadrons kurhessischer Dragoner gegen
die Straßen nach Meß, Thionville und Verdun zu deta=
schiren, um dieselben zu beobachten. Die Thüringsche
Brigade füllte die Stelle der abmarschirten Truppen aus.
Der Prinz August von Preußen traf den 14ten August
im Hauptquartier zu Chauvancy St. Hubert ein.

Man hatte während dessen alle Vorbereitungen zu
einem gewaltsamen Angriff auf Montmedy beendigt. In
der Nacht vom 14ten zum 15ten September sollte die
Attake auf zwei Seiten, nämlich auf der nördlichen Seite
von den Steinbrüchen aus, und auf der südöstlichen Seite
von Jrez les Prez her, unternommen werden. Es war
bestimmt, daß 500 Mann, in 3 Kolonnen getheilt, und
von dem Adjutanten Capitain v. Reßdorf und dem Capi=
tain Schmidt der kurhessischen Jäger geführt, den Angriff
in der zuerst bezeichneten Richtung, also von Thonnelle
und Frenois her, ausführen sollten, während 400 Mann,
in zwei Kolonnen getheilt, unter Leitung der Capitains
v. Tuckermann und v. Schödde, die zuletzt genannte Rich=
tung von Jrez les Prez einzuschlagen angewiesen wurden.

Alle fünf Kolonnen sollten Punkt 2 Uhr des Mor=
gens den Angriff beginnen, und zwar die drei ersten Ko=
lonnen unter dem Hauptmann v. Reßdorf am Abhange
des Berges zwischen der Festung und der Porte de France,
und die beiden letzten unter dem Capitain v. Tuckermann
auf der entgegengesetzten Seite am Abhange des Berges
zwischen dem Thore von Jrez les Prez und des Bastions.

Die speziellen Dispositionen erlitten durch den Umstand,

daß die drei Kolonnen, welche von den Steinbrüchen her kamen, und durch das Paſſiren eines ſchmalen Fußſteiges aufgehalten wurden, weshalb ſie erſt um ⅓ Uhr eintreffen konnten, keine nachtheilige Störung.

Die überraſchte feindliche Beſatzung bemerkte erſt im Augenblick der Ausführung den zweckmäßig eingeleiteten Angriff. Am Thore von Luxemburg geſchah der erſte Schuß, dann fing die Wache an der Porte de France zu feuern an. Hierauf wurde ſogleich in der Stadt und in der Feſtung Lärm geſchlagen. Die beiden Kolonnen, welche rechts und links der Porte de France übergehen ſollten, ſahen ſich durch ein lebhaftes Feuer empfangen. Auch fing der Feind ſogleich an, Bomben und Granaten aus der obern Feſtung zu werfen, und mit Kartätſchen zu ſchießen. Deſſenungeachtet erſtieg der Capitain v. Hennert des 21ſten Infanterie-Regiments mit 200 Mann auf 21 Leitern ſofort die Mauer; 100 Mann vom Regimente Lippe-Waldeck erſtiegen ſeitwärts der Porte de France auf 10 Leitern gleichfalls die Mauer, und 150 Mann unter dem Capitain v. Wiedburg führten mittelſt 11 Leitern die Escaladirung bei dem Thore von Luxemburg aus. Der Lieutenant Becherer war beſtimmt, mit 15 Pionieren die verbarrikadirte Porte de France zu eröffnen, ſo wie der Lieutenant Zimmermann mit 10 Pionieren das Thor von Luxemburg gangbar zu machen beauftragt war. Beide Aufträge wurden erfüllt. Eben ſo wurden von der Abtheilung des Capitains v. Hennert 60 Tirailleurs unter dem Lieutenant v. Kleiſt nebſt 15 heſſiſchen Jägern ſogleich nach dem Ueberſteigen der Mauer, gegen den Abhang des Berges, auf dem die Feſtung gelegen iſt, vorgeſchickt. Die rechte Flanke der bezeichneten Kolonnen deckte eine Abtheilung des Regiments Lippe-Waldeck, welche gegen die Chauſſee auf Chauvency detachirt war.

Gleichzeitig hatten die beiden Kolonnen unter dem Capitain v. Tuckermann die ihnen angewiesenen Angriffspunkte erreicht. Die erste Kolonne von 120 Mann des 21sten Infanterie-Regiments, 100 Mann des Bataillons Weimar, und 40 Mann des Regiments Lippe-Waldeck, mit 20 Sturmleitern versehen, wandte sich von der großen Brücke über die Chiers rechts und erstieg hier die Mauer, während eine Abtheilung von 80 Mann, denen 10 Leitern beigegeben waren, links von der Brücke den Angriff ausführte. Die noch übrigen 60 Mann des Regiments Lippe-Waldeck machten einen Scheinangriff gegen das nach Jrez les Prez führende Thor.

Die Abtheilung des Lieutenants v. Schwerin wandte sich unmittelbar, nachdem sie die Mauer erstiegen hatte, gegen den Abhang des Berges, worauf die Festung gelegen, während der Lieutenant v. Haake mit 60 Mann gleich nach der Ersteigung der Mauer sich links gegen das Thor dirigirte. Der Lieutenant v. Wangenheim schloß sich mit einer Abtheilung Pioniere diesem Detaschement an, und ließ das Thor sofort einhauen. Auch wurden die Brunnen und Cisternen zerstört. Nach Tagesanbruch blieben 400 Mann vom 21sten Infanterie-Regiment und 100 Mann vom Bataillon Weimar in der Stadt als Besatzung stehen. Die übrigen Truppen wurden herausgezogen.

Der Verlust des norddeutschen Bundescorps betrug 1 Offizier, 1 Unteroffizier, 8 Mann an Todten, und 4 Offiziere, 7 Unteroffiziere und 87 Mann an Verwundeten. Der feindliche Verlust war bedeutender; vorzüglich aber konnte man den Besitz der Stadt Medy das als einen wesentlichen Vorschritt zum ernsten Angriff auf die Festung ansehen.

In der darauf folgenden Nacht (vom 15ten zum 16ten September) wurde der Bau von 5 Batterien unternommen. Da man jedoch wegen des felſigen Bodens und wegen Mangel an Erde nur mit Faſchinen arbeiten konnte, ſchritt der Bau nur langſam und unter vielen Schwierigkeiten vor.

Der franzöſiſche Commandant, General=Lieutenant Laurent, trug jedoch ſchon am 16ten September auf einen Waffenſtillſtand an, der ihm indeſſen abgeſchlagen, und wobei ihm eröffnet wurde, daß eine Unterhandlung nur auf der Baſis einer unbedingten Uebergabe angeknüpft werden könnte.

Den 19ten September entſchloß ſich indeß der Ge=nerallieutenant Laurent, in die verlangte Uebergabe ein=zuwilligen, welche dieſſeits von dem Oberſten und Chef des Generalſtabes v. Witzleben dahin unterhandelt wurde, daß die Feſtung am 22ſten September von dem nord=deutſchen Corps übernommen, und der franzöſiſchen Be=ſatzung erlaubt wurde, mit 2 Geſchützen zur Armee hinter der Loire abzumarſchiren.

Der Generallieutenant v. Hacke beſtätigte dieſe Ka=pitulation. Man fand in der Feſtung 53 metallene Ge=ſchütze und bedeutende Vorräthe an Munition.

Nachdem am 25ſten September die heſſiſchen Trup=pen zum Armee=Corps zurückgekehrt waren, ſchloſſen dieſe ſich den Kantonnirungen an, welche man dem Corps in den Ardennen angewieſen hatte, und traten einige Zeit darauf mit den übrigen Armeen den Rückmarſch aus Frankreich an.

Es bleibt jetzt noch übrig, die Unternehmung des Gouverneurs von Luxemburg, Generallieutenants Prinzen Ludwig von Heſſen=Homburg, gegen die Feſtung Longwy darzuſtellen, um hierdurch den thatenreichen Feldzug der niederrheiniſchen Armee zu beſchließen.

Ueber

Ueber die Unternehmung gegen Longwy und Einnahme dieser Festung am 14ten September.

Schon im Monat Juni[*], gleich nach dem Gewinn der Schlacht von Belle-Alliance, wurde dem Prinzen von Hessen-Homburg aufgegeben, mit einem Theil der Besatzungstruppen von Luxemburg vor Longwy zu rücken. Er führte dies Unternehmen mit etwas über 2500 Mann der Garnison und 12 Geschützen, worunter 8 Haubitzen und Mörser und 4 Kanonen waren, sofort aus. Vor Longwy angekommen (in der Nacht vom 1sten zum 2ten Juli) wurde die Lünette nebst Blockhaus vor dem Burgunder Thore genommen und die Besatzung zu Gefangenen gemacht. Ein aus der Festung unternommener Angriff brachte diese Lünette jedoch wieder in feindliche Hände. In derselben Nacht begann auch das Bombardement der Festung. Eine hierauf von dem Prinzen von Hessen-Homburg an den Commandanten General Ducos gemachte Aufforderung blieb fruchtlos.

Nachdem am 3ten Juli noch 8 Haubitzen und Mörser aus Luxemburg angekommen waren, so daß man jetzt über 20 Geschütze zu disponiren hatte, wurde am 4ten Juli Nachmittags das Bombardement von Neuem begonnen. Der Feind erwiederte das Feuer mit Heftigkeit und vereinigte sein Geschütz bei dem weitern Beschießen der Festung auf den angegriffenen Fronten. Hierdurch wurden die Majors du Moulin und Keibel veranlaßt, um das feindliche Feuer in Flanke und Rücken zu fassen, auf dem

---

[*] In dem Schreiben des Fürsten Blücher aus Genappe heißt es: daß die Festungen Thionville, Longwy und Montmedy belagert werden sollten. Die Bedingungen, welche den Besatzungen gewährt werden könnten, wurden in demselben festgestellt, und danach modifizirt, ob die Uebergabe nach einer Beschießung oder erst nach einem wirklichen Angriffe erfolgt sei. Am Schluß seines Briefes fügt der Fürst noch hinzu: „Jetzt muß man kühn sein und sich nicht an Theorie und Bücher halten."

II. 24

öſtlich von Longwy am linken Ufer der Chiére liegenden Mont du Chat einen vortheilhaften Punkt zur Aufſtellung einer Haubiß-Batterie auszuſuchen. Am 9ten Juli des Morgens begann die Beſchießung von hier aus, dem Feinde unerwartet und mit dem größten Erfolge.

Obgleich ein ſchnell und heftig um ſich greifendes Feuer große Verheerungen in der Stadt verurſachte, ſo lehnte der Commandant doch jede Unterhandlung ab. Wahrſcheinlich hatte er ſchon, da man die Feſtung wegen Mangel an Truppen nicht einſchließen konnte, von dem zu erwartenden Entſaß Nachricht erhalten. Der Commandant wurde auch durch eine, wenn gleich nicht ſtarke, doch für eine ernſte und nachdrückliche Vertheidigung ganz geſtimmte Garniſon unterſtützt, die eine Menge von Offizieren unter ſich zählte, welche ſich allen Dienſtverrichtungen unterzogen. Außer den eigentlichen Truppen und Nationalgarden, die ſich auf nahe an 2000 Mann beliefen, nahm auch noch die Bürgerſchaft Theil an der Vertheidigung. Auch war die Nähe der Feſtungen Meß und Thionville, die noch nicht vollkommen eingeſchloſſen waren, jeder Unternehmung hinderlich. Schon in der Nacht vom 13ten zum 14ten Juli rückten ſtarke Abtheilungen aus den genannten Feſtungen gegen Longwy vor, und griffen im Verein mit einem Ausfall aus der Feſtung die Belagerer heftig an. Die Einſchließungs-Truppen wurden genöthigt, ſich in der Richtung nach Luxemburg bis Dippach zurückzuziehen, und verloren hierbei 3 Geſchütze, mehrere Laffeten und einige Munition. Sobald jedoch die Avantgarde des 6ten preußiſchen Armee-Corps unter dem General v. Horn in der Gegend von Trier ankam, rückten auch am 24ſten Juli die Einſchließungstruppen wiederum bis nach Aubange, links von der Straße von Arlon nach Montmedy gelegen, vor. Als etwas ſpäter die Brigade des Generals v. Horn sich bei Rodemachern aufstellte und auch die Einschließung der Festung Montmedy vervollständigt worden war, rückte der Prinz von Hessen-Homburg, dessen Truppen durch das Garnison-Bataillon № 19, 2 Escadrons hessischer Dragoner und durch Reconvalescenten sich bedeutend verstärkt hatten, in ein Lager bei Tellancourt, welcher Ort links der Straße von Longuion nach Longwy gelegen ist. Es blieben jedoch 3 Bataillons bei Aubange stehen, um die Straße nach Luxemburg zu decken.

Die jetzt disponiblen Truppen bestanden aus 3 Bataillons des 4ten Elb-Landwehr-Regiments, den 1sten Bataillons des 6ten, 7ten, 8ten westphälischen Landwehr-Regiments, den Garnison-Bataillons № 6, 7, 19 und 24, so wie den Feld-Pionier-Compagnien № 1 und 2, der Mansfeldschen Pionier-Compagnie und den provisorischen Artillerie-Compagnien № 13, 14 und 15. Den 6ten September stießen noch 3000 Mann großherzoglich-mecklenburgsche Truppen unter dem Befehl des Erbgroßherzogs zum Belagerungs-Corps, und den 12ten September wurde dasselbe noch durch das preußische 23ste Infanterie-Regiment verstärkt.

In der Nacht von 10ten zum 11ten August führte man die vollständige Einschließung von Longwy aus, so daß in einem Raum von 800 bis 1000 Schritt um die Festung herum, das Terrain von den Belagerern festgehalten wurde. Man besetzte das Dorf Rehon mit 2 Compagnien, und die Orte Lexy und Sorey durch 6 Compagnien des 4ten Elb-Landwehr-Regiments. Vier Garnison-Bataillons und das noch übrige Elb-Landwehr-Bataillon standen im Grunde von Warnimont. Die 3 Bataillons der westphälischen Landwehr waren hinter dem Mont du Chat placirt. Mit dieser Einschließung wurde zugleich die Eröffnung der ersten Parallele in einer Entfernung von 950

Schritt vom Glacis, vorwärts des Grundes von Warnimont, verbunden. Man bezweckte jedoch eigentlich nur
die Wiederholung eines Bombardements, indem noch immer
die Mittel zu einem fortgesetzten ernsten Angriffe fehlten.

Als daher der französische Commandant, General
Baron Ducos, den 11ten August um Gewährung eines
Waffenstillstandes anhielt, so wie die Entlassung von 2
Offizieren und 421 Nationalgardisten nachsuchte, bewilligte
man ihm beides, weil man hoffte, in einiger Zeit über
mehr Mittel zum Angriff gebieten zu können.

Den 27sten August trafen ungefähr 1500 Mann
Ersatzmannschaften für die Landwehr-Regimenter ein, so
wie vom 7ten September an die großherzoglich-mecklen-
burgschwerinschen Truppen zur Disposition des Prinzen
von Hessen-Homburg gestellt wurden. Die Hälfte dieser
Truppen mußte sofort zur Beobachtung der Festung Thionville aufgestellt werden.

Während dessen hatte man auch den Belagerungs-
Park vermehrt, indem 8 schwere Geschütze aus Luxemburg
herangeschafft wurden, und überhaupt, vom 21sten August
an, eine Anzahl von 26 Stück Geschützen, von denen
16 bei la Colombe und 7 auf dem Mont du Chat aufgestellt wurden, disponibel waren.

Der früher gefaßte Entschluß, ein nochmaliges Bombardement zu versuchen, wurde, nachdem man am 8ten
September den Waffenstillstand aufkündigte, in der Nacht
zum 9ten so ausgeführt, daß außer den schon früher aufgeworfenen Batterien noch eine für drei Wurfgeschütze in
der Gegend von Pulventeur angelegt wurde. Das Bombardement führte man während des 9ten September ohne
andern Erfolg fort, als daß der Feind die Werke bei
Chateauvieux und die dahinter liegende Flesche verließ,
welche die Belagerer besetzten.

In der Nacht vom 9ten zum 10ten September ging man mit der zweiten Parallele gegen die Capitale des Ravelins la Colombe vor. Das Ravelin, so wie die vor demselben liegende Lünette wurden durch 2 Stück 60pfündige Mortiere beworfen. Eine andere Batterie, aus einem Mortier, drei 12pfündigen und einer 6pfündigen Kanone bestehend, wurde zur Rikoschettirung der linken Face des Bastions la Colombe und zur Demontirung der rechten Face desselben Bastions bestimmt, so wie durch sie der linke Flügel der Parallele seine Deckung erhalten sollte. Eine dritte Batterie, aus drei Stück Mortieren und drei 12pfündigen Kanonen zusammengesetzt, sicherte den rechten Flügel der Parallele, und sollte die Enfilirung des angegriffenen Ravelins bezwecken.

Während des 10ten, 11ten und 12ten September dauerte die Beschießung fort, so wie in den dazwischen liegenden Nächten die Arbeiten immer mehr vollendet wurden. Der Feind beantwortete das diesseitige Geschützfeuer lebhaft und stets wirksam*). Anderseits vermehrten sich jedoch die Angriffsmittel der Belagerer, indem schon den 10ten September 20 Stück schweres Geschütz nebst hinlänglicher Munition, so wie den 11ten sechs 10pfündige

---

*) Auf dem Thurm von Longwy, auf welchem sich zwei steinerne Schilderhäuser befanden, war ein alter Unteroffizier mit einem Sprachrohr, welches später mit den Beständen mit übergeben wurde, aufgestellt. Er avertirte die Besatzung von den Bewegungen des Angriffscorps und der Richtigkeit ihrer Schüsse, so laut, daß man es in den Parallelen hörte. Es wurde mit schweren Kanonen nach dem Schilderhause gefeuert, doch gelang es erst spät, das Dach desselben zu treffen. Der Unteroffizier ging nun in das andere, nach welchem vergeblich geschossen wurde. Endlich glückte es, mit einer Bombe die Wendeltreppe des Thurms zu zertrümmern. Er ließ sich hinunter und konnte nicht wieder hinauf. Diese Einrichtung auf dem Thurme, mittelst welcher man alle Falten des Terrains einsehen konnte, bewährte sich für den Vertheidiger vortheilhaft, weshalb dieses Factum hier angeführt worden ist.

Mortiere und 90 Centner Pulver, und am 12ten vier 24pfündige Kanonen eintrafen. Eben so stieß an letzterem Tage das 23ste Infanterie-Regiment zu den Belagerungs-Truppen.

In der Nacht vom 13ten zum 14ten September, in welcher die Parallele durch die Majors du Moulin und Kribel bis zu der am Fuße des Glacis liegenden Lünette Bourgogne geführt werden sollte, beabsichtigte man, sich derselben und des in ihr gelegenen bombenfesten Blockhauses zu bemächtigen. Eine Abtheilung des 23sten Infanterie-Regiments unter Führung des Majors v. Haas erstieg mit Muth die Brustwehr und bemächtigte sich der Lünette. Fünfundzwanzig feindliche Offiziere hatten sich jedoch in das Blockhaus zurückgezogen, und unterhielten hier ein mörderisches Gewehrfeuer auf eine Distanz von 30 Schritt, während die Mittel, den Feind aus dem Blockhause zu vertreiben, sich ungenügend erwiesen. Obgleich der Feind auch von der Festung aus mit Kartätschen auf die preußischen Truppen, welche die Schanzen erstürmt hatten, wirksam schoß, und diese in dem noch nicht vollendeten Laufgraben auch keinen Schutz finden konnten, so dachten sie doch nicht daran, den ehrenvoll erkämpften Posten wieder zu verlassen. Als endlich die vorgerückte Erdarbeit die Angreifer auch gegen die Festung etwas sicherte, blieben sie doch gegen das ganz nahe Feuer aus dem Blockhause ohne allen Schutz.

Die erneuerten Versuche, sich des Blockhauses zu bemächtigen, mißlangen. Nachdem der Tag völlig angebrochen war, unternahm der Lieutenant Gärtner mit 10 Artilleristen den Versuch, Handgranaten in die über den Scharten angebrachten Rauchlöcher des Blockhauses zu werfen. Mehrere Infanteristen der Sturmkolonne nahmen gleichzeitig Pech-Faschinen und steckten diese in die Rauch-

löcher. Obgleich von den 10 Artilleristen 7 und der Lieu=
tenant Gärtner blessirt wurden, und viele der Infanteristen
theils blieben, theils Wunden erhielten, so erreichten sie
doch ihren Zweck, das Blockhaus in Brand zu stecken.

Die Gluth des Brandes und der Rauch im Block=
hause brachte die feindlichen Offiziere auf das Aeußerste.
Sie mußten sich an die Erde werfen um sich vor dem
Ersticken zu retten. In dieser Verfassung waren sie nur
noch im Stande, die Thüren des Blockhauses zu öffnen,
um auf diese Weise ihre Kapitulation zu erkennen zu geben.

Der Verlust der Preußen bei diesem Sturm bestand
in 1 Offizier und 28 Mann von der Infanterie, 10 von
der Artillerie und 9 Pionieren. Die Zahl der Verwun=
deten belief sich auf 5 Offiziere und 195 Mann von der
Infanterie, 1 Offizier und 13 Mann von der Artillerie,
und 1 Offizier und 4 Mann von den Pionieren.

Am Abend des 14ten September verlangte der fran=
zösische Commandant zu kapituliren, und als am folgen=
den Tage der Prinz August von Preußen vor Longwy
eintraf, wurde die Kapitulation wie die bereits früher be=
zeichneten, abgeschlossen, die Besatzung aber nach Metz
geführt und zur Disposition des französischen Gouverne=
ments gestellt. Man fand 65 Geschütze und außerdem viel
Munition und andere Militair=Vorräthe in der Festung.

Die Belagerungs=Truppen bezogen, mit Ausnahme
von drei Garnison=Bataillons, welche unter dem Major
v. Goszicki die Besatzung von Longwy bildeten, Kanton=
nirungen in der Umgegend.

Der Prinz Ludwig von Hessen=Homburg verlegte
sein Hauptquartier nach Longuion. Die Truppen schlossen
sich später dem allgemeinen Rückmarsch an.

Durch die schnelle und kräftige Benutzung des kurzen
Zeitraums von zwei Monaten waren auf diese Weise 10,

und mit Einschließung von Avesnes und Guise 12 Festungen aus dem Festungsgürtel, den die Franzosen so gern als unüberwindlich für ihre Gränzen darstellen möchten, herausgerissen worden, und mithin im Großen eine Bresche gewonnen, die eine umfassende Benuzung, im Fall es nothwendig wurde, zuließ.

Das vorgesteckte Ziel, die Sicherung der Armee zu bewirken, ferner das mangelnde Vertrauen durch eine Unterwerfung zu ersetzen, und dadurch auf die Friedens-Unterhandlungen einzuwirken, war vollkommen erreicht.

Die Ehre der Waffen fand in dem Gewinn von beinah 500 Geschüzen und eines sehr bedeutenden Kriegsmaterials eine glänzende Genugthuung. Außerdem aber ward auch die Erfahrung im Gebiete des Belagerungskrieges sehr bereichert, so wie ein Maaßstab für die Handlungsweise unter gleichen und ähnlichen Verhältnissen gewonnen, der, wenn auch nicht dadurch, daß man nun bei andern Belagerungen eben so verfahren könne, sondern durch die Energie, durch die Benuzung der augenblicklichen Lage und durch die dabei entwickelte außerordentliche Thätigkeit, gewiß stets als höchst nachahmungswerth in der Geschichte der Belagerungskriege überliefert werden wird.

Verfolgt man nun die Belagerungen bei den übrigen Armeen, so ist gleich Anfangs zu bemerken, daß die abweichenden politischen Ansichten sowohl in Rücksicht der Lage Frankreichs, als auch das Einmischen solcher Betrachtungen, die dem augenblicklichen Zweck fremdartig waren, vielfach die Unternehmungen gehemmt, oder doch wenigstens modifizirt haben.

Ueber die Einnahme von Valenciennes, le Quesnoi und Condé.

Die zweite Belagerungs-Abtheilung, durch das englisch-niederländische Heer gebildet, welches unter dem Prinzen Friedrich der Niederlande zum Behuf der Belagerungen zurückgelassen wurde, bestand, wie dies schon früher bemerkt ist, aus der indischen Brigade, der niederländischen Division Stedman und einiger Kavallerie, im Ganzen ungefähr 18,000 Mann.

Der Prinz Friedrich rückte unmittelbar nach der Schlacht von Belle - Alliance zuerst vor Valenciennes, und nahm den 30sten Juni sein Hauptquartier in Curgies. Der französische Commandant, General Roy, früher Adjutant Napoleons, schien zu einer hartnäckigen Vertheidigung entschlossen.

Das in der Nacht vom 1sten zum 2ten Juli stattfindende Bewerfen der Stadt mit glühenden Kugeln und das fortgesetzte Bombardement am darauf folgenden Tage, verursachten, daß ein Theil der Straße von St. Gerie und die Vorstadt Marly abbrannten. Ein Aufstand der Einwohner gegen die schwache Besatzung, wodurch im Tumult selbst einen Augenblick die weiße Fahne aufgesteckt wurde, führte jedoch zu keinem Resultat. Das Bombardement mußte daher fortgesetzt werden. Der Feind bewarf am 4ten Juli des Abends das Dorf Marly mit glühenden Kugeln und Granaten und legte dadurch 200 Häuser in Asche. Eben so entließ der Commandant etwas früher 500 und jetzt wieder 1000 Einwohner, weil sie sich nicht auf 6 Monate mit Lebensmitteln versehen konnten.

Den 12ten August kam jedoch eine Kapitulation in der Art zu Stande, daß die Besatzung entlassen und die Festung von den Bürgern besetzt wurde. Die Lage von Valenciennes gerade auf der direkten Straße von Mons

nach Cambray und weiter gegen Paris, mochte die Veranlassung zum Angriff dieser Festung gegeben haben.
Aus demselben Grunde wurden aber auch die Festungen
rechts und links dieser Straße, nämlich le Quesnois und
Condé, angegriffen.

Die Festung le Quesnois, von den niederländischen
Truppen eng cernirt, dann heftig beschossen, fiel später in
die Hände der Belagerer. Man fand in diesem Platz
51 Kanonen.

Die Festung Condé dagegen vertheidigte der französische Commandant General Bonnaire so lange, bis sich
durch eine getroffene allgemeine Uebereinkunft die niederländischen Truppen in Besitz derselben setzten.

Die näheren Details über die Angriffe der genannten Festungen sind bis jetzt nicht bekannt geworden.

**Ueber die von den Russen eingeschlossenen Festungen
Thionville, Metz, Verdun, Saarlouis und die befestigte Stadt Soissons.**

Die Festungen, welche die russischen Truppen einschlossen, waren Metz, Thionville, Verdun, Saarlouis und
Soissons. Dem 6ten russischen Armee-Corps unter dem
General der Infanterie Grafen Langeron war diese Aufgabe zu Theil geworden. Am 23sten Juli kam jedoch
schon für Metz, so wie am 24sten für Saarlouis zwischen
dem Generallieutenant Grafen Beliard als Gouverneur
von Metz und dem General Grafen Langeron eine Uebereinkunft zu Stande. Sie bestimmte eine Demarkations-
linie, welche von beiden Seiten nicht überschritten werden
durfte, und gab den gegenseitigen Verkehr der Einwohner frei.

Wegen Soissons schloß der General Uschakow mit
dem französischen General Gründler eine Uebereinkunft ab,

nach welcher es der feindlichen Besatzung freigestellt wurde, sich entweder in ihre Heimath oder zur französischen Armee hinter die Loire zu begeben. Die Russen besetzten hierauf am 14ten August die Stadt.

Die Festungen Thionville und Verdun blieben im feindlichen Verhältniß, und es ist bereits angeführt, daß von preußischer Seite während der Belagerungen, namentlich gegen Thionville, Sicherungsmaaßregeln genommen werden mußten.

Ueber die durch einen Theil der Garnison von Mainz unter dem Generalmajor Krauseneck ausgeführten Einschließungen der Festungen Landau und Bitsch.

An die von den russischen Truppen beobachteten Festungen schlossen sich die von dem damaligen Gouverneur von Mainz, Erzherzog Carl von Oesterreich, mit einem Theil der Besatzungs-Truppen veranlaßten Einschließungen der Festungen Landau und Bitsch an. Dem preußischen Commandanten Generalmajor Krauseneck war die unmittelbare Leitung dieser Unternehmungen übertragen worden.

Da man bei der Festung Landau nach vorhergegangenem Bombardement schon den 14ten August zu einer Uebereinkunft gelangte, nach welcher sich der französische Commandant General Geuder für Ludwig XVIII. erklärte, die Nationalgarden entließ und nur die städtischen den Dienst in der Festung übernahmen, so waren die Bedingungen erfüllt, die man höheren Orts aufgestellt hatte. Dies Verhältniß dauerte bis zum definitiven Frieden fort, durch welchen Landau Bundesfestung wurde.

In Beziehung der Festung Bitsch, welche gleichfalls preußische Truppen einschlossen, wurde unter gleichen Bedingungen wie für Landau eine Uebereinkunft abgeschlossen, und auf diese Weise derselbe Zweck wie bei Landau erreicht.

Die vierte Belagerungs-Abtheilung umfaßte die Einschließung der Festungen des obern Elsaß, so wie die Beobachtung des Plaßes Belfort. Eine förmliche Belagerung wurde nur bei Hüningen ausgeführt. Die bei dieser Belagerungs-Abtheilung verwendeten Truppen waren
aus österreichschen, sächsischen, würtembergschen und groß-
herzoglich-hessischen Contingenten zusammengesetzt. Die
Stärke dieses Corps betrug 25 Bataillons, 20 Escadrons
mit 8 Brigade-Batterien, einer 12pfünder- und einer
österreichschen reitenden Batterie, nebst 44 Stück sächsischen Feldgeschützen.

Den Oberbefehl führte der Erzherzog Johann von
Oesterreich.

Ueber die Einschließung von Straßburg.

Die Festung Straßburg wurde noch besonders durch
das 2te österreichische Armee-Corps, ferner durch die Division des Feldmarschall-Lieutenants Grafen Vaquant, und
durch badensche Truppen unter dem General v. Schäfer
eingeschlossen.

Den Oberbefehl führte hier der Fürst v. Hohenzollern,
welcher, wie dies früher bemerkt ist, den Kronprinzen
von Würtemberg vor Straßburg ablösete.

Die Einschließung von Straßburg konnte nur auf
der Nordseite, und auch hier nur unvollkommen ausgeführt werden, wozu der Umfang der Festung, vorzüglich
aber die bedeutende feindliche Truppenmasse, die hier versammelt war, beitrug. Es war den 3ten Juli, als die
Avantgarde des 2ten österreichischen Armee-Corps, indem
sie sich zur Ablösung des Armee-Corps des Kronprinzen
von Würtemberg der Festung näherte, vorwärts Straßburg bei Fegersheim mit dem Feinde ein Gefecht zu bestehen hatte, in Folge dessen die Franzosen sich gegen

Straßburg zurückziehen mußten. Eben so wurde ein am Abend desselben Tages unternommener Versuch, auf der Rheinstraße über Eschau in die rechte Flanke des österreichschen Vortrabs vorzurücken, zurückgewiesen.

Nachdem die Einschließung der Festung etwas vollständiger bewirkt war, versuchte der General Rapp am 9ten Juli, mit einem großen Theil seiner Besatzung in zwei Kolonnen gegen die von der österreichschen Division Mazzuchelli besetzte Stellung von Ober= und Mittel-Hausbergen einen Ausfall zu machen, durch welchen er auch einige Vortheile erlangte und bis zu den Höhen hinter den genannten Orten vorrückte. Das Heranrücken von badenschen Truppentheilen, so wie die Verstärkung, welche die Oesterreicher erhielten, stellte das Gefecht nicht allein wieder her, sondern bewirkte auch den etwas übereilten Rückzug des Feindes, bei welchem derselbe einen nicht unbedeutenden Verlust erlitt.

Die durch die Einnahme von Paris und durch die Wiederkehr Ludwigs XVIII. veränderten allgemeinen Verhältnisse bewirkten jedoch, daß am 22sten Juli zwischen dem Fürsten von Hohenzollern und dem General Grafen Rapp ein Waffenstillstand abgeschlossen wurde, der nicht allein für Straßburg, sondern auch für alle im Elsaß gelegene Festungen gültig sein sollte, und welchem zufolge erst nach Verlauf einer 10tägigen Aufkündigung die Feindseligkeiten wieder beginnen könnten. Es wurden Offiziere mit diesen Bestimmungen auch nach den übrigen Festungen im Elsaß gesandt, welche Maaßregel jedoch, da die Befehlshaber nicht Folge leisteten, keinen allgemeinen Einfluß gewann.

Nachdem am 9ten August die Nationalgarden in ihre Heimath entlassen waren, bezogen die Blokade=Truppen Kantonnirungen.

Der Prinz von Hohenzollern verlegte sein Haupt=
quartier nach Hagenau.

Als jedoch am 2ten September, dem Befehl des
Königs von Frankreich zu Folge, die Linien=Truppen in
Straßburg entlaffen werden follten, entftand ein Aufftand,
bei welchem die Soldaten ihre eigenen Generale und Offi=
ziere arretirten. Hierdurch fand man fich diesfeits ver=
anlaßt, Straßburg von neuem einzufchließen. Die feind=
lichen Truppen, welche jedoch ihren rückftändigen Sold
durch Vorfchuß von den Einwohnern von Straßburg er=
halten hatten, verließen am 6ten September die Feftung,
wodurch die Ruhe wieder hergeftellt wurde.

Die öfterreichfchen Truppen des 2ten Armee=Corps
traten hierauf den 15ten September ihren Abmarfch aus
Frankreich an, und paffirten bereits den 18ten bei Fort
Louis und auf der Schiffbrücke bei Markolsheim den Rhein.

**Ueber die Feftungen Lichtenberg, la Petite Pierre
und Pfalzburg.**

Die Feftungen Lichtenberg und la Petite Pierre, zwi=
fchen Bitfch und Pfalzburg, auf dem nördlichen Abhange
der Vogefen gelegen, wurden blos, weil fie bedeutende
Vorräthe an Munition und Lebensmitteln enthielten, ein=
gefchloffen. Bei einem Aufftande der Einwohner mußte
man hierauf mehr Rückficht nehmen, als auf die Befatzun=
gen, welche in beiden Plätzen fehr gering waren.

Der Befitz der Feftung Pfalzburg wurde dadurch,
daß man die Kommunikation, wie dies fchon im Jahre
1814 gefchehen war, mehr nördlich durch das Craufthal
verlegte, weniger nöthig. Man fchloß daher den Platz
blos ein. Von dem Augenblick an, als fich der Comman=
dant General Barthelemy für Ludwig XVIII. erklärte,
wurde die Feftung ganz frei gelaffen.

Einschließung der Festung Belfort.

Dagegen mußte die Festung Belfort, wohin sich ein Theil des Corps des Generals Lecourbe zurückgezogen hatte, so daß sie als stark besetzt anzunehmen war, anfänglich von dem 1sten österreichschen Armee=Corps, wie dies auch schon früher bemerkt worden ist, enge eingeschlossen werden. Später beobachtete man jedoch die Festung nur durch Truppen, die dem Befehl des Erzherzogs Johann untergeordnet waren.

Einnahme von Auxonne.

Oesterreichscher Seits legte man auf die Einnahme der Festung Auxonne, auf der großen Straße nach Dijon und im Thale der Saone gelegen, einen großen Werth. Der Platz war mit vielem Geschütz, so wie mit allen Kriegs= und Mundbedürfnissen wohl ausgerüstet.

Nachdem der Commandant, Oberst Macon, jede Unterhandlung verweigert hatte, befahl der Erzherzog Ferdinand, daß die Division des Feldmarschall=Lieutenants von Stutterheim von der österreichschen Reserve die Festung enge einschließen solle.

In der Nacht vom 26sten zum 27sten August wurden 4 Batterien auf der östlichen und westlichen Seite der Stadt erbaut und mit den nöthigen Kommunikationen versehen. Das Bombardement begann in der darauf folgenden Nacht mit vieler Wirkung. Das zur Deckung der Geschützaufstellung verwendete 1ste Jäger=Bataillon leistete vortreffliche Dienste, indem einzelne Abtheilungen sich bis nahe an die Wälle heranschlichen, wodurch die Unordnung in den Werken der Festung vermehrt wurde. Der die Vertheidigung leitende französische Ingenieur=Offizier wurde bei dieser Gelegenheit durch einen Schuß getödtet.

Am folgenden Tage, den 27ſten Auguſt, verlangte der franzöſiſche Commandant zu kapituliren. Man bewilligte der Garniſon, ſich mit 2 Feldgeſchützen auf das linke Ufer der Loire zu begeben.

Ueber die Einſchließungen der Feſtungen Schlettſtädt und Neu-Breiſach.

Die Truppen, welche die Einſchließung von Schlett=ſtadt, ſo wie von Neu=Breiſach und dem Fort Mortier ausführten, wurden anfänglich von der Oberrhein=Armee genommen. Vom 4ten Juli an übernahm die würtem=bergſche Landwehr=Brigade unter dem General v. Stock=mayer die Einſchließung von Schlettſtadt.

Die franzöſiſche Beſatzung beſtand aus 6 Bataillons gut geübter Nationalgarden unter dem General Berkheim und einigen Linientruppen, überhaupt aus 6000 Mann.

Der Commandant von Schlettſtadt, Brigadegeneral St. Suzanne, machte mehrere Ausfälle, und zeigte über=haupt den Willen, ſich zu vertheidigen.

Den 13ten Juli traf daher der Feldmarſchall=Lieute=nant Graf Mazuchelli mit Verſtärkungstruppen von Straß=burg vor Schlettſtadt ein, und führte nun eine engere Ein=ſchließung der Feſtung aus.

Am 14ten und 16ten Juli machte die feindliche Be=ſatzung Ausfälle gegen Käſtenholz und Schnellenbühl, wurde aber beide Male von den öſterreichſchen und wür=tembergſchen Truppen kräftig zurückgewieſen.

Von dieſem letztern mißlungenen Ausfall an verhielt ſich der Feind ganz ruhig, und am 21ſten Juli ſchloß der Feldmarſchall=Lieutenant Graf Mazuchelli mit dem Com=mandanten von Schlettſtadt einen Waffenſtillſtand auf 6 Tage ab, welcher jedoch in der Folge verlängert, und bis zum Friedensſchluß nicht mehr unterbrochen wurde.

Nach=

Nachdem die Truppen, welche die unter den eingetretenen Verhältnissen nur noch nöthige leichte Einschließung der Festung Schlettstadt fortführten, zur Belagerung von Hüningen abmarschirt waren, übernahmen vom 15. August an die sächsischen Truppen unter dem Oberbefehl des Herzogs von Sachsen-Coburg die fernere Beobachtung von Schlettstadt bis zum definitiven Friedensschluß.

Die Festung Neu-Breisach und das Fort Mortier wurden von österreichschen und badenschen Truppen unter dem General v. Volkmann eingeschlossen. Die feindliche Besatzung machte auch hier mehrere Ausfälle, die aber stets mit Erfolg zurückgewiesen wurden.

Der französische Commandant General Dremencourt erklärte sich einige Wochen später, als der Commandant von Schlettstädt, für Ludwig XVIII. und es traten dann hier dieselben Verhältnisse, wie bei der Festung Schlettstädt, ein.

Die früheren Einschließungstruppen marschirten zur Belagerung von Hüningen ab, und die sächsischen Truppen unter dem Oberbefehl des Herzogs von Sachsen-Coburg übernahmen auch hier die fernere Einschließung bis zum Abmarsch sämmtlicher Armeen aus Frankreich.

Die nicht vor den beiden zuletzt genannten Festungen verwendeten königlich-sächsischen Truppen bezogen unter dem Befehl des Generallieutenants le Coq im obern Elsaß Kantonnirungen. Das Hauptquartier des Herzogs von Coburg befand sich in Colmar.

Belagerung der Festung Hüningen und Einnahme derselben am 26sten August.

Es bleibt jetzt nur noch übrig, die Belagerung von Hüningen, zu welcher sich die gemeinsamen Anstrengungen der disponiblen Belagerungs-Truppen am Oberrhein vereinigten,

II.   25

näher zu bezeichnen. Da es aber auch zugleich die einzige ganz durchgeführte Belagerung war, welche, außer den unter dem Oberbefehl des Prinzen August von Preußen unternommenen, im Feldzuge 1815 statt fand, so wird es von Interesse sein, einige Details zu bezeichnen, welche der Erfahrung lehrreiche Vergleichungspunkte darbieten können. Man ist bei Aufzeichnung der Thatsachen den österreichschen Quellen gefolgt, und glaubt dadurch die Bülletin-Nachrichten der Franzosen am besten beseitigt zu haben.

Die erste Einschließung der Festung Hüningen geschah am 26sten Juni durch Truppen, welche unter dem Befehl des Erzherzogs Ferdinand von Este standen, und die, wie dies schon bemerkt ist, zu den Truppen der Oberrhein-Armee gehörten.

Am 27sten Juni übernahm der Feldmarschall-Lieutenant Baron Mariassy mit 4 Bataillons Infanterie, 3 Escadrons Kavallerie nebst einer 3pfündigen reitenden Batterie die Blokade. Diese Truppen gehörten zu dem früher in seiner Stärke und Zusammensetzung bezeichneten Corps des Erzherzogs Johann von Oesterreich. Auch kann man die aus 6000 Mann bestehenden Schweizer-Truppen, welche unter dem Obersten D'Affry Basel besetzt hielten, und soweit die Gränze der Schweiz es erforderte, Antheil an der Einschließung nahmen, mit hinzurechnen.

Die feindliche Besatzung wurde auf 3000 Mann angenommen, und stand unter dem Befehl des Generals Barbenegre und des Commandanten Obersten Chancel. Es befanden sich 101 Geschütze in dem Platze, so wie Munition und Lebensmittel zu einer langen Vertheidigung hinreichend vorhanden waren. Die Festung zeigte sich in einem vollkommenen Vertheidigungsstande. Man hatte die schon vorhandenen Werke durch eine Redoute vermehrt,

welche unfern des linken Rheinufers-nahe an dem Denkmal des im Jahr 1797 während der Belagerung gebliebenen Generals Abbaduccy, auf 150 Klaftern vorwärts
der Lünetten erbaut worden war. Die Stimmung der
Linien-Truppen so wie der Bürger, welche den Dienst
verrichteten, sprach sich für eine standhafte Vertheidigung
aus. Die Nationalgarden der Umgegend liefen hingegen
davon, so wie sich die Gelegenheit dazu darbot.

Am 28sten Juni wurde die vollständige Einschließung
von Hüningen durch den Erzherzog Johann so angeordnet, daß die Postenlinie 4- bis 500 Klaftern von dem
Kamm des Glacis entfernt aufgestellt wurde, und sich auf
beiden Ufern des Rheins bis an die Schweizer Gränze
ausdehnte.

Der Feind hatte bis jetzt gegen die Belagerer nichts
unternommen. Den 28sten Juni wurde jedoch die Stadt
Basel aus der Redoute Abbaduccy, ohne einen bedeutenden Schaden zu erleiden, beworfen. Obgleich diese nutz-
lose Beschießung nicht anders, als durch einen baldigen
ernsten Angriff abgebrochen werden konnte, so fehlte es
doch hierzu durchaus an Belagerungs-Geschützen, welche
um diese Zeit sich noch ruhig in Prag und Linz befanden.

Da die Aufforderung zur Uebergabe, so wie die am
3ten Juli nochmals gemachten Vorstellungen über die Lage
Frankreichs, den Commandanten zur Uebergabe nicht bewogen, auch die ihm angezeigte Kapitulation von Paris
keine Aenderung in seinen Entschlüssen herbeiführte, so
blieb nur die Anwendung der Gewalt zur Erreichung des
vorgesteckten Ziels übrig. Der Erzherzog hatte schon früher
zur Herbeischaffung von Belagerungsmitteln sich an die
Tagssatzung gewandt, um das in der Schweiz befindliche
schwere Geschütz zur Disposition zu erhalten.

Den 15ten Juli langten von Zürich zwei 20pfünder,

ein 18pfünder, zwei 80pfündige und zwei 30pfündige Böller mit einiger Munition an.

Da diese Geschütze nicht hinreichten, um einen ernsten Angriff zu unternehmen, so trug ihre Herbeischaffung zur Beschleunigung der Belagerung nichts bei. Der Erzherzog sandte indeß den General Fasching von der Artillerie mit dem Auftrage nach Ulm, alles daselbst etwa befindliche Geschütz vor Hüningen zu schaffen. Man fand aber nur zwei 18pfündige Kanonen, welche auch sofort mit einiger Munition abgesandt wurden. Der General Fasching ging hierauf dem großen österreichschen Belagerungs-Train entgegen, um seine Herbeischaffung zu beschleunigen.

Vor Hüningen war indeß bis zum 26sten Juli alles ruhig geblieben. An diesem Tage wurde Basel abermals 2 Stunden aus der Redoute Abbaduccy beworfen.

Der Erzherzog Johann konnte, um Basel zu schützen, nur versuchen, durch Unterhandlungen Zeit zu gewinnen, indem er sich noch immer nicht in der Lage sah, durch Gewalt entgegenwirken zu können.

Es wurde daher unter dem 28sten Juli dem Commandanten von Hüningen der Antrag zu einem Waffenstillstande gegen 2= bis 3tägige Aufkündigung gemacht, ihm auch freigestellt, einen Offizier nach Paris zu senden, um sich vom Kriegsminister Verhaltungsbefehle einzuholen. Der Commandant lehnte alle diese Anträge ab, und zog es vor, die wahre Absicht des Bombardements von Basel zur Sprache zu bringen. Er forderte nämlich am 30sten Juli von der Stadt Basel 300,000 Franken, 4000 Ellen Tuch, 4000 Ellen Leinwand und 4000 Paar Schuhe als Requisition, wogegen er versprach, die Stadt ferner nicht mehr zu beunruhigen. Um Zeit zu gewinnen, gab der Stand Basel vor, der Tagsatzung die Schlichtung dieser Angelegenheiten übertragen zu haben.

Der Erzherzog fand es jedoch nothwendig, um die wirksame Beschießung der Stadt zu erschweren, die Redoute Abbaduccy vom rechten Rheinufer her zu bedrohen. Es wurden demnach drei Batterien auf dem rechten Rheinufer so angelegt, daß die eine am linken Ufer der Wiesent, bei ihrer Einmündung in den Rhein, aus 4 Böllern und 3 Haubitzen bestehend, die zweite im Dorfe Klein=Hüningen, aus zwei 24pfündern und einem 18pfünder zusammengesetzt, und die dritte vor Klein=Hüningen am Rhein, für zwei 12pfündige Kanonen eingerichtet, ihr Emplacement erhielten.

Die beiden ersten Batterien waren bestimmt, die Redoute Abbaduccy in dem Augenblick zu beschießen, wenn aus derselben gegen Basel gefeuert würde. Die dritte Batterie sollte die Kommunikation der Redoute mit den dahinter liegenden Fleschen bestreichen.

Am 4ten August war der Bau der Batterien vollendet, und dieselben armirt. Auch hatte man Gräben für Züricher Schützen aufgeworfen. Das sichere Feuer derselben erschwerte bei Tage die Kommunikation der Redoute mit dem Platze bedeutend. Sobald der Feind den diesseitigen Batterie=Bau bemerkte, begann er den Bau eines Blockhauses in der Redoute Abbaduccy.

Am 15ten August war der erste Transport der Belagerungs=Geschütze bei Weil eingetroffen, der zweite wurde am 17ten und der dritte am 21sten erwartet. Eben so waren die zur Belagerung bestimmten Truppen angelangt, und hatten ein Lager hinter Burgfelden bezogen. Drei Parks wurden angelegt, zwei auf dem linken, und einer auf dem rechten Rheinufer. Das Belagerungs=Corps bestand um diese Zeit aus 13 Bataillons, 2 Escadrons*),

*) Feldmarschall=Lieutenant Baron Mariassy.
Graf Kollowrat Linien=Infanterie=Regiment 2 Bat.
Kaiser Alexander 4. Bat.   .   . 1

einer Abtheilung des Bombardier-Corps und 2 Feld-Compagnien. Das 4te Bataillon des Regiments Herzog v. Würtemberg war der Artillerie als Handlanger zugewiesen. Außerdem befanden sich 1½ Compagnien Mineurs und 2 Compagnien Sappeurs bei den Belagerungs-Truppen. Der Erzherzog hatte noch ausgewirkt, daß sämmtliche disponiblen Ingenieur-Offiziere der am Rhein befindlichen Truppen der Belagerung beiwohnen sollten. Die Ingenieure waren in vier Brigaden getheilt, wovon jede 24 Stunden in den Laufgräben verblieb.

Die Schweizer, welche gleichfalls Antheil an den Belagerungs-Arbeiten auf dem rechten Rheinufer nahmen, ließen auch das Schweizer Geschütz durch ihre Artillerie bedienen.

Bei den vorzunehmenden Belagerungs-Arbeiten rechnete man für jede Nacht 2500 Mann, welche alle zwölf Stunden durch eine gleiche Anzahl abgelöst wurden. Nach Abzug der Schweizer-Truppen hatte man nicht viel über 12,000 Mann disponibel. Man bot demnach 400 französische Bauern auf, um zu den am wenigsten gefährlichen Arbeiten verwendet zu werden.

Das zur Belagerung bestimmte Geschütz bestand in 99 Stück österreichschen und 9 Stück Schweizer, in Allem 108 Geschützen.

Bellegarde 4. Bat.	1 Bat.
Jof. Colloredo 4. Bat.	1 ′
Herzog v. Würtemberg 4. Bat.	1 ′
Erstes Szekler Grenz-Regiment	1 ′
Kaiser Franz Chevl. ′	2 Esc.
	Zusammen 7 Bat. 2 Esc.
Großherzoglich-badenscher Generallieutenant Graf Hochberg.	
Kaiser Franz Linien-Infanterie-Regiment	3 Bat.
Königl. würtemberg. Landw.	2 ′
Hessendarmstädter Leib-Regiment	1 ′
	Zusammen 6 Bat.
	Im Ganzen 13 Bat. 2 Esc.

Den 15. August traf noch die Brigade des Gen. v. Stockmayer, aus 3 Bat. würtemb. Landwehr und 2 Bat. Hessen-Darmstädter bestehend, vor Hüningen ein.

In dem österreichischen Park befanden sich für jede Kanone 1000 Kugelschüsse und für jeden Böller und jede Haubitze 500 Würfe. Die Eidgenossenschaft hatte das Schweizer Geschütz blos mit Eisenmunition versehen, und auch diese war bei weitem nicht hinreichend.

Nachdem der Erzherzog Johann die Mittel zur Belagerung disponibel gemacht hatte, entschied er sich für den Angriff derjenigen Front der Festung, welche mit ihrer linken Flügel=Bastion an den Oberrhein anstößt. Die Verlängerung der Polygon=Seite dieser Front gegen das rechte Ufer traf die Mitte der Schusterinsel, auf welcher der 1797 zerstörte Brückenkopf erbaut gewesen war.

Vor der anzugreifenden Front befand sich in einer Entfernung von 60 Klaftern, vorwärts der vorgelegten und später noch näher zu bezeichnenden Lünetten, ein hoher Erdrand, der, am linken Rheinufer anfangend, sich längs der anzugreifenden Werke hinzog, und sich dann von der Festung entfernend gegen Bourglibre wandte. Auf der Höhe des erwähnten Erdrandes lag die Redoute Abbaducci. Die 12 Fuß tiefen Gräben derselben waren verpfählt, die Kehle mit einer Pfahlbrustwehr geschlossen. Zwei geräumige Lünetten, 150 Klafter rückwärts der Redoute, hatten 10 Fuß tiefe Gräben, und lagen, so wie alle andern Vorwerke, mit Ausnahme der Redoute Abbaducci, in der Tiefe. Hinter den Lünetten befand sich ein gemauertes großes Hornwerk, dessen Flügel bis an den Fuß des Glacis des Platzes reichten. Es hatte nach Vaubans erster Manier kleine Halb=Bastions mit Orillons, ein kleines Ravelin nebst Reduit, und war an der Kehle durch eine mit Schießlöchern versehene Mauer geschlossen. An den Flügeln befanden sich Abschnitte. Die Gräben dieses Werkes liefen nicht mit dem Hauptgraben zusammen. Der bedeckte Weg des Platzes war palissadirt;

die eingehenden Waffenplätze ohne Abschnitte. Die Contrescarpe war gemauert, der Hauptgraben, so wie jener der Außen= und Vorwerke, trocken. Minen waren jedoch nicht vorhanden. Die Umfassung, nach Vaubans erster Manier erbaut, hatte 30 Fuß hohe Mauern. Vor der Courtine lagen ein Ravelin sammt Reduit uud eine Tenaille. Vor dem Wasser=Bastion, dicht am Rhein, war ein gemauertes Werk, an welches sich eine gemauerte Enveloppe anschloß, bestimmt, das Gemäuer der Wasserfronte zu decken.

Die nach der Landseite anschließenden beiden Bastions waren jedes mit einem Cavalier versehen, deren Erdböschungen aber den innern Raum des Werkes und der Bastions sehr beengten.

Das hohe Erdreich vor der gewählten Angriffsfront und die Möglichkeit, diese Seite von dem rechten Ufer in Flanke und Rücken zu nehmen, waren Vortheile, welche man nicht unbenutzt lassen durfte. Außerdem, daß man von der Höhe den Demontir=Batterien eine günstige Lage geben konnte, entdeckte man von da auch die Mauer=Verkleidungen der Hauptumfassung bis an die Hälfte ihrer Höhe. Bei jedem andern Angriffe hätte man auch mit mehreren Fronten der Festung zugleich anbinden müssen, während auf dieser Seite nur die Einnahme der Lünetten einige Schwierigkeiten haben konnte.

Nachdem bis zum 17ten August die nöthige Munition und die erforderlichen Materialien bereitet waren, wurden in der Nacht vom 17ten zum 18ten die Laufgräben auf beiden Rheinufern eröffnet.

Auf dem rechten Ufer bestand die Arbeit aus einer längs des Rheines, vor= und abwärts Klein=Hüningen geführten Parallele von 700 Klaftern Länge, welche sich bis an das Ende der Schusterinsel erstreckte. Ferner aus einer rückwärts derselben nach Neuhaus geführten, 900 Klaftern langen Kommunikation. 2400 Mann Arbeiter wurden angestellt.

Bei Tagesanbruch waren die Arbeiter zwar eingegraben, die Vollendung der Parallele wurde jedoch in den folgenden Tagen bewirkt. Auf dem linken Ufer ging man von den letzten Häusern des Johannis=Thores von Basel, vorwärts der Straße nach Bourglibre, und zog eine 360 Klaftern lange Kommunikation, und am Ende derselben eine 150 Klaftern lange Halbparallele gegen die Redoute Abbaduccy, deren rechter Flügel sich an den Fluß stützte. 1000 Arbeiter gruben sich hier bis gegen Morgen ein. Die Halbparallele war 200 Klaftern von der Redoute entfernt.

Am Tage des 18ten erweiterte man die begonnenen Arbeiten. Die Artillerie steckte die Batterien aus, und zwar: in der Halbparallele auf dem linken Ufer, eine Demontir=Batterie auf dem Horizont des Erdreichs für 4 80pfündige Kanonen, und eine Wurf=Batterie, aus 4 30pfündigen Böllern formirt. Beide Batterien hatten ihre Bestimmung gegen die Redoute Abbaduccy. Auf dem rechten Rheinufer war die Parallele am 18ten noch nicht gangbar, weshalb die Aussteckung der Batterien hier unterbleiben mußte.

In der zweiten Nacht, vom 18ten zum 19ten, setzte man die Arbeiten an den Parallelen fort. Die Artillerie begann den Bau der beiden Batterien in der Halbparallele.

Eben so benutzte man den 19ten. Der Commandant verlangte an diesem Tage einen Waffenstillstand, und wollte einen Offizier nach Paris senden. Diese Anträge, welche ihm früher von den Belagerern gemacht waren, die er jedoch damals abgelehnt hatte, wurden nun auch ihm abgeschlagen.

In der dritten Nacht, vom 19ten zum 20sten, begann der Bau der Batterien in der Parallele auf dem rechten Ufer. Es wurden drei Demontir-, zwei Rikoschett- und drei Wurf-Batterien angefangen. Während des 20sten schritt der Batteriebau und die fortgesetzte Arbeit der Parallele nur langsam vor, theils weil der Feind ein heftiges Feuer gegen die Arbeiter unterhielt, theils auch, weil man auf Grundmauern des alten Brückenkopfs stieß, welche man durchbrechen mußte.

In der vierten Nacht wurde auf dem rechten Ufer noch die Arbeit zu einer Haubitzbatterie angefangen. Auf dem linken Ufer beendigte man den in der zweiten Nacht begonnenen Batterie-Bau. Auch wurde vor dem Dorfe Bourglibre eine neue Kommunikation aufzuwerfen angefangen, welche in zwei Wendungen zusammen in einer Länge von 500 Klaftern bis an den Erdrand reichen sollte, welchen entlang die zweite Parallele zu eröffnen beschlossen war.

In der fünften Nacht wurde der Batteriebau auch auf dem rechten Ufer, bis auf eine Demontir-Batterie, beendigt, und später das Geschütz eingeführt. Die Schweizer fingen auch an, eine neue Batterie auf 2 Haubitzen einzurichten.

Den fünften Tag von Eröffnung der Laufgräben an, war man mit allen Arbeiten so weit vorgerückt, daß den 22sten August, Vormittags 10 Uhr, das Feuer gegen die Festung beginnen konnte. Auf dem rechten Rheinufer befanden sich, mit Einschluß der während der Blokade erbauten drei Batterien, in Allem 11 Batterien mit 40 Geschützen armirt.

Eine Stunde später, um 11 Uhr des Morgens, fingen auch die Batterien in der Halbparallele auf dem linken Ufer gegen die Redoute Abbabucey zu feuern an. In zwei Stunden waren die Schießscharten des Werks zerstört. Das Blockhaus mit der darin befindlichen Munition flog in die Luft. Die Besatzung flüchtete sich größtentheils zu den Belagerern.

Es wäre nichts leichter gewesen, als die verlassene Redoute sogleich zu besetzen. Man glaubte jedoch dies Werk nur mit bedeutendem Menschenverlust behaupten zu können, und zog es vor, die Besetzung erst mit Einbruch der Nacht auszuführen. Man wollte alsdann auch die Kommunikation mit den rückwärts liegenden Belagerungs-Arbeiten herstellen. Im Fall der Feind die Redoute wie früher wieder besetzen sollte, hatte man 600 Mann beordert, um sie mit Sturm zu nehmen. Das Feuer der Belagerer wurde den ganzen Tag mit Erfolg fortgesetzt, und von der Festung mit vielem Nachdruck beantwortet.

In der sechsten Nacht wurden die durch das feindliche Feuer beschädigten Batterien ausgebessert, und das Feuer gegen die Festung nur schwach unterhalten. Dagegen wurde die vom Feinde verlassene Redoute Abbaducey durch 100 Mann besetzt; die Palissaden im Graben umgehauen und derselbe zu ebnen angefangen. Zugleich fing man auch an, mit 2000 bewaffneten Arbeitern die zweite Parallele jenseits der Redoute zu eröffnen. Sie stützte ihren rechten Flügel an den Rhein und war hier durch eine 300 Klaftern lange Kommunikation mit der Halbparallele verbunden. Der linke Flügel der zweiten Parallele endete an der Straße von Bourglibre nach Hüningen, wo die schon früher bemerkte Kommunikation einlief. Die ganze Länge der Parallele betrug 700 Klaftern. Sie war 100 Klaftern von den Vorwerken der Festung entfernt, weshalb die Arbeiten mit der fliegenden Sappe geschahen. Der Feind, welcher den Fortgang der Arbeiten sogleich entdeckte, und mit Kartätschen und aus Klein-Gewehr schoß, bewirkte jedoch nur einen unbedeutenden Verlust bei den Belagerern.

Am 23ſten wurde auch aus den dieſſeitigen Batterien mit erneuerter Kraft das Feuer begonnen. Der Feind hatte jedoch ſeiner Seits auf der Rheinfronte gleichfalls die Geſchüße bis auf 30 vermehrt, und antwortete daher nachdrücklich. Auch ſchlug der Commandant eine erneuette Aufforderung zur Uebergabe wiederum ab, und verlangte dagegen, einen Offizier nach Paris ſenden zu können.

Die ſiebente Nacht benüßte man, um die beſchädigten Batterien auszubeſſern, ſo wie die unternommenen Arbeiten fortzuſeßen. Auch wurde in dem Graben der Redoute Abbaduccy der Bau einer Wurfbatterie angefangen.

Den 24ſten Auguſt wurde die Arbeit der zweiten Parallele weiter geführt, und in derſelben zwölf neue Batterien ausgeſteckt. Am Morgen dieſes Tages ſah man auf dem Cavalier des zunächſt liegenden Baſtions die weiße Fahne wechſelweiſe wehen und wieder herabgeriſſen werden. Ueberläufer ſagten aus, daß die Bürgerſchaft in Partheien zerriſſen und höchſt uneinig ſei. Man wandte ſich daher nochmals an den Commandanten, ſeßte ihm ſein ganzes Benehmen und ſeine Zukunft auseinander, und bezeichnete zugleich die Kapitulationspunkte, welche nur angenommen werden konnten.

Der Comandant bat um einen Waffenſtillſtand, welcher ihm bis zum 26ſten Morgens zugeſtanden wurde. Die Belagerer benüßten dieſe Zeit zur Fortſeßung ihrer Arbeiten.

Die achte und neunte Nacht wurde zu Arbeiten an der zweiten Parallele verwendet. Am 26ſten kam jedoch eine Kapitulation zu Stande, wonach die Linien-Truppen hinter die Loire geführt wurden, und die Nationalgarden mit Päſſen in ihre Heimath zurückkehren konnten.

Den 28ſten Auguſt ſtreckte die Garniſon, 1917 Mann ſtark, die Waffen. Die Feſtung wurde von einem Bataillon des Regiments Kollowrat beſeßt.

Man fand 101 Geschütze, eine Menge Munition und Lebensmittel = Vorräthe und später auch noch 2 metallene 16pfünder, welche man eingegraben hatte.

Der Verlust der Belagerer betrug 4 Offiziere, 11 Todte, 88 verwundete Unteroffiziere und Gemeine.

Am 2ten September begann man mit mehreren Arbeitern die Festungswerke von Hüningen zu schleifen.

Auch wurden noch in der bis zum Frieden ablaufenden Zeit die Brückenköpfe bei Sponeck und Fort Louis vollendet, und die Kommunikation der Oberrhein = Armee dadurch auf drei Brücken am obern Rhein, nämlich bei Basel, Rheinweiler und Sponeck und auf zwei Punkten des mittlern Rheins, die Brücke bei Fort Louis und die Fähre bei Gamsheim basirt.

Nachdem jedoch am 2ten October die Grundlagen des Friedens festgesetzt waren, erfolgte die Abschließung des Hauptvertrages am 20sten November 1815.

Von eigentlich militairischem Interesse mußte man das Zurücklassen einer Beobachtungs=Armee von 150,000 Mann (siehe Beilage) unter dem Herzoge von Wellington, und die Besetzung von 17 festen Plätzen in der Linie von Condé bis zum Brückenkopf von Fort Louis, und nach Aufhören dieser Maaßregel die neu entstandenen Gränzverhältnisse gegen Frankreich ansehen.

Ueber die jetzigen Gränzen Frankreichs.

Die Gränzen Frankreichs, im Wesentlichen den früheren von 1791 gleich, haben gleichwohl in Beziehung zu Deutschland, so wie der einzelnen Staaten dieses Landes, eine veränderte Gestalt gewonnen.

Obgleich in der neuesten Zeit durch das Entstehen des Königreichs Belgien die ursprünglichen Verhältnisse beim Schluß des Friedens modifizirt sind, so wird es doch immer erst im Augenblick des Ausbruchs eines Krieges sich entscheiden, welche Verhältnisse im Großen ins Leben treten, wodurch dann die zu ergreifenden Maaßregeln bedingt werden.

Dagegen sind das Festsetzen Preußens am Rhein, die Bundesverfassung der deutschen Staaten, die Organisation des Bundesheeres und die dahin gehörenden militairischen Maaßregeln wesentliche Verschiedenheiten gegen frühere Zeiten, von denen man zwar erst den Umfang ihrer Wirksamkeit zu erproben hat, die aber jedenfalls als Hauptelemente bei künftigen Kriegeslagen Deutschlands angesehen werden müssen.

Die Erfahrung hat indessen gelehrt, daß veränderte Gränzverhältnisse, oder auch neu eingerichtete Verfassungen und Organisationen allein nicht hinreichend sind, eine Landesvertheidigung zu sichern. Der vereinigte feste Wille, so wie die geistigen und moralischen Kräfte werden gewiß stets als die ersten Bedingungen in einem Kampf erscheinen, der die Selbstständigkeit und Unabhängigkeit des Landes zum Zweck hat.

Diese Wahrheit, welche jetzt als geschichtlicher Moment zu Deutschlands Vergangenheit gehört, ist durch den Kampf gegen Napoleon im Augenblick gemeinsamer Gefahr erkannt und im erhebenden Gefühl der Begeisterung zur That geworden.

Mit Ueberzeugung glaubt man daher auch am Schlusse dieser Darstellung hinzufügen zu können, daß gerade das Gefühl deutscher Selbstständigkeit und die Erweckung und Förderung der geistigen und moralischen Kräfte als ein großer Gewinn zu betrachten ist, der aus den denkwürdigen Kriegen der Jahre 1813, 1814 und 1815 hervorgegangen, und der daher auch als eine bleibende Schutzwehr für zukünftige Ereignisse angesehen werden muß.

Beilagen.

Beilage № 1.

Proklamation des Feldmarschalls Fürsten Blücher an die Belgier.

Da meine Armee auf dem Punkt ist, das französische Gebiet zu betreten, so können wir, tapfere Belgier, das eurige nicht verlassen, ohne euch ein Lebewohl zu sagen, und ohne euch unsere lebhafteste Dankbarkeit für die Gastfreundschaft zu bezeugen, welche ihr unsern Soldaten erwiesen habt. Wir haben Gelegenheit gehabt, eure Tugenden schätzen zu lernen. Ihr seid ein tapferes, gutmüthiges und edles Volk; ihr habt Vieles gelitten durch die Unregelmäßigkeit, welche in dem Dienste der Lebensmittel obwaltete; allein ihr habt mit Geduld die Requisitionen ertragen, von welchen ihr unmöglich befreit werden konntet. Eure Lage hat mich lebhaft gerührt; aber es stand nicht in meiner Gewalt, dieselbe zu erleichtern. In dem Augenblicke der Gefahr, welche euch drohte, rief man uns, euch zu helfen. Wir sind herbeigeeilt, und es geschah gewiß gegen unsern Willen, daß wir uns durch die Umstände genöthigt sahen, so lange den Anfang des Kampfes, welchen wir früher gewünscht hätten, abzuwarten. Die Gegenwart unserer Truppen mußte euern Gegenden lästig werden; aber wir haben mit unserm Blute den Tribut der Dankbarkeit, den wir euch schuldig sind, bezahlt, und eine wohlwollende Regierung wird Mittel finden, diejenigen von euern Landsleuten, welche am meisten durch Einquartierungslasten gelitten haben, zu entschädigen. —

II.   26

Lebt wohl, tapfere Belgier! Das Andenken der gastfreund=
lichen Aufnahme, die ihr uns erwiesen habt, so wie jenes
eurer Tugenden, wird auf immer in unsern Herzen einge=
graben bleiben. — Der Gott des Friedens beschütze euer
schönes Land, er entferne auf lange Zeit Kriegsunruhen!
Seid so glücklich, als ihr es zu sein verdient! Lebt wohl!

Merbes=le=Chateau, den 21. Juni 1815.

Der Marschall Fürst Blücher.

Beilage № 8.

Proklamation des Herzogs von Wellington an die Franzosen.

Ich mache den Franzosen bekannt, daß ich mit einer
siegreichen Armee in ihr Land rücke, nicht als Feind (aus=
genommen gegen den aufgetretenen Usurpator, den Feind
des menschlichen Geschlechts, mit dem man weder Friede
noch Waffenstillstand haben kann), sondern um ihnen zu
helfen, das eiserne Joch abzuschütteln, durch welches sie
bedrückt sind.

In Folge dessen habe ich die beiliegenden Befehle
an meine Armee erlassen, und ich verlange, daß man mir
die Uebertreter anzeigt.

Indessen wissen auch die Franzosen, wie ich das
Recht habe zu verlangen, daß sie sich so betragen, daß
ich sie gegen diejenigen vertheidigen kann, die ihnen Uebles
zufügen möchten. Sie müssen auf die Forderungen,
welche ihnen von dazu bevollmächtigten Personen gemacht
werden, liefern, gegen Quittungen nach den Vorschriften;
sie müssen sich ruhig zu Haus halten, und keine Verbin=

dung noch Correspondenz mit dem feindlichen Usurpator noch seinen ihm Zugefallenen unterhalten.

Alle diejenigen, welche nach dem Eintritt des Heeres in Frankreich ihre Wohnungen verlassen, und alle diejenigen, welche im Dienst des Usurpators sich abwesend befinden, werden als ihm Zugefallene und Feinde angesehen; ihr Eigenthum wird zur Unterhaltung des Heeres verwendet.

Gegeben im Hauptquartier Malplaquet,
den 21sten Juni 1815.

Wellington.

Tagesbefehl des Herzogs von Wellington vom 80sten Juni.

Da die Armee das französische Gebiet betritt, so werden die Truppen der Nationen, welche in diesem Augenblick unter den Befehlen des Herzogs Wellington stehen, gebeten, sich zurückzurufen, daß ihre respektiven Souveraine die Alliirten Sr. Majestät des Königs von Frankreich sind, und daß Frankreich folglich als ein alliirtes Land betrachtet werden muß.

Es wird verordnet, daß weder von Offizieren noch Soldaten das Geringste ohne Bezahlung genommen wird.

Die Commissaire der Armee werden auf die gewöhnliche Art für das Bedürfniß sorgen, und es ist weder den Offizieren noch Soldaten erlaubt zu requiriren. Die Commissaire werden entweder durch den Marschall oder durch die Generale, welche die Truppen der verschiedenen Nationen commandiren, (im Fall nicht englische Commissaire ihnen Lebensmittel liefern) bevollmächtigt werden, die nöthigen Requisitionen zu machen, für welche sie ordentliche Quittungen geben, und auf dieselbe Art für alles verantwortlich bleiben, was sie durch Requisition von französischen Einwohnern empfangen, als ob sie Aufkäufe auf Rechnung ihres Gouvernements im eignen Lande machten.

(Unterz.) Auf Befehl des Herzogs von Wellington.
Vaters.

Beilage № 3.

An den französischen General Davoust.

Mein Herr Marschall!

Es ist irrig, daß zwischen den verbündeten Mächten und Frankreich alle Ursachen zum Kriege aufgehört haben, weil Napoleon dem Throne entsagt habe; dieser hat nur bedingungsweise entsagt, nämlich zu Gunsten seines Sohnes, und der Beschluß der vereinigten Mächte schließt nicht allein Napoleon, sondern auch alle Mitglieder seiner Familie vom Throne aus.

Wenn der General Frimont sich berechtigt geglaubt hat, einen Waffenstillstand mit dem ihm gegenüberstehenden feindlichen General zu schließen, so ist dies kein Motiv für uns, ein Gleiches zu thun. Wir verfolgen unsern Sieg, und Gott hat uns Mittel und Willen dazu verliehen.

Sehen Sie zu, Herr Marschall, was Sie thun, und stürzen Sie nicht abermals eine Stadt ins Verderben; denn Sie wissen, was der erbitterte Soldat sich erlauben würde, wenn Ihre Hauptstadt mit Sturm genommen würde.

Wollen Sie die Verwünschungen von Paris eben so wie die von Hamburg auf sich laden?

Wir wollen in Paris einrücken, um die rechtlichen Leute in Schutz zu nehmen gegen die Plünderung, die ihnen von Seiten des Pöbels droht. Nur in Paris kann ein zuverlässiger Waffenstillstand Statt haben. Sie wollen, Herr Marschall, dieses unser Verhältniß zu Ihrer Nation nicht verkennen.

Ich mache Ihnen, Herr Marschall, übrigens bemerklich, daß, wenn Sie mit uns unterhandeln wollen, es sonderbar ist, daß Sie unsere mit Briefen und Aufträgen gesendeten Offiziere gegen das Völkerrecht zurückhalten.

In den gewöhnlichen Formen conventioneller Höflichkeit habe ich die Ehre mich zu nennen

Herr Marschall

Ihren
dienstwilligen
Blücher.

Beilage № 4.

Convention von St. Cloud.

Heute den 3ten Juli 1815, sind die von den commandirenden Generalen der Armeen ernannten Commissarien, nämlich:

der Generalmajor Freiherr v. Müffling mit den Vollmachten Sr. Durchlaucht des Feldmarschalls Fürsten Blücher, commandirenden Generals der preußischen Armee,

der Oberst Hervey mit den Vollmachten Sr. Excellenz des Herzogs v. Wellington versehen,

eines Theils,

der Baron Bignon, die auswärtigen Angelegenheiten besorgend, der Graf Guilleminot, Chef des Generalstabes der französischen Armee,

der Graf Bondy, Präfekt des Seine-Departemens, mit den Vollmachten Sr. Excellenz des Marschalls Prinzen v. Eckmühl, commandirenden Generals der französischen Armee, versehen,

andern Theils

über folgende Punkte übereingekommen:

Artikel 1.

Es ist Waffenstillstand zwischen den alliirten Armeen, befehligt von Sr. Durchlaucht dem Fürsten Blücher, Sr. Excellenz dem Herzog Wellington und der französischen Armee unter den Mauern von Paris.

Artikel 2.

Morgen setzt sich die französische Armee in Marsch, um über die Loire zu gehen. Die vollständige Räumung von Paris wird in 3 Tagen bewirkt, und in 8 Tagen ist die Armee jenseits der Loire.

Artikel 3.

Die französische Armee nimmt ihr Feldgeschütz, ihre Kriegskassen, ihre Pferde und das Eigenthum der Regimenter mit sich, ohne Ausnahme, so wie das persönliche der Depots und verschiedenen Administrations-Zweige, welche der Armee gehören.

Artikel 4.

Die Kranken und Verwundeten, so wie die Chirurgen, welche zu ihrer Heilung nöthig sind, bleiben unter dem besondern Schutz der commandirenden Generale der preußischen und englischen Armee zurück.

Artikel 5.

Die Officianten und Militairs, von denen im vorigen Artikel die Rede ist, können nach ihrer Herstellung zu ihren Corps zurückgehen.

Artikel 6.

Die Frauen und Kinder aller Glieder der französischen Armee können in Paris bleiben, auch ohne Schwierigkeit Paris verlassen, und mitnehmen, was ihnen und ihren Männern gehört.

Artikel 7.

Die Offiziers der Linien-Truppen, welche in den Nationalgarden oder den Föderirten dienen, können sich der Armee anschließen, oder auch in ihren Wohnort oder Geburtsort zurückkehren.

Artikel 8.

Morgen, den 4ten Juli Mittags, wird St. Denys, St. Ouen, Clichy und Neuilly übergeben. Uebermorgen, den 5ten Juli, zu derselben Stunde der Montmartre, den dritten Tag, den 6ten Juli, alle Barrieren.

Artikel 9.

Der innere Dienst von Paris wird durch die Nationalgarde und städtische Gensdarmerie fortgesetzt werden.

Artikel 10.

Die commandirenden Generale der preußischen und englischen Armee versprechen, die jetzigen Autoritäten, so lange sie bestehen, zu respectiren und durch ihre Untergebenen respectiren zu lassen.

Artikel 11.

Oeffentliches Eigenthum (mit Ausnahme dessen, welches sich auf den Krieg bezieht), es gehöre dem Gouvernement oder hänge von Orts-Obrigkeiten ab, wird respectirt, und die verbündeten Mächte werden in keiner Art in die Verwaltung oder Verfügung eingreifen.

Artikel 12.

Ebenso sollen Personen und Privat-Eigenthum respectirt werden. Die Einwohner der Hauptstadt, und überhaupt alle Individuen, welche sich daselbst befinden, fahren fort, ihrer Rechte und Freiheiten zu genießen, ohne beunruhigt oder wegen ihrer Dienstverrichtungen, sowohl genwärtiger als vergangener, wegen ihres Betragens oder ihrer politischen Meinungen in Untersuchung genommen zu werden.

Artikel 13.

Die fremden Truppen werden die Approvisionirung der Hauptstadt nicht hindern, im Gegentheil die Ankunft und den freien Umlauf der dazu bestimmten Gegenstände be= schützen.

Artikel 14.

Gegenwärtiger Vertrag wird bis zum Friedensschluß wegen gegenseitiger Verhältnisse als Vorschrift dienen. Im Fall eines Bruchs soll er in den gewöhnlichen For= men 10 Tage vorher aufgekündigt werden.

Artikel 15.

Sollte bei Ausführung des einen oder des andern Artikels eine Schwierigkeit vorkommen, so wird die Aus= legung zum Vortheil der französischen Armee und der Stadt Paris statt finden.

Artikel 16.

Vorstehende Convention ist für alle verbündete Ar= meen mit dem Vorbehalte der Ratification der Mächte, von denen sie abhängen, gemeinschaftlich abgeschlossen.

Artikel 17.

Die Ratificationen werden morgen den 4ten Juli früh um 6 Uhr auf der Brücke von Neuilly ausgewechselt.

Artikel 18.

Es werden von den verschiedenen Theilen Commis= sarien ernannt, um gegenwärtige Convention auszuführen.

Geschlossen und unterzeichnet zu St. Cloud in drei=

facher Ausfertigung durch obengenannte Commissarien, mit oben genannten Tag und Jahr.

(Gezeichnet) Freiherr v. Müffling (L. S.)
F. B. Hervey, Oberst (L. S.)
Baron Bignon (L. S.)
le Comte Guilleminot (L. S.)
le Comte Bondy (L. S.)

Gegenwärtiger Waffenstillstands-Vertrag genehmigt und ratificirt zu Meudon den 3ten Juli 1815.

Der Feldmarschall Fürst Blücher.

Beilage № 5.

Schreiben des Admirals Hotham an den Capitain Maitland vom 8ten Juli 1815.

Da die Königlichen Bevollmächtigten der Admiralität alle Ursache haben zu glauben, daß Napoleon Buonaparte mit seiner Familie aus Frankreich nach Amerika zu entfliehen gedenkt; so werden Sie hiemit, in Gemäßheit der Befehle, die mir der sehr ehrenwerthe Vicomte, Admiral Keith, im Namen J. J. Herrlichkeiten mitgetheilt hat, ersucht und angewiesen, Ihre ganze Wachsamkeit aufzubieten, um ihn aufzufangen, und jedes Schiff, auf das Sie stoßen, aufs Strengste zu untersuchen, und falls Sie das Glück haben, ihn zu bekommen, sind Sie aufgefordert, ihn und seine Familie an Bord des Schiffs zu bringen, das Sie befehligen, ihn da sorgfältig zu bewachen, und mit aller möglichen Eile in den nächsten Hafen Englands (Torbay den Vorzug vor Plymouth gebend) zurückzukehren. Bei Ihrer Ankunft dürfen Sie keine Verbindung mit dem

Ufer, welcher Art sie auch sein mag, erlauben, ausgenom=
men nach der hier beifolgenden Vorschrift, auch sind Sie
für die strengste Verheimlichung der ganzen Sache, bis
Sie die weitern Befehle J. J. Herrlichkeiten empfangen,
verantwortlich gemacht.

Falls Sie in einem Hafen ankommen sollten, in
welchem sich ein Flaggenoffizier befindet, so haben Sie
ihn mit den Umständen bekannt zu machen, wobei Sie
jedoch dem Offizier, den Sie mit Ihrem Briefe an das
Ufer schicken, den strengsten Befehl zu ertheilen haben,
den Inhalt desselben nicht zu entdecken, und falls kein
Flaggenoffizier in dem Hafen sein sollte, in welchem Sie
ankommen, haben Sie einen Brief durch einen besondern
Boten an den Sekretair der Admiralität zu schicken, und
einen andern an den Admiral Lord Keith, wobei Sie jedem
Offizier, welcher der Ueberbringer desselben sein mag, strenge
Verschwiegenheit einzuschärfen haben.

Beilage № 6.

Eintheilung der Besatzungs-Armee der verbündeten Mächte, welche zufolge des Pariser Friedens im Jahre 1815 auf 5 Jahre in Frankreich zurückbleiben sollte, indeß schon im Jahre 1818 nach dem Congreß von Aachen zurückgezogen wurde.

Oberbefehlshaber: der englische Feldmarschall Herzog v. Wellington. Hauptquartier in Cambray.

Chef des Generalstabes: Generallieutenant Murray.

Dieses Besatzungs-Kriegsheer bestand aus:

30,000 M. Engländern,	Hauptquartier in Cambray.	
30,000 = Russen,	—	Maubeuge.
30,000 = Preußen,	—	Sedan.
30,000 = Oesterreichern,	—	Colmar.
10,000 = Baiern,	—	Pont à Mousson.
5,000 = Würtembergern,	—	Weissenburg.
5,000 • Dänen,	—	Lewarde.
5,000 = Sachsen,	—	Tourcoing.
5,000 = Hannoveranern,	—	Condé.

= 150,000 Mann.

Der rechte Flügel bestand aus den Engländern, Niederländern, Dänen, Sachsen, Hannoveranern, und besetzte die Linien von Charlemont bis Amiens, die Festungen Valenciennes, Bouchain, Cambray und Peronne.

Das Centrum bestand aus den Russen und Preußen, und besetzte die Festungen Maubeuge, Avesnes und Thionville.

Der linke Flügel bestand aus den Oesterreichern, Baiern und Würtembergern, besetzte die Saar und den Elsaß.

A. Der rechte Flügel.
I. Die englischen Truppen.

1. Die Kavallerie-Division. Chef: Generallieutenant Lord Combermere, Hauptquartier in Cassel.

Generalmajor Lord Eward Sommerset.

2tes Drag.-Regt. der Garde in Avesnes le Comte.

3tes = = = = in Bonnieres.

Reitende Artillerie zu Frevit.

Generalmajor Vivian.

7tes Husaren-Regiment in Estarles.

12tes Dragoner- = in Fruges.

18tes = = in Desarves.

Generalmajor Sir E. Grant.

11tes leichtes Dragoner-Regiment in Vaumont.

Reitende Artillerie in Cassel.

2. Die 1ste Infanterie-Division. Chef: Generallieutenant Cole. Hauptquartier in Cambray.

1ste Brigade. Generalmajor Sir J. Maitland.

3tes Bataillon der Grenadier-Garde)
2tes = = Coldstream- = }in Cambray.

2te Brigade. Generalmajor Sir J. Kempt.

7tes Füsilier-Regiment in Ambliaurville.

23stes Infanterie-Regiment in Hamalincourt.

43stes = = in Rassame.

8te Brigade. Generalmajor Sir Lambert.

27stes Infanterie-Regiment in Bagny.

40stes = = in Hamalincourt.

Artillerie-Brigade des Capitain Sinclair in Cambray.

3. Die 2te Infanterie-Division. Chef: Generallieutenant Clinton. Hauptquartier in Vallarme.

3te Brigade. Generalmajor Sir O'Callenham.

3tes Infanterie-Regiment in St. Croix.

39stes Infanterie-Regiment in Tunques.

91stes ⸗ ⸗ in St. Pol.

4te Brigade. Generalmajor Sir Pack.

4tes Infanterie-Regiment in Tauquamberg.

52stes ⸗ ⸗ in Therouanne.

79stes ⸗ ⸗ in Vizernes.

6te Brigade. Sir Bradford.

6tes Infanterie-Regiment in Liliers.

29stes ⸗ ⸗ in Choques.

71stes ⸗ ⸗ in Norvins.

Der Wagen-Train in Aubigny.

⸗ Commissariats-Train in Vallarme.

Die Artill.-Brigade des Capitans Lilier in Vallarme.

⸗ Sappeurs und Mineurs in Perne.

4. Die 3te Infanterie-Division. Chef: Generallieu-tenant Colville. Hauptquartier in Valenciennes.

2te Brigade. Generalmajor Sir Power.

3tes Bataillon in Valenciennes.

47stes Infanterie-Regiment in Valenciennes.

2tes Bat. der Scharfschützen-Brigade in Celler.

5te Brigade. Sir Brisbane.

9tes Infanterie-Regiment in St. Amand.

21stes ⸗ ⸗ in Valenciennes.

9te Brigade. Sir Keane.

81stes Infanterie-Regiment ⎫

88stes ⸗ ⸗ ⎬ in St. Amand.

Artillerie-Brigade ⎭

Reserve-Artill.-Brig. des Oberstlt. Clinzier ⎫ in

⸗ ⸗ ⸗ des Majors Dunfords ⎬ Valen-

⸗ ⸗ ⸗ des Majors Martius ⎭ ciennes.

Der Ponton-Train in Raisnares.

Das Königl. Stabscorps (Oberst Nicholay) in Noyelle.

Der Wagen-Train (Oberstlt. Aird) in Boulencourt.

1. Die 3te Dragoner-Division. Chef: Generallieutenant Alexejew. Hauptquartier in Rethel.
Zugetheilt: Generalmajor v. Dekonsky.

Generalmajor Baron Rosen.

    Smolenskisches Drag.-Regt.   } in Rethel.
    Twersches   =   =   Oberst Nabel }

Generalmajor Kablukow I.

    Kinburnsches Drag.-Regt. Oberst Liesowsky } in
    Kurländsches   =   =   Oberstlieut. Graf } Vou-
        Gudowitsch   } ziere.
    Reitende Batterie № 19. (früher 25.) Capitain
      Falkenberg.

Generalmajor Jagodin.

    Donisches Kosacken-Regt. Gen.-Maj. Jagodin } in
      "   =   =   Oberst Grebzow } De-
                                  vendry und Fay.

2. Die 9te Infanterie-Division. Chef: Generalmajor
Udom II. Hauptquartier in Givet.
Zugetheilt: Generalmajor Juschkow.

Generalmajor Achlestischef.

    Rascheburgs. Inf.-Regt. Oberst Schochow } in Aves-
    Apscheronsches =   "   = Graf Polignac } nes.

Generalmajor Poltarazky.

    Riäskisches Inf.-Regt. Oberstlt. Liestewsky } in Givet.
    Jakuzkisches =   =   = Ugriumow II. }

Generalmajor Iwanow.

    10tes Jäger-Regt. Oberst Scherbeew } in Rocroy.
    38stes =   "   Oberstlt. Tichozky }

9te Artillerie-Brigade. Oberst Tscheremissinow.

    Schwere Batterie № 9. Oberst Tscheremissinow.
    Leichte   =   " 17. Oberstlt. Pustotschkin.
      "   =   = 18. Oberstlt. Lawrow.

                               3. Die

3. Die 12te Infanterie-Division. Chef: Generalmaj.
Liffanewitfch. Hauptquartier in Maubeuge.
Generalmajor Bogbanofsky.

Smolenskisches Inf.-Regt. Oberst v.Tiefenhaufen in Lan-
Narwafches = = = Kamensky drecies
Generalmajor Guriew.

Aleropolfches Inf.-Regt. Oberst Pawola Schwei-) in
kowsky (Mau-
Neu-Ingermannlandfches Inf.-Rgt. Oberst Schu-(beu-
kow I.) ge.
Generalmajor Panzerbieter.

6tes Jäger-Regt. Oberst Bonjean) in
41ftes = = Oberst Lafchkiewitfch le Chateau.
Die 12te Artillerie-Brigade. Oberftlt. Senitfch.
Schwere Batterie № 12. St.-Capt. Lapis.
Leichte = = 23. Oberftlt. Senitfch.
= = = 24. = Sinelnikof.
Reitende = = 1. = Suchafanet.

II. Die preußifchen Truppen.

Commanbeur: Generallieutenant v. Zieten. Hauptquar-
tier in Sedan.
Chef des Generalstabes: Oberst v. Reiche.
Vom Generalstabe: Majors v. Ruits, v. Heymann.
Abjutanten: Oberftlt. v. Stranz, Major v. Fröhlich,
Lieut. Graf v. Schlieben.
Chef der Artillerie: Oberst v. Röhl.

1. Die 1fte Brigade. Chef: Generallieut. v. Pirch I.
Hauptquartier in Bar le Duc.
Generalstab: Major v. Prittwitz.
Abjutanten: Capt. v. Roszinsky, Lieuts. v. Jordan
und Graf v. Schulenburg-Wolfsburg.

II. 27

Oberſt v. Lettow. Adjut. Pr.-Lt. v. Wittken.

7tes Inf.-Regt. (2tes weſtpreuß.) Oberſt v. Seidlitz in Bar le Duc, Ancerville.

10tes Inf.-Regt. (1ſtes ſchleſiſches) Oberſt v. Lettow in Vaucouleurs, Void, Sorey, Gondrecourt.

2tes Jäger-Bat. Major v. Bock in Ligny en Barrois.

3tes Huſaren-Regt. (Brandenburg.) Oberſt v. Sohr in St. Mihiel.

Major v. Spreuth in Bar le Duc.

12pfünd. Batterie № 9. Capt. Holſche in Charleville.

6pfünd.   =   = 8. Capt. Herrmann ⎫
6pfünd.   •   =34. Capt. Lent   ⎪   in
6pfünd. reit. Batt. № 14. Capt. Fritze ⎬ Mezieres,
Laboratorienkolonne = 1. S.-Lt. Koch ⎪ Charleville
Handwerkskolonne = 1. Ober-Feuerwer-⎭ u. Renvez.
ker Simon

2. Die 2te Brigade. Chef: Generalmajor v. Borcke. Hauptquartier in Sedan.

Generalſtab: Major v. Uklansky.

Adjutanten: Major v. Grabowsky, Lieutenants Graf Kospoth und Graf Egloffſtein.

Oberſt v. Othegraven in Sedan.

12tes Inf.-Regt. (2tes brandenburg.) Oberſt v. Othe-graven in Sedan.

14tes Inf.-Regt. (3tes pommerſches) Oberſtlt. v. Mir-bach in Mezieres, Charleville, Omont, Elize.

7tes Drag.-Regt. (Rheiniſches) Oberſt v. Golz in Sedan, Douchery, Raucourt.

Oberſtlieutenant Liebe in Sedan.

12pfünd. Fuß-Batterie № 6. Capt. Reuter in Ca-rignan.

6pfünd. Fußbatterie № 30. Capt. Haine ⎫

6pfünd.   =   , 36. Capt. Blesky ⎪ in Ca-

Parkkolonne № 2. Pr.-Lt. Gehr   ⎪ rignan

Laboratorienkolonne № 5. Sec.-Lt. Schomer ⎬ und

Handwerkskolonne № 2. Sec.-Lt. Klapper- ⎪ Mon-

bein   ⎭ zon.

3. Die 3te Brigade. Chef: Generalmajor v. Ryssel I.
         Hauptquartier in Stenay.

Generalstab: Major v. Reiher.

Adjutanten: Capts. v. Borstel und v. Jvernois.

Oberst v. Uttenhofen in Stenay.

9tes Jnf.-Regt. (Colbergsches) Oberstlt. v. Schmidt
   in Montfaucon, Varennes, Charny, Clermont.

16tes Jnf.-Regt. (3tes westphälisches) Oberst v. Uttenhofen in Montmedy, Spanicourt, Estain, Fresne.

5tes Drag.-Regt. (Brandenburgsches) in Stenay und
   Kanton.

Major König in Stenay.

6pfünd. reitende Batterie № 13. Capt. Papendik in
   Montmedy und Dun.

4. Die 4te Brigade. Chef: Generalmajor v. Lossow.
         Hauptquartier in Thionville.

Generalstab: Capt. v. Tuckermann.

Adjutanten: Major v. Uechtriz und Pr.-Lts. v. Nie-
   sewandt und v. Jtzenplitz.

Oberstlieutenant v. Gröben.

3tes Jnf.-Regt. (2tes ostpreuß.) Oberstlt. v. Gröben
   in Longwy, Audun, le Roman.

28stes Jnf.-Regt. (2tes rheinisches) Major v. Quadt
   in Thionville und Cantenon.

2tes Ulanen-Regt. (schlesisches) Oberst v. Schmiedeberg
   in Conslans, Goerze und Brie.

Major v. Mandelsloh in Thionville.

12pfünd. Fußbatterie № 19. Capt. Kanabeus	in Longwy und Longujon.
6pfünd. reit. Batterie = 16. Capt. Becker	
Parkkolonne № 32. Pr.=Lt. Krüger I.	
Laboratorienkolonne № 6. Sec.=Lt. Igel	
Handwerkskolonne № 6. Ob.=Feuerw. Krüger	

5. Die Reserve=Kavallerie. Chef: Generalmajor v. Jürgas in Sedan.

Generalstab: Pr.=Lt. v. Carisien.

Oberst v. Borstell.

6tes Drag.=Regt. (neumärksches) Oberstlt. v. Dossow in Commercy.

2tes Drag.=Regt. (westphälisches) Oberst v. Woysky in Thionville.

2tes Leib=Husaren=Regt. Oberst v. Stössel in Friancourt, Faubecourt, Souilly.

7tes Ulanen=Regt. (1stes rheinisches) Oberstlt. v. Rhaden in Charleville.

Die Pioniere. Oberstlt. v. Markow in Sedan.

3te Pionier=Compagnie, 1ste Abtheilung in Sedan, Mezieres, Capt. Giese.

1ste Pionier=Compagnie, 7te Abtheilung in Montmedy, Capt. v. Kloschinsky.

2te Pionier=Compagnie, 7te Abtheilung in Longwy, Pr.=Lt. Siemon.

2te Pionier=Compagnie, 4te Abtheilung in Thionville, Capt. v. Uthmann.

Feldbäckerei und fliegendes Pferde=Depot. Major v. Dornis in Sedan.

Feldbäckerei=Kolonne № 2 und 5.	in Sedan.
Proviant=Kolonne № 1. 4 und 34.	
Fliegendes Pferde=Depot № 1.	

Feldlazareth. Div.-General-Chirurgus Starke.
Haupt-Feldlazareth № 1. in Sedan.
Fliegendes Feldlazareth № 1. in Longwy.
  =   =   = 11. in Thionville.
  =   =   = 14. in Bar le Duc.

C. Der linke Flügel.

I. Die österreichschen Truppen.

Commandeur: General der Kavallerie Baron Frimont.
     Hauptquartier in Colmar.

   1. Die Kavallerie-Division. Chef: Feldmarschall-Lieutenant Mohr. Hauptquartier in Erstein.
Generalmajor Graf Raigecourt in Bischweiler.
   Dragoner-Regt. König v. Baiern № 2. Oberst v.
    Schlottheim in Erstein und Benfeld 6 Esc.
   Dragoner-Regt. Riesch № 6. Oberst v. Wangen in
    Bischweiler und Drusenheim 6 Esc.
Generalmajor Graf Desfours in Colmar.
   Regiment 6 Esc.
   Husaren-Regt. König v. Preußen № 6. Oberst Genes
    in Markolsheim und Ensisheim 6 Esc.
   1 Kavallerie-Batterie in Rothweiler.

   2. Die Infanterie-Division. Chef: Feldmarschall-Lieutenant Baron Marschall. Hauptquart. in Molsheim.
Generalmajor Senitzer in Hagenau.
   4 Bat. des Inf.-Regts. Benjowsky № 31. Oberst
    Veesen in Fort Louis, Hagenau, Bratmath.
   4 Bat. des Inf.-Regts. Ignaz Gyulay № 60.
    Oberst Czarnozky in Neuweiler, Zabern, Molsheim.
Eine 6pfündige Brigade-Batterie in Dorksheim.

II.   28

Name	11ten Juli	12ten Juli	13ten Juli	14ten Juli
Das ℟ vorpuis.	Sezanne.	Coulommiers	Lagny.	Paris.
Das ℟ Iche.	Champeaubert.	la Fertk fous Jouarre.	Claye.	
D Husare.	ChateauThierry.	Mereilly.	Annay.	
D Infant	Epernay.	ChateauThierry.	Iverny.	
Di Infantours	Avenay.	Crejaney.	Meaux.	
D Drage.	Vieux Maifons.	Meaux.	Bondy.	
Di Infant	Beauchamps	Monceau.	Vaugneurs.	
Di Infanülle.	Bergeres.	Vieux Maifons.	Cholfy le Temple.	
Di Infant	Etoges.	Buffieres.	VilleParifis.	
D Infantei Nancy.				
Di Infant	Metz nach Chalons und bejieht dort Kantonnirungen.			
℟bl u. Grenad Im.	Bliescaftel und Alzey.	Petelange u. Winweiler.	Morhange u. Landftuhl.	
D HorGrend.	Gaudrupt.	Thiebelement.	Remainecourt.	
D Ulanen Saye	Nouvroy fur Meufe.	Clairmont.	Sommetours	
D à Küraffon.	Vigneulle.	Beauke.	St. Menehould.	
ChamHusaff e.	la Fertk gaucher.	St. Germain	Neuilly.	
D St. Infant.	Efteruay.	Meuron.	Chelles.	
D Infant	les grands Effards.	Chailly.	Powpronne.	
D Ulanen	Ligny.	St. Dizierd.	Sommepuis.	
D Küra	Void.	Ligny.	St. Dizierd.	
Das Ic.	Nancy.	Void.	Ligny.	
	InfanterieDivision beftehend, blieb unter dem Oberbefehl			

Name	11ten Juli	12ten Juli	13ten Juli	14ten Juli
Das L. corpuis.	Sezanne.	Coulommiers	Lagny.	Paris.
Das S. fchs.	Champeau-bert.	la Fertë fous Jouarre.	Claye.	
D. Husaren.	Chateau-Thierry.	Mereilly.	Annay.	
D. Infant.	Epernay.	Chateau-Thierry.	Iverny.	
Di Infanttours	Avenay.	Erezaney.	Meaux.	
D. Drags.	Vieux Mai-fons.	Meaux.	Bondy.	
Di Infant	Beauchamps	Moneeau.	Vaugneurs.	
Di Infantlle.	Bergeres.	Vieux Mai-fons.	Cholfy le Temple.	
Di Infant	Etoges.	Buffieres.	Ville Parefis.	
D. Infant	Nancy.			
Di Infant	Metz nach Chalons und bezieht dort Kantonnirungen.			
Chl u. Grenad. Inf.	Bileskaftel und Alzey.	Petelange u. Winweiler.	Morhange u. Landftuhl.	
D. Hor-Grenad.	Gandrupt.	Thiebele-mont.	Romaine-court.	
D. Ulanen Baye	Roubroy fur Meufe.	Clairmont.	Sommetours	
D. à Küraffon.	Vigneulle.	Beauzke.	St. Mene-hould.	
Cham-Husaife.	la Fertë gaucher.	St. Germain	Neuilly.	
D. St. Infant.	Efternay.	Mouron.	Chelles.	
D. Infant	les grands Effards.	Chailly.	Pompronne.	
T. Ulanen	Ligny.	St. Dizlers.	Sommepuis.	
T. Küraf	Bold.	Ligny.	St. Dizlers.	
Das Ic.	Nancy.	Bold.	Ligny.	

nfanterie-Divifion beftehend, blieb unter dem Oberbefehl

Berichtigung.

Die in dem ersten Theile Seite 306 enthaltene Anmerkung beruht auf einem Irrthum, welcher nicht durch den Verfasser, noch durch den Obersten v. Scharnhorst veranlaßt, sondern aus einer eigenhändigen Notiz des verewigten General-Feldmarschalls Grafen v. Gneisenau hervorgegangen ist. Der Oberst v. Scharnhorst hat über den betreffenden Gegenstand nur geäußert: er sei zu dem Befehlshaber einiger leichten Geschütze auf dem linken Flügel der brittisch-verbündeten Armee mit dem Ersuchen geritten, rechts Platz zu machen, damit die preußischen Batterien Raum zum Abprotzen und Aufstellen erhielten, dem auch sogleich gewillfahrt worden sei.

Anmerkung.

In dem Texte des Werkes sind die preußischen Regimenter öfter bei ihren provinziellen oder sonst beigelegten Namen, öfter aber auch nach ihren Nummern genannt worden. Um daher für auswärtige Leser jedes Mißverständniß zu vermeiden, wird bei denjenigen Regimentern, bei denen diese verschiedene Bezeichnung angewendet wurde, die doppelte Benennung derselben hierdurch nachgetragen:

2tes Infanterie-Regiment		(1stes pommersches Inf.-Regt.)
6tes	≈	≈	(1stes westpreußisches Inf.-Regt.)
7tes	≈	≈	(2tes westpreußisches Inf.-Regt.)
8tes	≈	≈	(Leib-Infanterie-Regiment.)
9tes	≈	≈	(Colbergsches Inf.-Regt.)
10tes	≈	≈	(1stes schlesisches Inf.-Regt.)
11tes	≈	≈	(2tes schlesisches Inf.-Regt.)

Erklärung
des Plans der Schlacht von Belle-Alliance.

A. A. Das erste Treffen der Engländer.

B. Die 3te brittische Brigade und links daneben die 1ste Brigade der deutschen Legion.

C. Die 3te hannöversche Brigade und rechts derselben das 7te und 15te englische Dragoner-Regiment.

D. Die 3te Kavallerie-Brigade unter General Dörnberg und das Regiment Cumberland Husaren.

E. Das 3te Husaren-Regiment der deutschen Legion von der 7ten Kavallerie-Brigade.

E. Das zu derselben Brigade gehörige 13te englische Dragoner-Regiment auf dem rechten Flügel.

F. Die englische Garde-Kavallerie.

G. Die niederländische Kavallerie.

H. Die 2te Kavallerie-Brigade.

J. Die 4te Kavallerie-Brigade.

K. Die 6te Kavallerie-Brigade.

L. Die 10te brittische Infanterie-Brigade.

M. Die 3te niederländische Division bei Braine la leud.

N. Die 4te brittische Infanterie-Brigade auf dem rechten Flügel.

O. Aufstellung der zum 1sten französischen Armee-Corps gehörigen leichten Kavallerie-Division Jaquinot.

P.P. Das 1ste französische Armee-Corps.

Q.Q. Das 2te französische Armee-Corps.

R. Die zum 2ten Corps gehörende leichte Kavallerie-Division Piré.

S. Die Küraffiere des Generals Milhaud.

T. Die beiden leichten Kavallrie-Divisionen Domon und Subervie in Kolonnen.

U. Das 6te französische Armee-Corps.

V. Die Küraffiere von Valmy.

W. Die Infanterie und Artillerie der Garde.

X. Die leichte Kavallerie der Garde.

Y. Die schwere Kavallerie der Garde.

Z.Z. Angriff von Hougomont durch die Division Hieronymus Bonaparte.

a. Die braunschweigschen Truppen werden aus ihrer ersten Aufstellung bei Merbe Braine mehr gegen die Mitte der englischen Stellung herangezogen.

b. c. d. e. Vorrücken und Angriff der 4 Divisionen des 1sten französischen Corps.

f. Eine Kürassier-Brigade von Valmy, unterstützt diesen Angriff auf dem linken Flügel.

g. Das erste leichte Bataillon der deutschen Legion besetzt den Rand der Chaussee.

h. Vorrücken und Angriff der englischen Kavallerie-Brigade Ponsonby.

i. Die französische Kavallerie geht derselben entgegen und wirft sie zurück.

k. Einige Regimenter der Division Jaquinot, die den Angriff des 1sten französischen Corps in der Flanke decken.

l. m. Die 5te hannöversche Brigade wird vom linken Flügel der englischen Aufstellung zur Verstärkung des Centrums herangezogen.

m. n. Angriffe der französischen Kavallerie.

o. Aufstellung der französischen Kavallerie, in welcher sie sich nach den Attaquen sammelte und dann zu neuen Angriffen vorging.

p. p. Zweite Aufstellung der 3ten niederländischen Division.

q. Der Graf Reille unterstützt mit Infanterie des 2ten französischen Corps die Angriffe der Kavallerie.

r. Verdeckte Aufstellung der 15ten und 16ten preußischen Brigade im Walde von Frischermont.

s. Die preußische Reserve-Kavallerie des 4ten Corps links dahinter.

t. Die 13te Brigade auf dem Marsche.

u. Die 14te Brigade auf dem Marsche.

v. Die Spitze des 2ten Armee-Corps.

w. Hervorbrechen der 15ten und 16ten Brigade aus ihrer verdeckten Stellung.

x. Zwei Füsilier-Bataillone der 16ten Brigade zur Deckung des linken Flügels am Walde.

y. y. Aufstellung des 6ten französischen Corps und der beiden Kavallerie-Divisionen Domon und Subervie.

z. Zwei Bataillons der 15ten Brigade werden auf das Schloß Frischermont dirigirt.

a. a. a. a. Aufstellung der Franzosen um 4½ Uhr, als die Preußen aus dem Walde von Frischermont hervorbrechen.

β. Der Baum, von wo aus der Herzog v. Wellington die Schlacht leitete.

a. a. Die 16te Brigade, unterstützt von 2 Bataillons der 14ten Brigade, greift Plancenois an.

b. b. Die 14te Brigade folgt als Reserve.

c. c. Die Reserve-Kavallerie des 4ten Corps deckt in der Schlachtlinie den Raum zwischen der 16ten und 15ten Brigade.

d. d. Die 15te Brigade im Vorrücken.

e. e. Das 1ste pommersche Landwehr-Kavallerie-Regiment.

f. f. Die 13te Infanterie-Brigade im Vorrücken.

g. g. Das westpreußische Ulanen-Regiment zur Deckung des rechten Flügels des 4ten Corps.

h. h. Die beiden Füsilier-Bataillons der 16ten Brigade unter dem Major v. Keller umgehen Plancenois längs der Lisiere des Waldes von Chantelet.

i. i. Die 5te Infanterie-Brigade, zum 2ten Armee-Corps gehörig, auf dem Marsche nach Plancenois.

k. k. Die Reserve-Kavallerie des 2ten Corps auf dem Marsche eben dahin.

l. l. Die 6te Infanterie-Brigade, zum 2ten Armee-Corps gehörig, ebenfalls auf dem Marsch nach Plancenois.

m. m. Die 7te Infanterie-Brigade, zum 2ten Armee-Corps gehörig, auf dem Marsch nach Maransart, zur Deckung der linken Flanke der Armee.

n. n. n. n. Aufstellung des 6ten französischen Armee-Corps bei Plancenois.

o. o. Aufstellung der beiden französischen Kavallerie-Divisionen Domon und Subervie.

p. p. p. p. Die Division der jungen Garde, aus 8 Bataillons bestehend, vertheidigt Plancenois.

q. q. Das 2te Bataillon vom 2ten Grenadier-Regiment und das 2te Bataillon vom 2ten Chasseur-Regiment der alten Garde rücken zur Unterstützung des Gefechts in Plancenois vor.

r. r. Das 1ste Bataillon des 1sten Grenadier-Regiments der alten Garde rückt hinter Plancenois, um den Weg von diesem Ort nach der Chaussee zu besetzen.

s. s. Das 2te Bataillon des 1sten Grenadier-Regiments der alten Garde stellt sich nebst 6 Geschützen links der Chaussee.

t. t. Das 1ste Bataillon des 2ten Grenadier-Regiments der alten Garde marschirt nach dem Walde von Chantelet.

u. u. v. v. Das 1ste und 2te Bataillon des 1sten Chasseur-Regiments der alten Garde decken das Terrain rechts von Plancenois.

w. w. Das 1ste Bataillon des 2ten Chasseur-Regiments der alten Garde, unter Befehl des Generals Pelet, rückt nach Plancenois, um die Vertheidigung des Dorfes zu unterstützen.

x. x. Das 2te Bataillon des 3ten Grenadier-Regiments der alten Garde wird von Napoleon selbst links von Belle-Alliance aufgestellt.

y. y. Die noch übrigen 5 Bataillons der alten Garde werden von dem Marschall Ney zum letzten Angriff vorgeführt.

y. y. Aufmarsch dieser 5 Bataillons, der englischen Stellung gegenüber.

z. z. Die französische Kavallerie unterstützt diesen letzten Angriff.

Aa. Aa. Aa. Aa. Die Infanterie des 1sten und 2ten französischen Corps unterstützt diese letzte Attake.

Aà. Die französische Kavallerie hat sich hier zum letzten Angriff formirt und mit der Garde-Kavallerie vereinigt.

Aà. Stellung der Franzosen bis wohin sie auf dem rechten Flügel zurückgeworfen waren, ehe der letzte Angriff begann.

Bb. Bb. Die Engländer behalten das Schloß Hougomont besetzt und führen Truppen in dieser Richtung heran.

Cc. Cc. Die Engländer haben ihre erste Linie auf dem rechten Flügel und besonders auf dem linken Flügel verkürzt.

Dd. Dd. Verstärkung des Centrums der Engländer.

Ee. Ee. Vom Herzog v. Wellington zur weitern Verstärkung des Centrums herangezogene Truppen.

Ff. Ff. Die von beiden Flügeln näher herangezogene und hinter der Aufstellung vereinigte englische Kavallerie.

Gg. Gg. Die 1ste preußische Brigade, zum 1sten Armee-Corps gehörig, rückt aus la Haye vor.

Gg. Gg. Zwei preußische Batterien des 1sten Armee-Corps rücken in die Schlachtlinie.

Hh. Hh. Andere Abtheilungen des 1sten preußischen Corps rücken vor.

Ji. Ji. Die Reserve-Kavallerie des 1sten preußischen Armee-Corps folgt auf la Haye.

Kk. Kk. Die 2te Brigade des 1sten preußischen Armee-Corps im Vorrücken.

Ll. Ll. Die 3te Brigade des 1sten preußischen Armee-Corps im Vorrücken.

Kk. Kk. Die 4te Brigade des 1sten preußischen Armee-Corps im Vorrücken.

Erklärung
des Plans von dem Gefechte bei Wavre
am 18ten und 19ten Juni 1815.

A. Stellung der 12ten Brigade hinter Bierge, und 6 Geschütze von der reitenden Batterie № 20.

A. Das zu der 12ten Brigade gehörige 2te Bataillon des 6ten kurmärkschen Landwehr-Regiments, links im Grunde.

B. Die 10te Brigade hinter Wavre.

C. Die 11te Brigade quer über der Chaussee.

D. Die Reserve-Kavallerie in Escadrons-Colonnen bei la Bavette und die reitende Batterie № 18.

E. E. E. Aufstellung der Artillerie auf den Anhöhen hinter der Stadt.

F. Das 2te Bataillon vom 30sten Regiment und 2 Schwadronen vom 3ten kurmärkschen Landwehr-Regt. dicht hinter der Stadt als Reserve.

G. Die große Brücke über die Dyle.

H. Stellung des 3ten französischen Armee-Corps. (Vandamme.)

J. Das Kavallerie-Corps von Excelmans.

K. K. Die beiden Tirailleur-Linien längs der Dyle.

L. Eine Division (Vichery) vom 4ten französischen Corps bei Bierge.

M. Die Kavallerie Pajol's im Marsch auf Limalle.

N. Eine Division des 4ten französischen Corps im Marsch.

O. Die Division Teste vom 6ten französischen Corps im Marsch.

P. Die bei Bierge gestandene Division Vichery vom 4ten Corps rückt nach Limalle.

P. Das Detaschement des Obersten v. Stengel vom 1sten preußischen Armee-Corps bei Limalle.

Q. Q. Q. Stellung der Franzosen bei Limalle am 18ten.

R. Das 3te Bataillon vom 5ten kurmärkschen Landwehr-Regiment und die zur 12ten Brigade gehörige Batterie in Reserve.

S. Detaschement des Obersten Stengel vom 1sten Armee-Corps.

T. Angriff der 12ten Brigade in der Nacht, unterstützt von der Reserve-Kavallerie des 3ten Armee-Corps.

U. Flankenbewegung der französischen Kavallerie.

V. V. Die preußische Reserve-Kavallerie im Bivouak in der Nacht.

W. Stellung der Franzosen bei Nieder-Wavre.

X. Parallel-Straße mit der großen Brücke in Wavre, von wo aus die Preußen sich vorschoben, um den Franzosen das Eindringen zu verhindern. Links daneben freier Platz, wo die Preußen sich zu neuen Angriffen formirten.

Y. Aufgestellte preußische Reserve, zur Unterstützung des Gefechts bei Nieder-Wavre.

Z. Die kleine Brücke in Wavre.

a. a. a. a. Aufstellung der 10ten und 12ten Brigade am 19ten des Morgens, wobei 3 schwache Bataillons der 12ten Brigade in der Mitte der Stellung in Reserve bleiben.

b. b. b. b. b. Angriff der Franzosen am 19ten mit 4 Divisionen und einem Kavallerie-Corps.

c. c. c. Zweite preußische Aufstellung.

d. Stellung des Obersten v. Luck mit dem 3ten kurmärk. Ldw.-Regt.

e. Aufstellung der Artillerie.

f. f. Stellung der Kavallerie-Brigade Lottum in der Nähe von Chambre und der Kavallerie-Brigade Marwitz weiter links.

g. Die 12te Infanterie-Brigade sammelt sich hinter der preußischen Aufstellung.

h. Letzte Aufstellung des Obersten v. Marwitz mit der Kavallerie zur Deckung des Rückzuges.

i. i. Letzte Stellung der französischen Kavallerie.

k. k. k. k. Die französische Infanterie rückt bis auf die Höhen von la Bavette vor.

l. l. Rückzug der preußischen Infanterie in 2 Kolonnen.

m. Stellung der 9ten Brigade bei St. Lambert, in der Nacht vom 18ten zum 19ten.

n. n. Marsch und Aufstellung der 9ten Brigade am Morgen des 19ten.

o. Drei französische Kavallerie-Regimenter beobachten diese Bewegungen.

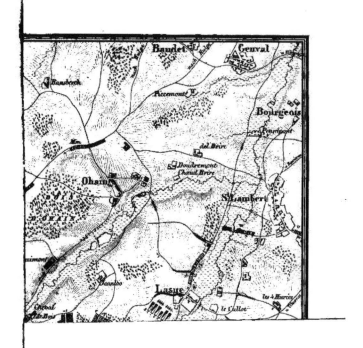

447

Druck:
Customized Business Services GmbH
im Auftrag der KNV-Gruppe
Ferdinand-Jühlke-Str. 7
99095 Erfurt